2ᵉ ÉDITION

intermédiaire

GRAMMAIRE EXPLIQUÉE DU FRANÇAIS

exercices

Sylvie Poisson-Quinton
Reine Mimran
Michèle Mahéo-Le Coadic

CLE
INTERNATIONAL

Crédits photographiques

pages ouverture : andreusK/Adobe stock – **p. 13 :** sima/Adobe stock – **p. 21 :** M.studio/Adobe stock – **p. 23 :** g Simone/Adobe stock ; d Oksana Malenkova/Adobe stock – **p. 28 :** nyul/Adobe stock – **p. 30 :** Jérôme Rommé/Adobe stock – p. 40 h d ChristopheLArt ; basg ChristopheLArt – **p. 45 :** Tiko/Adobe stock – **p. 57 :** Serge Le Strat/Unsplash – **p. 81 :** g Stéphane Weinzaepfle/Adobe stock ; d laurent6494/Adobe stock – **p. 87 :** Leonid/Adobe stock – **p. 88 :** Jo Panuwat D/Adobe stock – **p. 91 :** © Fine Art Images/Heritage Images – **p. 97 :** Fxquadro/Adobe stock – **p. 99 :** h g CiliaS/Adobe stock, m SergiyN/Adobe stock, d Bogdan Lazar/Adobe stock ; bas g OlgaDm/Adobe stock, m samott/Adobe stock, d Raphaël Gaillarde/GAMMA RAPHO – **p. 102 :** Nice/Adobe stock – **p. 105 :** Alex Green/Adobe stock – **p. 108 :** sir270/Adobe stock – **p. 122 :** paris pao/Adobe stock – **p. 151 :** Gennadiy Poznyakov/Adobe stock – **p. : 153** h Albachiaraa/Adobe stock ; bas Photo Passion/Adobe stock – **p. 168 :** g Giulio_Fornasar/Adobe stock ; m h josemagon/Adobe stock, bas Africa Studio/Adobe stock ; d josemagon/Adobe stock – **p. 171 :** Ljupco Smokovski/Adobe stock – **p. 172 :** amriphoto.com/Adobe stock – **p. 177 :** Nastasia Froloff/Adobe stock – **p. 178 :** phonlamaiphoto/Adobe stock – **p. 180 :** guerrieroale/Adobe stock – **p. 192 :** Viacheslav Iakobchuk/Adobe stock – **p. 198 :** h © BIS / Ph. © Archives Larbor ; bas © BIS / Ph. Coll. Archives Nathan – **p. 201 :** © BIS / Ph. J.L. Charmet © Archives Larbor – **p. 212 :** h g annepowell1956/Adobe stock, d majdansky/Adobe stock ; bas g Maxal Tamor/Adobe stock, d Mariusz Niedzwiedzki/Adobe stock – **p. 217 :** François Truffaut, *Les films de ma vie*, ©Flammarion, 2007 – **p. 223 :** Syda Productions/Adobe stock – **p. 228 :** okolaa/Adobe stock – **p. 229 :** hcast/Adobe stock – **p. 234 :** Delphotostock/Adobe stock – **p. 238 g :** alfa27/Adobe stock ; d Kalinova Olena/Adobe stock

Direction éditoriale : Béatrice Rego
Responsable marketing : Thierry Lucas
Édition : Brigitte Faucard
Création maquette : Dagmar Stahringer
Couverture : Studio Francoeur
Illustrations : Conrado Giusti
Mise en page : Domino

© CLE International, 2019
ISBN : 978-209-038988-3

AVANT-PROPOS

Tout comme la Grammaire expliquée du Français qui vient d'être rééditée, la nouvelle édition du Cahier d'exercices qui l'accompagne a été **revue et augmentée**.

Augmentée, comment et pourquoi ?

Il a semblé utile, pour initier l'apprenant au mécanisme de la langue, de le mettre directement au contact de cette langue, non plus seulement à travers les exercices habituels d'application mais aussi à travers des textes suivis qui le plongent dans le flux même de cette langue.

Ces textes sont de longueurs diverses (de 5 lignes et plus à une page entière).

Ils abordent les thèmes, ils utilisent les tons et les niveaux de langue de la vie courante d'aujourd'hui. À des dialogues vifs qui proposent les structures d'une langue orale et même parfois familière, succèdent des descriptions ou des récits qui donnent accès à ce qui est souvent le plus difficile pour les apprenants, la compréhension de la temporalité.

L'ancienne édition offrait ce type d'exercices, mais la nouvelle les a considérablement **développés**.

Des illustrations, dessins, photos, apportent aussi une touche explicative qui peut clarifier les exercices.

Par ailleurs **la révision** du cahier d'exercices a permis des mises à jour importantes : des informations devenues obsolètes ont été supprimées ou actualisées et des avancées de la société ont été prises en compte.

Cependant, ont été maintenus les exercices précis et variés qui ont fait leurs preuves et qui illustrent les explications apportées par la Grammaire : exercices à trous, exercices de réflexion, de reconnaissance, de substitution, etc. De même ont été gardés les bilans de fins de chapitre qui permettent aux étudiants de faire le point sur leurs connaissances.

Ce cahier qui s'adresse, comme la Grammaire, à des étudiants de niveau intermédiaire ou avancé, peut s'utiliser en complément de cette grammaire mais il peut également s'utiliser seul. Les corrigés qui se trouvent à la fin de l'ouvrage offrent aux étudiants la possibilité de travailler en auto-apprentissage.

SOMMAIRE

I. GÉNÉRALITÉS

1 Généralités

• 1. LES LIAISONS À L'ORAL •

1. Utilisez le signe ꝱ pour marquer la liaison obligatoire et le signe / pour marquer la liaison interdite.

1. J'aime tous les opéras de Mozart.

2. Quel beau jardin ; il y avait des fleurs : des iris, des anémones, des azalées et quelques arbres fruitiers : des orangers, des abricotiers…

3. Les vieillards affirment que dans leur jeunesse les hivers étaient plus froids et les étés plus chauds.

4. Pour régler cette question, adressez-vous à vos élus locaux.

5. Cet arbre est très haut, trop haut, je n'y grimperai pas.

6. « Tu as de beaux yeux, tu sais », lui dit-il en la regardant tendrement.

7. Le nord-est de la France est couvert de forêts, le sud-est est plus accidenté.

8. Ça fera dix euros, Madame, non, pardon, dix euros et onze centimes.

2. Utilisez le signe ꝱ pour marquer la liaison obligatoire, le signe / pour marquer la liaison interdite et le signe ~ pour marquer la liaison facultative.

1. L'actrice, récompensée, était trop émue pour faire un long discours, elle a seulement dit « merci ».

2. Les savants ne sont pas tous d'accord ; les uns disent que la terre se réchauffe, les autres qu'elle se refroidit ; quelques-uns ont des idées très précises, les autres sont moins affirmatifs.

3. Ils ont acheté une maison et ils y ont rapidement emménagé.

4. Les Halles à Paris sont devenues un grand espace commercial.

5. Les héros et les héroïnes des romans de Victor Hugo sont extraordinaires, au sens propre du terme.

6. Nous sommes allés aux États-Unis cet été et nous les avons traversés de part en part.

7. Voilà un endroit très agréable pour pique-niquer, il est peu fréquenté et assez ombragé.

8. Il était dix heures du matin ; trois hommes sont montés dans une rame du métro, ils ont chanté tout un répertoire sud-américain mais ils n'ont rien demandé.

3. Les lettres euphoniques et analogiques. Complétez par *l*, *s* ou *t* quand c'est nécessaire, obligatoire (en rouge) ou possible mais facultatif (en noir).

1. – Elle est contente de son nouveau travail ?

– Hum… Si …… on veut. Comme ci comme ça !

2. Moi, je n'ai pas le temps d'y aller mais va.......-y, toi !

3. –Je ne pense pas que ...... on puisse parler d'injustice dans ce cas.

4. Peut-être a-......-on raison de croire que les arbres éprouvent des sentiments.

5. Comprend......il vraiment ce qui s'est passé ?

6. Écoute-......-il les conseils qu'on lui donne ou bien, comme d'habitude, n'en fait-......
   -il qu'à sa tête ?

7. Pas de discussion ! Les légumes, c'est bon pour la santé. Mange......-en!

8. Avec lui, quoi que ...... on fasse, on a toujours tort !

2. L'ÉLISION

1. Mettez ou non l'apostrophe (élidez ou non les mots entre crochets [...]).

1. [Elle] ...... a quitté la conférence parce [que] ...... il était tard et [que] ...... elle
   [ne] ...... avait plus envie [de] ...... écouter [le] ...... orateur.

2. [Le] ...... hors-jeu a été sanctionné par le coup de sifflet de [le] ...... arbitre.
   C'est [la] ...... onzième faute de [la] ...... équipe.

3. [Elle] ...... a retrouvé [le] ...... ami avec [qui] ...... [elle] ...... avait fait toutes ses études
   à [la] ...... université.

4. [Qui] ...... a mangé [le] ...... yaourt [qui] ...... était sur la table ?

5. [Tu] ...... aimes le livre [que] ...... on [te] ...... a offert ?

6. Ce couple ne [se] ...... entend pas : [si] ...... il dit blanc, elle dit noir, [si] ...... elle dit oui,
   il dit non.

7. [Cette] ...... armoire est très ancienne. Elle ne [se] ...... ouvre [que] ...... avec difficulté.
   [Je] ...... ai envie de [me] ...... en débarrasser.

8. Avez-vous entendu [le] ...... oui de la mariée ?

2. Même consigne.

1. [Le] ...... être humain [ne] ...... est pas seul dans [le] ...... univers.

2. [Le] ...... yoga est-il un art, un sport, une sagesse ?

3. [Comme] ...... il le fait chaque jour, le vieil homme est sorti bien [que] ...... il y ait
   du vent.

4. [Même] ...... effrayant, le film était beau.

5. Il avait faim : il [se] ...... est jeté sur son assiette comme [si] ...... il [ne] ...... avait
   pas mangé depuis trois jours.

6. [Quelle] ...... est [la] ...... hauteur de la tour Eiffel ?

7. [La] ...... histoire finit bien. [Ce] ...... est une belle histoire.

8. [Tu] ...... as [le] ...... air fatigué, tu [te] ...... épuises au travail. Est-ce [que] ...... il [ne] ......
   est pas [la] ...... heure [de] ...... aller au lit ?

• 3. LE DÉCOUPAGE DES MOTS DANS UN TEXTE MANUSCRIT •

1. Introduisez ce texte dans le cadre donné en découpant correctement les mots, en ne débordant pas du cadre et en allant au bout de la ligne.

L'automne dans l'hémisphère nord est une saison qui a un grand charme. Peu à peu, toutes les feuilles des arbres jaunissent et tombent à terre. Elles s'entassent les unes sur les autres et dessinent un patchwork éclatant qui est à la fois doux et craquant sous les pieds.

Parfois, tout est enveloppé d'une brume blanchâtre qui cache les formes et donne au monde un aspect étrange et féerique.

L'automne dans l'hémisphère nord est une saison qui a un très grand charme. Peu à peu, toutes les feuilles des arbres jaunissent et tombent à terre. Elles s'entassent ....

....

....

....

....

....

....

• 4. LA PONCTUATION •

1. Lisez, à haute voix de préférence, ce texte. Rétablissez la ponctuation de façon à lui donner plus de sens et à respecter sa « respiration ».

C'est la rentrée une année de plus qui commence durant laquelle des milliers de lycéens vont entendre dès qu'il leur prendra l'envie de paresser ces quelques mots d'une cruauté toute parentale et ton bac ou le fameux passe ton bac d'abord alors en guise de soutien nous avons décidé d'apporter chaque semaine dans notre petit journal un peu de réconfort aux élèves stressés en leur parlant de ce qu'ils aiment le cinéma le sport la musique les copains les voyages

2. Quelles différences de sens existe-t-il entre ces phrases ?

1. Pour ce festival, les artistes arrivaient de Madrid, de Rome, d'Athènes et de Lisbonne.
Pour ce festival, les artistes arrivaient de Madrid, de Rome, d'Athènes, de Lisbonne...

2. – Manuel, apporte les fruits sur la table !
– Manuel apporte les fruits sur la table.

3. Gros titre dans le journal : *Enquête suspendue sur l'assassinat à Lille de notre correspondant Max Sirius.*

Gros titre dans le journal : *Enquête suspendue sur l'assassinat à Lille, de notre correspondant Max Sirius.*

4. – Attention ! Le chien mord Monsieur Perrin.

– Attention ! Le chien mord, Monsieur Perrin.

3. Dans les phrases suivantes, quel sens ont...

– les guillemets ?

a. « Selon que vous serez puissant ou misérable, les jugements de cour vous rendront blanc ou noir », cette morale de La Fontaine est hélas encore d'actualité.

b. Le mot « moule » peut avoir deux sens, l'un féminin, l'autre masculin.

– les points de suspension ?

a. Dans son sac, il y avait un mélange inimaginable de choses : des bobines de fil, des élastiques, de vieux tickets de caisse, un gant...

b. Euh... Excusez-moi... S'il vous plaît... Où se trouve l'arrêt du bus ?

– la parenthèse ?

a. Le premier couple (un grand homme maigre et une jolie jeune femme) entra à la mairie à 10 heures.

b. Aujourd'hui, au travail, tout le monde fait des breaks (pauses), utilise des fax (télécopies) et envoie des e-mails (courriels).

5. LES ACCENTS ET MARQUES ORTHOGRAPHIQUES

1. Le français est une langue accentuée. Sans ces marques orthographiques, un texte est illisible. Faites-en l'expérience. Restituez aux mots l'accent qui leur convient et relisez le texte à voix haute.

Helene va de succes en succes : elle cree des vetements, en particulier des vestes aux couleurs chaudes et des bracelets de perles multicolores. Elle achete ses tissus et ses materiaux partout ou elle se promene sur la planete. Tous les premiers dimanches du mois, de mai a septembre, elle est presente au marche de l'art, boulevard Quinet, ou nous lui achetons regulierement ses creations.

2. Attention, l'accent (grave ou circonflexe) évite de confondre certains mots :
a / à ; ou / où ; la / là ; mur / mûr ; tache / tâche ; sur / sûr ; du / dû.
En vous aidant du contexte, rendez à chaque mot l'accent qui lui revient.

Fatigué, le jardinier a posé ses outils sur le mur ; il est allé dans le fond du jardin et il a choisi un abricot bien mur. Il est sur que le fruit est délicieux puisque c'est lui qui a planté l'arbre, l'a arrosé, l'a entretenu. C'est une tache qu'il aime, ou il trouve du plaisir. La, dans ce jardin, il est en paix, sur de lui ; rien ne lui est du mais tout lui est donné : la joie, les bruissements, les parfums, les couleurs.

3. Placez correctement le tréma dans les phrases suivantes pour les rendre compréhensibles.

1. Le mais est mûr.

2. Loic vient pour Noel.

3. Cette phrase est ambigue et cette ambiguité nuit à sa clarté.

4. Le mal de dents provoque une douleur aigue.

5. Cette chanteuse est bien naive.

6. Dans ce conte, l'héroine est une chèvre blanche.

7. Encore vous ! Quelle coincidence !

8. Détester et hair sont deux verbes synonymes.

9. Face aux difficultés, il est toujours resté stoique.

10. La France est très attachée au principe de laicité.

II. LA SPHÈRE DU NOM

 **Le nom**

• 1. LE GENRE •

1. Reliez. Attention, un même nom féminin peut correspondre à deux noms masculins.

1. la femme
2. la fille
3. la poule
4. la femelle
5. la tante
6. la nièce

a. l'homme
b. l'oncle
c. le fils
d. le mari
e. le garçon
f. le neveu
g. le mâle
h. le coq

2. Classez les noms suivants en deux colonnes (masculin / féminin).

– **Vérifiez ensuite dans le dictionnaire.**

– **À votre avis, pourquoi les mots** *silence, lycée* **et** *musée* **ont-ils un astérisque (*) ?**
socialisme, solution, maison, nation, oranger, patience, élégance, définition, réflexion,
*silence, bonté, écriture, *lycée, beauté, philosophie, élément, passion, ouverture, boucher,
méfiance, sociologie, document, appartement, arrivée, destinée, tolérance, décision, raison,
bâtiment, économie, capitalisme, saleté, émotion, pommier, intelligence, gouvernement, *musée.

Masculin	Féminin
....	....
....	....
....	....
....	....
....	....
....	....
....	....

– **Maintenant complétez.**
Tous les noms terminés par : **-er**, **-isme**, **-ment** sont ....
Tous les noms terminés par : **-aison**, **-ance** ou **-ence**, **-ée**, **-ie**, **-sion**, **-tion** ou **-xion**,
-té, **-ure** sont, sauf ....

•2. LE NOMBRE•

1. Mettez ce qui est souligné au pluriel.

    Exemple : *La vendeuse a rangé <u>le pantalon bleu</u> et <u>le pull-over gris</u>.*

        ⇨ *La vendeuse a rangé **les pantalons bleus** et **les pull-overs gris**.*

1. <u>Un ami japonais</u> et <u>une collègue finlandaise</u> sont arrivés hier soir.
    → Des amies japonais et des collègues finlandaises

2. Va me chercher <u>un clou</u>, s'il te plaît. J'en ai besoin pour accrocher le tableau.

3. Passe-moi encore <u>une noix</u>, j'adore ça.

4. Il lit <u>le journal</u> tous les jours.

5. On l'a opéré <u>de l'œil</u> pour la troisième fois.

6. Puisque tu sors, rapporte donc <u>un gâteau</u> au chocolat pour le dessert.

7. Il faudra changer <u>votre pneu</u> avant, monsieur. C'est dangereux de rouler comme ça.

8. Qu'est-ce que tu veux pour ton anniversaire ? <u>Un bijou</u> ? Un <u>vêtement</u> ?

2. Les noms collectifs. Complétez les phrases suivantes avec le nom qui convient le mieux : *un vol, le linge, la foule, le public, un banc, la classe, un tas, la clientèle, un troupeau.*

    Exemple : *Un beau matin, à leur grand étonnement, les Parisiens ont vu arriver* **un troupeau de vaches** *sur les pelouses du Champ-de-Mars.*

1. Dès que les portes du wagon se sont ouvertes, ... s'est précipitée : tout le monde voulait entrer, à toute force.

2. Les pêcheurs sont tombés sur .... de poissons : en deux heures, ils en ont remonté deux cents kilos.

3. On a bien recommandé aux employés du magasin d'être toujours très aimables avec ....

4. Tous les élèves, dans ...., étaient silencieux, penchés sur leur travail.

5. J'ai vu ce matin .... d'oiseaux qui partaient vers les pays chauds, comme chaque année à la même période.

6. Dès que le rideau est tombé, ... s'est mis à applaudir les acteurs.

7. Tous les samedis, c'est la même chose : faire les courses au supermarché, nettoyer la maison, apporter .... à la laverie.

8. Dans le grenier, il y a .... d'objets bizarres.

3. Noms propres, noms communs ou adjectifs ? Mettez une majuscule au mot souligné lorsqu'il s'agit d'un nom propre.

Exemple : *J'aime me promener sur les quais de la seine.* ⇨ *... la Seine.*

1. Mon voisin espagnol s'appelle pablo fuentes. ....

2. Il est allé faire du ski dans les alpes ou dans les pyrénées ? ....

3. Tu as vu le film qui s'appelle *Les chasses du comte zaroff* ? ....

4. Un peu plus de champagne ? ....

5. Vous connaissez bien la France, l'alsace, la lorraine, les vosges ? ....

6. Vous avez lu *madame bovary* ? Vous savez, le roman de flaubert ! ....

7. Dans la classe, il y a trois irlandais, six allemands, quatre italiens, un danois et deux filles hollandaises. Ah, j'oubliais le garçon suédois qui vient d'arriver !
....

8. – Qu'est-ce qu'il a acheté comme voiture ? Encore une renault ou une peugeot ?
....

– Non, depuis qu'il a épousé une japonaise, il n'achète plus que des voitures japonaises.
....

2 Les déterminants et les substituts du nom

• 1. LES ARTICLES •

L'article indéfini

1. Complétez le texte suivant par des articles indéfinis. Faites les modifications orthographiques nécessaires.

Quand on va à l'école primaire, on doit apporter **un** stylo, (1) .... cahier, (2) .... crayons de couleur, (3) .... gomme, (4) .... livre de lecture. On a aussi besoin de (5) .... règle pour tirer (6) .... traits. Et on fait (7) .... dictées, on apprend (8) .... récitations.

2. Complétez le texte suivant par l'article indéfini à la forme négative.

Lorsqu'on va à l'école maternelle, on ne doit pas apporter **de** stylo, on n'a pas (1) .... cartable, on n'a pas (2) .... boîte à feutres, on n'utilise pas (3) .... ordinateur, on n'a pas (4) ....

livre de lecture. On ne fait pas (5) .... dictées. On ne fait pas (6) .... additions, on ne fait pas (7) .... multiplications. On ne rend pas (8) .... devoirs à la maîtresse.

3. Complétez les phrases par des articles indéfinis (*un, une, des, de*).

Exemple : *On ne circulait plus sur la petite place embouteillée : il y avait **un / des** autobus, **un** car de touristes, **une** moto, **des** voitures ; il n'y avait **pas de** vélos : ils filaient sur les trottoirs.*

1. .... manifestants venus de partout hurlaient .... slogans.

2. J'ai écouté .... émission intéressante, animée par .... nouvelle journaliste pleine de talent.

3. Cet homme n'a pas .... défauts, il n'a que .... qualités.

4. Cette agence loue .... appartements anciens, dans .... quartier pittoresque.

5. Elle n'a pas planté .... tulipes cette année.

6. Ma fenêtre donne sur .... petite rue très calme.

7. New York est une ville où .... gratte-ciel immenses dominent .... rues très droites.

8. Elle ne lit pas .... quotidiens ; elle ne lit que .... magazines.

4. *Des* ou *de (d')* ? Choisissez celui qui convient.
Faites les modifications orthographiques nécessaires.

Exemple : Des ~~De~~ bateaux plats, ~~des~~ de longs bateaux plats qu'on appelle des ~~de~~ péniches, descendaient le fleuve.

J'ai trouvé (1) des de chaussures en solde, à un prix très raisonnable. Ce sont (2) des de belles chaussures en cuir marron. Il y en avait (3) des de autres, noires, mais je les aimais moins. Dans le magasin, il y avait un monde fou : (4) des de jeunes et (5) des de vieux, (6) des de enfants et (7) des de grands-parents. (8) Des De nombreuses vendeuses essayaient de calmer une foule surexcitée. (9) Des De amis à moi ont été bousculés et ils ont renoncé à faire (10) des de achats. C'est dommage car le magasin offrait (11) des de excellentes occasions de faire (12) des de économies et même (13) des de grosses économies.

L'article défini

1. À Paris, on trouve de nombreux monuments ou lieux célèbres comme :

Exemple : *La tour Eiffel*

1. .... cimetière du Père-Lachaise.

2. .... Arc de triomphe.

3. .... Champs-Élysées.

4. .... Bibliothèque nationale de France.

5. .... Centre Pompidou (Beaubourg).

6. .... Hôtel-de-Ville.

7. .... Halles.

8. .... Pyramide du Louvre.

2. Complétez par l'article, soit simple (*un, une, des ; l', le, la, les*), soit contracté (rappel : *à + le = au, à + les = aux ; de + le = du, de + les = des*).

Exemple : *Exemple : Elle aime .... Danemark, elle s'est habituée à .... climat de .... pays.*
Elle aime **le** *Danemark, elle s'est habituée* **au** *climat* **du** *pays.*

1. Elle s'est mise à .... fenêtre pour regarder le passage de .... coureurs.

2. Hier soir, ...la..... pianiste virtuose, Evgueni Kissin, a donné ...une..... intégrale de ...des..... sonates de Beethoven.

3. Il est monté jusqu'à .... sommet de .... Mont-Blanc.

4. Il travaille de .... matin à .... soir.

5. Quelle est .... vitesse de .... lumière ?

6. Certains hommes politiques veulent limiter .... pouvoirs de .... État.

7. Il s'intéresse à .... peintres français de .... xviie siècle.

8. Il s'intéresse également à .... grandes œuvres littéraires de .... même époque.

3. Même consigne.

1. Tous .... dimanches, nous sommes invités chez .... Guillevic.

2. .... plus grandes villes de France, après Paris, sont Marseille et Lyon.

3. C'est une jeune fille indépendante, elle a traversé seule .... Colombie et .... Équateur.

4. Quel emploi de .... temps ! .... mardi, je vais .... conservatoire ; jeudi et vendredi, je donne des cours particuliers ; .... week-end, je joue dans une salle de concert.

5. À .... marché, ce matin, les tomates étaient à 2,50 euros .... kilo et on pouvait acheter des radis pour 4 euros .... deux bottes.

6. Il ne travaille plus depuis quelques années, il doit bien avoir dans .... soixante-dix ans.

7. Ce n'est pas à .... Japon que j'ai trouvé ces miniatures mais à .... Puces de la porte de Clignancourt à Paris.

8. C'est la famille de .... nouveau Premier ministre qui fait la Une .... journaux ce matin.

4. Choisissez : article indéfini (*un, une, des, de*) ou article défini (*le, la, l', les*).

Exemple : *Il y a* **des** *feuilles sur* **le** *sol.*

1. – Je cherche .... livre pour mon ami. – Tenez, voilà .... livre qu'il vous faut !

2. On donne .... très beau film ce soir à .... télévision.

3. Nous avons étudié .... dernier roman de Camus.

4. Regarde .... jeune homme assis juste derrière nous ; c'est .... acteur célèbre.

5. Y a-t-il .... gens qui ont vu l'accident ? Oui ? Alors, où sont .... témoins,
   s'il vous plaît ?

6. Que lisez-vous ? .... romans policiers, ... autobiographies,
   .... œuvres philosophiques... ?

7. .... enfants posent souvent .... questions difficiles.

8. .... lune brillait dans .... ciel sans nuages.

5. Complétez en utilisant l'article indéfini *(un, une, des)* ou l'article défini *(le, la, l', les)* selon le cas.

France-Inter, il est midi. Voici *le* bulletin de (1) .... mi-journée. (2) .... tempête est annoncée pour (3) .... soirée sur (4) .... Normandie. On s'attend à ce que (5) .... vent souffle à plus de cent kilomètres à (6) .... heure sur (7) .... côtes atlantiques. (8) .... tempête durera au moins jusqu'à demain soir. Ailleurs, dans (9) .... autres régions, (10) .... temps sera instable : (11) .... vent sera soutenu et il y aura un peu partout (12) .... nuages et (13) .... averses. Demain, (14) .... temps restera maussade, à (15) .... exception du pourtour méditerranéen où il y aura (16) .... éclaircies en fin de journée.

6. Dites si *des* est l'article indéfini pluriel ou l'article défini contracté (préposition *de + les*) dans les phrases suivantes. En cas de doute, cherchez la construction des verbes dans votre grammaire ou dans un dictionnaire.

Exemple : *Tous ses ennuis viennent des mauvais placements qu'il a faits en Bourse. (= de + les)*
Elle a pris des risques en roulant par ce temps. (= pluriel de « un »)

1. As-tu envie des jouets qui sont dans la vitrine ?

2. Les garçons de café ont des plateaux ronds pour servir et desservir.

3. Quand on revient des Pays-Bas, on passe par Lille.

4. À l'horizon, des nuages obscurcissaient le ciel.

5. Elle s'occupe des enfants avec gentillesse.

6. Les gens s'écartaient des motos de peur d'être renversés.

7. L'orchestre a besoin des indications de son chef pour jouer avec harmonie.

8. J'ai rencontré des amis au marché.

7. Même consigne.

Exemple : *Près des maisons, il y avait un joli jardin public. (= de + les)*
Elle portait toujours des collants noirs. (= pluriel de « un »)

1. Au cœur des romans, il y a souvent des vérités profondes.

2. Les petites filles costumées ressemblent à <u>des</u> stars.

3. Le professeur a relevé <u>des</u> erreurs graves dans les copies.

4. Le long <u>des</u> chemins de campagne poussent <u>des</u> primevères.

5. Il y a <u>des</u> élèves très sympathiques dans cette classe.

6. À côté <u>des</u> supermarchés, on trouve <u>des</u> parkings géants.

7. Tu as acheté <u>des</u> chaussures fourrées pour l'hiver ?

8. Le jardinier portait <u>des</u> gants de cuir pour tailler les rosiers.

L'article partitif

1. Complétez les phrases suivantes en utilisant l'article partitif (*du, de la, de l', de, d'*).

Exemple : *Ici, on sert **du** vin et **de la** charcuterie à toute heure.*

1. Il montre .... courage dans toutes les circonstances de la vie.

2. Il cherche .... travail depuis un an.

3. Il a gagné au Loto et maintenant, il a .... argent.

4. Ce pays exporte .... pétrole mais il importe .... blé.

5. Mon ami a .... bon sens, ... honnêteté, ... persévérance
mais il n'a pas .... humour.

6. N'aie pas .... inquiétude, je ne rentrerai pas trop tard.

7. Avec .... patience, on surmonte toutes les difficultés.

8. Elle ne boit jamais .... alcool.

2. Que mettez-vous dans votre panier de marché ?
Associez correctement les articles et les noms.

a. œufs

b. vin

c. bananes

1. du   d. eau

2. de l'   e. radis

3. de la   f. fraises

4. des   g. fromage

h. pain

i. tomates

j. limonade

3. Quel article choisissez-vous : l'article indéfini (*un, une, des, de*)
   ou l'article partitif (*du, de la, de l', de*) ?

Exemple : *Le matin, je mange* **une** *biscotte avec* **de la** *confiture.*

1. J'ai mangé .... tarte délicieuse ; elle était faite avec .... farine, ...
   sucre, ... beurre et .... pommes.

2. En principe, on ne sert pas .... champagne dans .... verre à vin.

3. – Voulez-vous .... sucre dans votre tasse ? – Non merci, je ne prends pas .... sucre.

4. Quelle belle journée ! .... beau ciel, ... soleil, ... température agréable !

5. – Ma fille est malade.
   – Elle a .... température ?
   – Oui, elle a .... forte fièvre, elle a 39,5 °C.

6. Que demander à .... ami ? Moi, je lui demanderais d'avoir .... loyauté,
   .... fidélité, ... sincérité, mais surtout .... indulgence, ... grande
   indulgence.

7. Un plat délicieux pour l'été : .... riz, ... crevettes, ... avocat et .... maïs.
   Et .... vinaigrette légère.

8. Que de fleurs dans ce jardin ! .... géraniums, ... jacinthes, ... tulipes,
   mais il n'y a pas .... roses.

L'absence d'article

1. Répondre à la question a. puis à la question b. en associant les verbes à la liste
   des noms ci-dessous et en faisant attention à la présence ou non de l'article.

   *caméra GoPro – jeux vidéo – Ipad dernière version – baskets dorées ou argentées –
   changement – indépendance – copains et copines*

a. Que veulent les adolescent(e)s d'aujourd'hui ?
Exemple : *Ils veulent tous un* **Iphone 10***.*

....

....

....

....

....

b. De quoi ont-ils envie ?
Exemple : *Ils ont tous envie* **d'un Iphone 10***.*

....

....

....

....

2. Dans les phrases suivantes, choisissez de mettre ou de ne pas mettre l'article (défini ou indéfini).

Exemple : *Le président se déplace **en avion**.*
*Le président se déplace **dans l'avion** du gouvernement.*

1. Elle s'est mise en .... colère.

2. Maintenant, il est devenu .... médecin le plus réputé de la ville.

3. Ce conférencier parlait avec .... aisance.

4. Nous nous sommes rencontrés par .... plus grand des hasards !

5. Elle parle avec .... telle rapidité qu'on ne la comprend pas toujours !

6. Ça y est ! Te voilà devenu .... médecin.

7. Je l'ai vu hier matin, par .... hasard.

8. Il s'est mis dans .... colère noire en entendant ça !

3. Faut-il ou ne faut-il pas mettre l'article défini dans ces phrases ?

Exemple : *Je suis bien chez **le docteur** Homais ? Ah ! Bonjour **docteur**, comment allez-vous ?*

1. Dis, maman, pourquoi .... monsieur dort par terre ?

2. Je crois que nous nous sommes perdus ! Demande à .... dame, là-bas, de nous renseigner.

3. .... septembre est le mois des vendanges, ... juin celui des moissons.

4. D'accord, on se retrouve .... mardi prochain pour en discuter.

5. Les séances de travail avaient lieu .... mardi de 14 heures à 19 heures.

6. .... Grande-Bretagne est une île au climat tempéré alors que .... Cuba est une île au climat chaud.

7. J'ai rencontré .... Madame Daodezi dans l'ascenseur.

8. .... fille qui habite au 6ᵉ est un peu bizarre, non ?

4. Reliez pour former des expressions.

Dans la cuisine :			Dans le garage :		
1. un panier		a. pain	1. une tondeuse		a. bascule
2. un torchon	à	b. fruits	2. une caisse		b. bois
3. un casier		c. tarte	3. une voiture	à	c. outils
4. une coupe		d. bouteilles	4. une scie		d. gazon
5. un plat		e. vaisselle	5. un cheval		e. pédales
6. un couteau		f. provisions	6. un filet		f. papillons

• BILAN •

1. Trouvez parmi ces phrases celles qui ont la même valeur.

1. Un enfant doit dormir neuf heures.
2. Rapporte-moi un journal.
3. Passe-moi une cigarette.
4. La voiture est une nécessité.
5. J'ai rencontré l'homme parfait.

a. Les enfants doivent dormir neuf heures.
b. Rapporte-moi le journal.
c. Passe-moi la cigarette.
d. Une voiture est une nécessité.
e. J'ai rencontré un homme parfait.

2. Avant d'inviter des amis, retrouvez la recette de la salade niçoise et de la vinaigrette en complétant le texte avec des articles, définis, indéfinis et partitifs.

Dans *un* grand saladier, mettez (1) de la salade. Par-dessus, ajoutez (2) du thon en miettes. Faites cuire (3) des pommes de terre, (4) des œufs et (5) des haricots verts. Pendant ce temps-là, épluchez (6) des tomates. Quand c'est cuit et refroidi, coupez tous (7) les légumes en petits morceaux et (8) les œufs en rondelles et posez-les sur (9) la salade. Prenez (10) des anchois marinés et faites (11) une jolie décoration.

Pour assaisonner votre salade, préparez une sauce vinaigrette :
Prenez (12) un bol ; mettez-y (13) du sel, (14) du poivre, (15) de la moutarde. Ajoutez (16) du vinaigre selon (17) la quantité désirée. Remuez pour bien mélanger (18) le tout. Ajoutez (19) de l' huile : (20) le triple de (21) la quantité de vinaigre. Fouettez bien (22) l' ensemble et versez (23) le mélange sur (24) la salade.

3. Reliez correctement.

1. Je joue au
2. Elle joue du
3. Aujourd'hui il y a du
4. Jean a de la
5. Il a une
6. Elle porte des
7. Elle porte de
8. Elle ne porte jamais de
9. Elle a perdu les

a. gants.
b. clés de sa voiture.
c. jolis gants rouges.
d. chapeau.
e. vent.
f. piano.
g. grande patience.
h. tennis.
i. patience

4. Dans la colonne de gauche, mettez les adjectifs devant le nom et, dans la colonne de droite, derrière le nom. Que constatez-vous ?

Avez-vous <u>des</u> nouvelles de vos enfants ? *(bonnes)*	Avez-vous <u>des</u> nouvelles ? *(récentes)*
Il existe <u>des</u> enregistrements meilleurs que celui-ci. *(autres)*	Il existe <u>des</u> enregistrements. *(magnifiques)*
Le directeur a <u>des</u> instructions à vous donner. *(nouvelles)*	Le directeur a <u>des</u> instructions à vous donner. *(importantes)*
À l'horizon s'accumulaient <u>des</u> nuages. *(gros)*	À l'horizon s'accumulaient <u>des</u> nuages. *(noirs)*
Y a-t-il <u>des</u> questions dans la salle ? *(autres)*	Y a-t-il <u>des</u> questions ? *(particulières)*
Les grands-mères racontent <u>des</u> histoires à leurs petits-enfants. *(belles)*	Les grands-mères racontent parfois <u>des</u> histoires. *(effrayantes)*
Elle s'est acheté <u>des</u> chaussettes pour l'hiver. *(grosses)*	Elle s'est acheté <u>des</u> chaussettes. *(épaisses)*
Entrez, entrez, vous trouverez <u>des</u> modèles dans la boutique. *(jolis)*	Vous trouverez <u>des</u> modèles. *(différents)*

5. Remettez de l'ordre.

Exemple : *flacon / de / parfum / un* ⇨ **un flacon de parfum.**

1. sac / à / un / dos
2. des / de / chaussures / marche
3. cinéma / un / quartier / de
4. paquet / cigarettes / de / un
5. une / allumettes / d(e) / boîte
6. tasse / thé / à / une
7. un / vin / verre / de
8. lait / une / de / bouteille

6. Complétez avec *le, la, les / un, une, des, de / ø.*

1. Tu peux parler sans .... crainte, il n'y a personne.
2. Il m'a fait .... peur bleue.
3. C'est .... dernier de mes soucis ! Je m'en moque complètement !
4. J'ai .... faim de loup. On mange bientôt ?
5. Tu as vu .... dernier film d'Almodovar ? Pas moi.
6. C'est .... histoire qui ne tient pas debout ! Où as-tu entendu ça ?
7. C'était vraiment .... incroyable surprise, ... plus grande surprise de ma vie.
8. Bravo ! C'est .... meilleure nouvelle de l'année !

•2. LES PRONOMS PERSONNELS•

Les pronoms personnels sujets

1. Lisez cette lettre, puis entourez « vrai » ou « faux ».

Cher Patrice,	1
Je trouve enfin un moment pour vous écrire un	2
petit mot. Je suis à Paris depuis deux semaines	3
avec ma sœur Marion. Nous habitons chez mon	4
cousin Philippe. Vous vous souvenez de lui ? Il	5
est passé à Dijon en mars dernier.	6
Hier, nous sommes allés au théâtre. C'est Philippe	7
qui avait réservé les places ; hélas, il avait	8
pris n'importe quoi : on était très mal placés, sur	9
le côté.	10
Je ne voyais presque rien mais j'étais quand	11
même heureuse d'être là.	12
Et en plus, en plein milieu du premier acte, on	13
nous a dérangés. Je ne savais pas qu'à la Comédie	14
Française, on permettait aux gens d'entrer	15
quand la pièce était déjà commencée.	16
Et chez vous, comment ça va ? Vous devez être en	17
plein dans les vendanges ! Quand je pense que	18
l'an dernier, nous avons fait équipe tous les deux !	19
Saluez vos parents pour moi. Vous avez tous été	20
si gentils, je garde un excellent souvenir de mon	21
séjour là-bas.	22

1. La personne qui écrit est une femme.	VRAI	FAUX
2. Le « vous » peut être utilisé quand on parle à une seule personne.	VRAI	FAUX
3. Le « nous » peut signifier « moi » + « tu » ou « moi » + « vous ».	VRAI	FAUX
4. Le « nous » peut signifier « moi » + « vous » ou « moi » + « eux »	VRAI	FAUX
5. Le « on » peut avoir le sens de « quelqu'un ».	VRAI	FAUX
6. Le « on » peut signifier « quelque chose ».	VRAI	FAUX
7. Avec le « on » sujet, le verbe est au singulier.	VRAI	FAUX
8. Si le « on » signifie « nous », le participe passé peut être au pluriel.	VRAI	FAUX

2. À l'aide du texte précédent, identifiez qui se cache derrière.

1. Le « on » (ligne 9) .... (ligne 13) .... (ligne 15) ....

2. Le « nous » (ligne 4) .... (ligne 7) .... (ligne 19) ....

3. Le « vous » (lignes 2 et 5) .... (ligne 20) ....

3. Complétez avec le pronom sujet qui convient.

1. – .... venez, oui ou non ? Ça fait une heure que .... vous attends.

– Une minute ! .... est en train de finir de s'habiller.

– Dépêchez-................. ! Si .... arrivons en retard, la pièce aura déjà commencé.

2. – .... es déjà allée en Belgique ?

– Mais oui, ... te l'ai dit. .... as oublié ? .... y sommes allés l'an dernier, Yves et moi.

– C'est vrai, ... ne m'en souvenais plus. Et .... m'avez envoyé une superbe carte de Gand.

3. – Tes parents viennent à Noël ?

– Pas sûr. .... sais qu'................. sont venus en octobre et ma mère est fatiguée. De plus, comme .... le sais bien, ... déteste prendre l'avion.

– Pourquoi .... ne prennent pas le train ? Si .... ne peux pas aller les chercher à la gare, moi, ... irai volontiers. .... ai tout mon temps !

4. Complétez avec *l', le, la, les*.
Une amie finlandaise vient passer une semaine à Paris, cet été. Elle vous téléphone pour savoir ce qu'elle doit mettre dans sa valise et faire le point sur sa visite.

– Je prends mon plan de Paris ?

– Non, laisse-........., j'en ai un. Je te .... passerai.

– Mes chaussures à talons noires, je .... prends ?

– Non, ne .... prends pas, tu ne .... mettras jamais. Prends plutôt des baskets.

– Et mon nouveau pull en cachemire, je ....apporte ? Il est superbe !

– Mais non, tu ne .... mettras pas non plus ! Prends des tee-shirts, un jean...., des trucs simples.

– D'accord. Je prends un dictionnaire ?

– Prends ton mini-dictionnaire. Ça oui, ne ....oublie pas, mets-............ dans ton sac.

– Dis-moi, tu as pu réserver des places à la Comédie française ?

– Oui, ça va, je .... ai. Mais pour l'Opéra, impossible. Je ne .... ai pas prises, c'est trop cher.

– Tu as prévenu la propriétaire que je venais ? Elle ne va pas faire d'histoires ?

– Mais non ! Je .... ai vue hier. Ne t'inquiète pas, elle est d'accord.

5. *Qui fait quoi à la maison ?* Répondez en utilisant la forme :
C'est + pronom personnel + *qui* + verbe.

Exemple : – *Qui fait la cuisine ?/Mon père.*
        ⇨ *C'est toujours **lui** qui fait la cuisine.*

1. Qui jardine ?/Ma mère.

....

2. Qui sort les poubelles ?/Chris.

⇨ ....

3. Qui fait la vaisselle ?/Michaël et Julie.

⇨ ....

4. Qui range la maison ?/Béatrice et moi.

⇨ ....

5. Qui s'occupe du chat ?/Pas moi ! Ma grand-mère.

⇨ ....

6. Qui sort le chien deux fois par jour ?/Moi.

⇨ ....

7. Et qui va aider Nick pour ses devoirs ?/C'est toi !

⇨ ....

Les pronoms personnels compléments directs (l', le, la, les)

1. Remplacez ce qui est souligné par un pronom complément direct.
Exemples : *J'adore <u>mes amis Gonzalez</u>.* ⇨ *Je **les** adore.*

1. Il regarde <u>la télévision</u> deux heures par jour ..... *La regarde deux heures par jour*

2. Les Français écoutent <u>la radio</u> quatre heures par jour, en moyenne. *L'écoute*

3. Vous prenez <u>le bus A</u> pour aller travailler ? ..... *Le prenez*

4. Il emmène <u>son fils</u> à l'école le matin. ..... *l'emmène*

5. J'achète toujours <u>mes livres</u> dans cette librairie du Quartier latin. ..... *les achète*

6. Je connais <u>cette amie</u> depuis au moins dix ans. ..... *la connais*

7. Nous aimons beaucoup <u>cet écrivain</u>, mon mari et moi. ..... *l'aimons*

8. Je crois que vous connaissez <u>mon amie Claude</u>. ..... *la connaissez*

2. Même consigne. Attention, le verbe est au passé composé ; il peut y avoir des accords du participe passé à faire, comme dans l'exemple.
Exemples : *Il a emmené <u>son fils</u> au zoo.* ⇨ *Il **l'**a emmené au zoo.*
J'ai cueilli <u>ces fleurs</u> pour vous. ⇨ *Je **les** ai cueilli**es** pour vous.*

1. J'ai rencontré <u>Loïc et sa femme</u> au supermarché hier matin. ....

2. Il a pris <u>les billets pour *Don Giovanni*</u>. ....

3. Nous avons acheté <u>cette voiture</u> le mois dernier. ....

4. J'ai bien connu <u>ton amie Paola</u> quand elle vivait à Lyon. ....

5. Nous avons vu <u>le dernier film de Tarentino</u> au Trianon. ....

6. Hier, j'ai aperçu <u>mon prof de théâtre</u>, de loin, en quittant la fac. ....

7. J'ai enfin écouté <u>le CD que tu m'as offert</u> à Noël. ....

8. Nous avons accueilli <u>nos nouveaux collègues</u> avec plaisir. ....

Le pronom personnel complément direct (un, une, des ⇨ en)

1. Répondez par « oui » ou par « non » en remplaçant le complément souligné par en.

Exemples : – *Vous avez une voiture ?*   – *Vous avez des enfants ?*
               – *Je n'en ai pas mais ma copine en a une.*   – *Oui, j'en ai deux.*

1. – Vous voulez une bière ? – Non merci, *je n'en veux pas*

2. – Il a des dollars pour son voyage ? – Oui, *il en a*

3. – Tu as un dictionnaire bilingue ? – Non, *je n'en ai pas*

4. – Tu utilises un Pass Navigo pour circuler dans Paris ? - Non, *je n'en utilise pas*
je fais du vélo.

5. – Elle met du fond de teint, à ton avis ? – Non, *elle n'en met pas*, elle déteste ça.

6. – Tes enfants écoutent du rap ? – Oui, *ils en écoutent* beaucoup, ils adorent !

7. – Vous avez une photo d'identité ? – Oui, j'*en* ai *une*. Voilà.

8. – Vous avez des olives noires, s'il vous plaît ? – Oui, bien sûr. Je vous *en*
mets combien ? 100 grammes ?

2. Même consigne. Attention, le verbe est au passé composé ou au futur proche.

Exemples : – *Vous avez pris un billet ?*   – *Vous avez déjà bu du rhum agricole ?*
               – *Oui, j'en ai pris un, un aller-retour.*   – *Non, je n'en ai jamais bu. C'est bon ?*

1. – Tu as mis des œufs dans le gâteau ? – Non, ..., Alice est allergique
aux œufs !

2. – Tu as déjà lu des livres de Paul Auster ? – Oui, ... un ou deux.
Pas mal !

3. – Elle a fait des expos cette année ? – Oui, ... trois ou quatre.

4. – Tu vas acheter un ordinateur ? Non, ...cette année.
L'an prochain, peut-être.

5. – Vous avez déjà fait du parapente ? – Non, ..., j'ai trop peur !

6. – Et du parachutisme ? – Ma fille .... mais pas moi !

Le pronom personnel complément direct partitif (du, de la, de l' ⇨ en)

1. Connaissez-vous le far ? C'est une spécialité de Bretagne. Complétez la recette.

Pour faire un far, il faut :

.... farine légère, vous .... versez 125 g dans un grand bol. .... œufs, vous ....
choisissez 4, moyens et bien frais. .... lait. Il faut .... chauffer trois quarts de litre.
.... levure naturelle, vous .... mesurez 2 cuillerées à café. .... sucre fin, 125 g
et aussi un peu de sucre vanillé. .... pruneaux ; environ 250 g. .... rhum. Vous

.... mettez si vous voulez, ce n'est pas indispensable. Mais il ne faut pas .... beurre, vous n' .... avez pas besoin pour le gâteau, il vous .... faudra seulement pour beurrer le plat de cuisson. Avec le far, on peut on peut boire du cidre.

L'opposition *l'*, *le*, *la*, *les* / *en*

1. De quoi parle-t-on ? Cochez la bonne réponse comme dans l'exemple.

Exemple : *Vous en prenez ?*   ☑ *du café*   ❏ *le café noir*   ❏ *ce café*

1. C'est toi qui l'as prise ?	❏ un stylo	❏ une cigarette	❏ la clé
2. Vous ne les avez pas vues ?	❏ mes clés	❏ des livres	❏ des amies
3. J'en ai pris deux boîtes.	❏ du vin	❏ le vin	❏ du pâté
4. Je n'en bois pas.	❏ ce vin blanc	❏ du whisky	❏ le lait
5. Je ne le connais pas.	❏ Larissa	❏ un film	❏ ce livre
6. Il l'a racontée hier.	❏ sa fiancée	❏ cette histoire	❏ une blague
7. Tu me le prêtes ?	❏ ton stylo	❏ un stylo	❏ des stylos
8. J'en ai un seul.	❏ un fils	❏ mon amie	❏ mes amis

2. Complétez le texte suivant par le pronom complément direct qui convient (*l'*, *le*, *la*, *les*, *en*). Faites les modifications orthographiques nécessaires.

Il était une fois une jeune fille, Mathilde, qui, disait-elle, savait lire dans l'avenir. Elle avait une belle boule de cristal et .... montrait volontiers à ses amis, émerveillés et crédules ! Bien sûr, ses copines (et elle .... avait beaucoup !) avaient très envie de connaître ce qui les attendait dans le futur. Elles venaient .... voir et .... suppliaient de leur révéler l'avenir. Cet avenir, bien sûr, chacune .... voyait selon ses désirs !

– Moi, disait l'une, je voudrais plein d'enfants. J'................. voudrais au moins six. Dis-moi, Mathilde, tu .... vois combien dans ta boule de cristal ? Tu .... vois tous les six, mes enfants ?

– Attends... J'................. vois un, deux, trois... Oh là là, J'................. vois dix, onze, douze ! C'est beaucoup, non ?

– Moi, disait une autre amie, je voudrais avoir une belle maison ! J'................. voudrais une en Espagne ; je .... préfèrerais au bord de la mer.

Tu .... vois, Mathilda, ma maison ?

– Non, je ne .... vois pas. Je vois un studio dans un grand immeuble...

– Ah non ! Arrête et jette cette boule de cristal à la poubelle. Elle est nulle, ta boule !

Les pronoms personnels compléments directs ou indirects

1. Complétez le texte suivant par les pronoms *en* et *y*.

21 juin, c'est la Fête de la musique partout en France.

Avec des amis, nous avons décidé d'.............. participer mais, comme d'habitude, personne n'est d'accord sur le programme. Nous nous .... doutions un peu ! Tant pis, ce sera chacun pour soi. Heureusement, il y en a pour tous les goûts. Marie et Noémie vont place du Panthéon, elles .... retrouveront Lucie et, toutes les trois, elles descendront ensuite écouter du jazz sur les quais. Pierre et Franck vont à la Bastille écouter de la salsa. La salsa, ils .... sont fous ! Moi, je n'.............. suis pas passionnée. J'irai plutôt sur la Butte Montmartre. Des chanteurs s'.............. produisent chaque année : ils reprennent de vieilles chansons populaires. Presque tous les spectateurs s'.............. souviennent et on chante tous en chœur. Et vous, au fait, vous .... allez, à la Fête de la musique ?

2. Trouvez une question correspondant à chaque réponse, comme dans l'exemple.

Exemple : – ***Vous vous attendiez à sa démission ?*** – *Oui, je m'y attendais, malheureusement.*

1. – .... ? – Oui, j'<u>en</u> suis très contente, c'est une excellente voiture.

2. – .... ? – C'est ce monsieur qui s'<u>en</u> charge.

3. – .... ? – Oui, mais fais attention, mon frère <u>y</u> tient beaucoup !

4. – .... ? – Non, je n'<u>y</u> assisterai pas.

5. – .... ? – Non, elle ne s'<u>y</u> habitue pas, il fait trop froid.

6. – .... ? – Le saucisson sec ? J'<u>en</u> mange souvent.

7. – .... ? – On <u>en</u> dit beaucoup de bien.

8. – .... ? – Je m'<u>y</u> mets demain, c'est promis.

3. Répondez à la question en remplaçant les mots soulignés par *en* ou *y*. Faites les modifications orthographiques nécessaires.

Exemples : – *C'est difficile de se passer <u>de sel</u>.* – *C'est difficile de s'<u>en</u> passer.*
 – *Consentez-vous <u>à cette union</u> ?* – *Oui, j'<u>y</u> consens.*

1. – Tu vas <u>à la piscine</u> jeudi soir ? – Non, cette semaine je *j'y* vais samedi après-midi.

2. – Êtes-vous invités <u>au mariage d'Anna</u> ? – Oui, nous *y* sommes invités. Pas vous ?

3. – Vous êtes convaincue <u>de son innocence</u> ? – Oui, maintenant, je *j'en* suis convaincue.

4. – Qui se charge <u>du dossier DOMOTIC</u> ? – Moi, je m' *en* charge.

5. – Est-ce que tu te souviens de cette photo ? – Oh ! Je m'..*en*.. souviens très bien !

6. – Vous consacrez beaucoup de temps au judo ? – Mais oui, je ..*j'y*.. consacre tout mon temps.

7. – Votre frère s'est-il habitué au climat de l'Afrique ? – Hélas non, il ne s'..*y*.. est pas habitué.

8. – Votre fille est-elle contente de ses cours ? – Oui, elle ..*en*.. est contente.

Les pronoms personnels compléments indirects (animés ou inanimés)

1. Remplacez le complément indirect introduit par la préposition *de* par le pronom personnel qui convient.

Exemples : J'ai rêvé <u>de mes parents</u> cette nuit. ⇨ J'ai rêvé d'**eux** cette nuit. (rêver de qqn)
J'ai rêvé <u>de bateaux</u> cette nuit. ⇨ J'**en** ai rêvé cette nuit. (rêver de qqch.)

1. C'est promis, je m'occuperai <u>des enfants</u> pendant le week-end.
....

2. Depuis six mois, je rêve toutes les nuits <u>de mon voisin du dessus</u> !
....

3. À cinq ans, elle n'a plus besoin <u>de son doudou</u> pour s'endormir.
....

4. Les gens se sont plaints <u>du bruit de l'autoroute</u>.
....

5. Les enfants se moquent <u>de leur camarade maladroit</u>.
....

6. Bien sûr, je me souviens très bien <u>de vos sœurs</u> !
....

7. La chanteuse n'est pas très contente <u>de son tour de chant</u>.
....

8. On a dit beaucoup de mal <u>de leur projet</u>.
....

2. Même consigne avec la préposition *à*.

Exemples : *Bientôt Noël ! Et les cadeaux ?*
⇨ *Oui, il faut **y** penser ! (penser à qqch.)*
Il faut d'abord penser <u>aux enfants</u>.
⇨ *Il faut d'abord penser **à eux**. (penser à qqn)*

1. Max s'intéresse beaucoup <u>à la recherche médicale</u>.
....

2. Cet avocat est très attaché <u>à sa réussite</u>.
....

3. Elle s'est consacrée aussi <u>aux enfants victimes des guerres</u>.

....

4. Il tient beaucoup <u>à ses amis d'enfance</u>.

....

5. Avez-vous pensé <u>à la proposition de vos voisins</u> ?

....

6. Basque d'adoption, elle s'est vite attachée <u>à cette région</u>.

....

7. Pour avoir des informations, adressez-vous <u>à cet homme</u>.

....

8. Vous n'avez pas songé <u>aux conséquences de votre décision pour l'entreprise</u>.

....

3. a. Observez ces deux couples de phrases. Que constatez-vous ?

Les jeunes navigateurs / l<u>a tempête</u> / échapper à
⇨ *Les jeunes navigateurs ont échappé à la tempête. Ils **y** ont échappé.*

Le moineau / <u>le chat</u> / échapper à
⇨ *Le moineau a échappé au chat. Il **lui** a échappé.*

La directrice / <u>cette décision</u> / s'opposer à
⇨ *La directrice s'oppose à cette décision. Elle s'**y** oppose.*

La jeune institutrice / <u>le directeur</u> / s'opposer à
⇨ *La jeune institutrice s'oppose au directeur. Elle s'oppose **à lui**.*

b. Construisez la phrase, puis remplacez le COI (souligné) par un pronom disjoint (animé) ou conjoint (animé ou inanimé).

Exemple : *Les agriculteurs / <u>la météo</u> / s'intéresser à*
⇨ *Les agriculteurs s'intéressent à la météo. Ils s'**y** intéressent.*

1. Ces bijoux / <u>la famille royale d'Angleterre</u> / appartenir à

....

2. Les chiens / <u>le dresseur</u> / obéir à

....

3. Ce vieux monsieur / <u>les nouvelles technologies</u> / ne rien comprendre à

....

4. Cette étudiante étrangère / <u>sa nouvelle vie en France</u> / bien s'adapter à

....

5. Les soldats / <u>les ordres</u> / obéir à

....

6. Petit à petit, les enfants / <u>la nouvelle maîtresse</u> / s'habituer

....

4. Complétez le texte suivant par un pronom complément, précédé ou non d'une préposition.

Depuis deux jours, il entend des bruits mystérieux frappés contre la cloison de sa chambre. Il n'arrive pas à (1) s' .... habituer et il est un peu inquiet. Alors, il a téléphoné à son meilleur ami, Rémi. Il s'est confié (2) .... car il sait qu'il est curieux et peu craintif. Celui-ci s'est d'abord moqué de ses craintes. Il (3) s' .... est même tellement moqué que Bruno a regretté d'avoir parlé. Mais son ami s'est excusé et a promis de venir le voir. Le lendemain soir, il arrive et tous deux se mettent à attendre. Le bruit se reproduira-t-il ? Bruno (4) .... est convaincu, il (5) s' .... attend, mais son ami semble (6) .... douter. Minuit, une heure, deux heures, rien ! Les deux amis se mettent à discuter puis à se disputer. Rémi a perdu sa soirée, il (7) s' .... plaint. Bruno, qui l'aime bien et qui tient (8) ...., veut s'excuser mais c'est trop tard. Rémi sort en claquant la porte. Quelques minutes après, le bruit recommence. Il fallait (9) s' .... attendre !

5. Trouvez une question qui peut correspondre à la réponse.

1. – .... ?
– Si, j'**y** vais tous les mercredis. J'ai un abonnement ; comme ça, je reste en forme.

★ 2. – .... ?
– On **les** retrouve devant la fontaine Médicis. C'est notre lieu de rendez-vous habituel.

3. – .... ?
– Oui, je **l'**ai achetée ; je l'achète tous les mois, comme ça, je peux circuler facilement en bus ou en métro.

4. – .... ?
– Non, c'est idiot, il a oublié de **lui** demander son numéro de téléphone.

5. – .... ?
– Non, pas sympas du tout ! Et pourtant, je suis poli, moi ! Je **leur** dis bonjour tous les matins en arrivant au bureau, j'essaie de parler **avec eux**...

6. – .... ?
– Non, je n'**en** joue plus et je le regrette. J'adore le jazz et surtout cet instrument.

7. – .... ?
– Oui, il **leur** manque beaucoup ; ils sont tristes de **le** voir partir souvent. Mais il n'a pas le choix, avec son métier.

8. – .... ?
– Oui, elle s'**y** est habituée. Elle trouve la vie plus facile qu'en Europe.

9. – .... ?
– Non, il n'**en** a lu aucun ; il dit que, dans Balzac, il y a trop de descriptions !

10. – .... ?
– Si, j'ai souvent pensé **à eux** pendant mon stage à l'étranger ; nos balades, nos discussions, nos fous rires, tout me manquait !

La place du pronom complément avec un verbe à l'impératif

1. Reliez.

1. Ces frites sont trop salées,
2. Reviens quand tu veux, mais pas à l'improviste,
3. Ta sœur est à Paris ?
4. Ce film est génial !
5. À table ! La soupe est servie,
6. S'il te plaît, arrête de courir ainsi,
7. Ce chien est tout crotté,
8. Il y a grève, le bus ne passera pas,

a. Allez le voir sans tarder.
b. mettez-le dehors.
c. ne l'attendez pas.
d. ne les mangez pas.
e. Dis-lui de venir nous voir.
f. tiens-toi tranquille !
g. préviens-moi !
h. mangez-la chaude.

2. Vos amis partent en randonnée en très haute montagne.
Donnez-leur quelques conseils en mettant le verbe entre parenthèses à l'impératif et remplacez le mot souligné par un pronom comme dans l'exemple.

Exemple : *Suivez le guide, (obéir)* **obéissez-lui** *sans discuter.*

1. D'abord, il faut appeler les gens de la météo, (**téléphoner à**) .... pour connaître les conditions atmosphériques.

2. Ensuite, vérifiez votre assurance, (**penser à**) .... avant le départ plutôt qu'après.

3. Puis, entretenez votre forme physique au gymnase, (**aller à**) .... tous les jours.

4. Attention au mal des montagnes. Prenez-y garde et (**se méfier de**) ....

5. Le guide est très compétent, (**faire confiance à**) ....

6. C'est un homme peu expansif, mais très expérimenté. Il vous donnera de bons conseils, (**profiter de**) ....

7. La montagne est un sport exigeant, il y aura parfois des difficultés mais je suis sûre que vous aurez beaucoup de plaisir et que vous ferez des photos magnifiques. (**Prendre**) .... le plus possible.

8. Au moindre problème, il vous écoutera, (**se confier à**) .... et, surtout, faites une belle balade.

Les pronoms personnels avec deux verbes

1. Remplacez le complément souligné par un pronom (*le, la, les, lui, leur, en, y*).

Exemple : *Nous souhaitons rencontrer le responsable.* ⇨ *Nous souhaitons **le** rencontrer.*

1. Je pense aller en Chine cet été. ....
2. Elle aimerait acheter un appartement. ....
3. Elle va bientôt passer son bac. ....

4. Vous avez besoin de faire encore quelques <u>exercices</u>. ....

5. La jeune actrice espérait avoir <u>le rôle principal</u>. ....

6. Il a l'habitude de lire plusieurs <u>livres</u> à la fois. ....

7. Je désire parler <u>au directeur</u>. ....

8. Tu dois téléphoner <u>à tes parents</u>. ....

2. Reliez la question à la bonne réponse.

1. Qui veut poser une question ?

2. Qui peut répondre à ces questions ?

3. Qui souhaite répondre à ce monsieur ?

4. Est-il nécessaire de lire ce roman?

5. Pouvez-vous nous résumer ce film ?

6. Quand penses-tu revoir tes amis ?

7. Tu aimes écouter cet air d'opéra ?

8. Est-ce qu'ils prévoient de s'installer en Italie ?

a. Pierre peut certainement y répondre.

b. Ils prévoient de s'y installer dès l'été.

c. Sans problème ! Nous pouvons vous le résumer.

d. Moi ! Je veux même en poser plusieurs !

e. Oui, beaucoup, j'aime l'écouter, surtout quand je me sens déprimé.

f. Je pense les revoir demain.

g. Certainement, il faut le lire sans tarder.

h. Moi, je vais lui répondre.

3. Remplacez le complément souligné par un pronom.
   Attention à sa place dans la phrase avec les verbes *faire, laisser, entendre*, etc.

Exemple : *J'ai fait faire <u>mon manteau</u> par une couturière du quartier.*
   ⇨ *Je l'ai fait faire par une couturière du quartier.*

1. Elle a fait entrer <u>le médecin</u>. ....

2. Les animaux ont senti venir <u>l'orage</u>. ....

3. Troublée, la jeune fille a laissé tomber <u>son verre</u>. ....

4. J'ai entendu miauler <u>le chat</u> toute la nuit. ....

5. Le professeur fait parler <u>les étudiants.</u> ....

6. Elle s'est endormie et elle a laissé passer <u>l'heure du rendez-vous</u>. ....

7. Je fais faire <u>une série d'exercices</u> aux étudiants. ....

8. Tous les vendredis soir, je vois passer beaucoup de <u>cyclistes</u>. ....

4. Même consigne.

1. Je regarde tomber <u>la pluie</u>. ....

2. De son appartement, il entend monter et descendre <u>l'ascenseur</u>. ....

3. J'ai fait acheter <u>un ordinateur</u> par mon entreprise. ....

4. Elle est très polie, elle laisse toujours passer <u>les autres</u>. ....

5. Le soldat entend siffler <u>la balle de fusil</u>. ....

6. Le professeur nous fait étudier <u>des airs de Mozart</u>. ....

7. Tu dois laisser parler <u>les autres</u> avant de parler toi-même. ....

8. Avant les examens, on fait faire plusieurs <u>tests</u> aux étudiants. ....

La double pronominalisation

1. Remplacez les compléments soulignés par des pronoms, faisant les accords, si nécessaire.

Exemple : *J'ai donné <u>de l'argent</u> <u>au musicien</u>.* ⇨ *Je **lui en** ai donné.*

1. Le jeune homme a laissé <u>sa place</u> <u>à la vieille dame</u>. *Il la lui a laissé*

2. Le professeur <u>nous</u> a signalé <u>les beautés du texte</u>. *Il nous les a signalé*

3. Elle a offert <u>des petits fours</u> à <u>ses invités</u>. *Elle leur en a offert*

4. Elle a montré <u>à ses amis</u> <u>les bons restaurants de la ville</u>. *Elle les leur a montrés*

5. Elle a rangé <u>ses affaires</u> <u>dans l'armoire</u>. *Elle les y a rangé*

6. Le médecin a prescrit <u>quelques calmants</u> <u>au malade</u>. *Il lui en a prescrit quelqu'uns*

7. Elle <u>nous</u> a longtemps parlé <u>de son voyage</u>. *Elle nous en a parlé*

8. Elle <u>nous</u> a invités <u>à son mariage</u>. *Elle nous y a invités*

2. Proposez une question qui pourrait correspondre à la réponse.

1. – .... ?

– Mais si, je <u>la lui</u> ai envoyée il y a une semaine !

2. – .... ?

– Oui, il <u>lui en</u> a prescrit pour 7 jours. Un comprimé trois fois par jour.

3. – .... ?

– Non, il n'a jamais voulu <u>nous y</u> accompagner. Voir des animaux enfermés, il ne supporte pas !

4. – .... ?

– Tu peux être sûre que je ne <u>la leur</u> prêterai plus jamais ! Tu m'entends ? Jamais !

5. – .... ?

– Non, elle ne <u>nous l'</u>a jamais proposé. À vous, oui ?

6. – .... ?

– Rends-<u>le-lui</u> tout de suite ! Tu sais très bien que c'est à lui et pas à toi !

7. – .... ?

– Ils <u>nous l'</u>ont loué pour six mois.

8. – .... ?

– Celle de Barbe bleue. Raconte-<u>la-leur</u>, c'est celle qu'ils préfèrent !

Les pronoms neutres (*le, l', en, y*)

1. Remplacez les expressions soulignées par un pronom neutre (*le, l', en, y*).

Exemples : *Je sais qu'il a raison. (savoir qqch.)* ⇨ *Je **le** sais.*
Il craint de partir. (craindre qqch.) ⇨ *Il **le** craint.*

1. Il s'est rendu compte qu'il s'était trompé. (*se rendre compte de qqch.*) ....

2. Il regrette de partir. (*regretter qqch.*) ....

3. Elle espère qu'il réussira. (*espérer qqch.*) ....

4. Il s'est douté qu'on s'était moqué de lui. (*se douter de qqch.*) ....

5. Le monde politique s'attend à ce que le président démissionne. (*s'attendre à qqch.*)
....

6. On ne s'habitue pas à vivre dans le bruit. (*s'habituer à qqch.*) ....

7. Elle croit qu'il l'aime. (*croire qqch.*) ....

8. Elle voudrait bien s'en aller. (*vouloir qqch.*) ....

L'omission du pronom

1. Certains verbes, dans certaines conditions, n'acceptent pas le pronom neutre. Répondez en utilisant ou non un pronom pour remplacer les mots soulignés. Attention à la phrase 6.

Exemples : *– As-tu commencé ton travail ?   – **Oui, je l'ai commencé.***
*– As-tu commencé à travailler ?   – **Oui, j'ai commencé.***

1. – As-tu fini tes exercices ? – Oui, ...

2. – As-tu fini de manger ? – Oui, ...

3. – Tu n'as pas oublié tes clés ? – Si, ...

4. – Tu n'oublieras pas de venir, n'est-ce pas ? – Non, ...

5. – Est-ce que tu aimes tous tes amis de la même façon ?
   – Oui, ...

6. – Est-ce que tu aimes voyager ? – Oui, ...

7. – Savez-vous que la Terre n'est pas ronde ? – Oui, ...

8. – Savez-vous conduire ? – Non, ...

2. Même consigne.

1. – Veux-tu du pain ? – Oui, ...

2. – Veux-tu m'épouser ? – Oui, ...

3. – Est-ce que vous avez essayé ce pantalon ? – Non, ...

4. – Est-ce que vous avez essayé de vous habiller autrement ?
   – Non, ...

5. – Est-ce que tu peux <u>travailler davantage</u> ? – Non, ...

6. – Est-ce que tu aimerais <u>travailler davantage</u> ? – Oui, ...

7. – Tu oserais <u>parler en public</u> ? – Oui, ...

8. – Est-ce que tu sais <u>parler chinois</u> ? – Oui, ...

• BILAN •

1. À quoi correspond le ou les pronom(s) souligné(s) ?

1. Bien sûr que je <u>les</u> lui ai données !
   a. mes coordonnées   **b.** mon adresse   **c.** mes travaux écrits

2. Donnez m'<u>en</u> une, s'il vous plaît
   a. de la farine   **b.** une baguette   **c.** cette tarte

3. Je crois qu'on ne <u>les</u> y verra plus.
   a. à Nice   **b.** Léo et Claire   **c.** des voisins

4. Je <u>leur</u> <u>en</u> ai déjà prêté et je ne <u>les</u> ai jamais revus.
   a. mes notes de cours à Virginia   **b.** de l'argent à tes copains
   c. des CD à ton cousin Pierre   **d.** des livres à tes copines

5. Non, je ne <u>l'y</u> ai pas accompagné.
   a. Pierre chez le dentiste   **b.** Anne à l'école   **c.** les enfants à la plage

6. Il a refusé de <u>leur</u> <u>en</u> louer.
   a. un studio à des étudiants   **b** son appartement aux Dupin   **c.** des bicyclettes aux touristes

2. Reliez.

Qui a apporté...
1. ce livre à Lola ?
2. des disques à Béatrice ?
3. ces fleurs à ta sœur ?
4. des jouets aux petits ?
5. cette Barbie à Elisa ?
6. du champagne ?

C'est moi qui...
a. les lui ai apportées.
b. vous en ai apporté.
c. la lui ai apportée.
d. leur en ai apporté.
e. le lui ai apporté.
f. lui en ai apporté.

3. Imaginez un mini-scénario pour les phrases suivantes.

1. Je lui ai demandé mais il ne nous les a pas montrées. Il n'a jamais voulu.

2. Ah non ! Jamais ! Plutôt mourir que de leur en redemander !

3. Je vous jure que je vous les ai rendus.

4. Ah bon ? Tu es sûre ? Je ne te l'avais jamais dit ?

5. Ça, mon vieux, tu me le paieras et cher !

4. Et pour finir, deux fables bien connues de La Fontaine.
   Complétez avec le pronom qui convient.

Maître Corbeau était perché sur un arbre. Il .... était bien installé et tenait dans son bec un fromage. Il s'apprêtait à .... manger quand un renard s'approcha doucement. Le fromage sentait très bon et le renard .... avait bien envie. Mais que faire ? Comment .... attraper ?

Il réfléchissait et le corbeau, du haut de sa branche, ... regardait d'un œil moqueur.

Soudain, Renard eut une idée. Il leva les yeux sur le corbeau, se mit à .... faire mille compliments sur sa beauté et .... demanda si sa voix était aussi belle que son plumage. Le corbeau, qui était très fier (et pas très malin), voulut .... montrer ses talents de chanteur. Il ouvrit le bec, oublia son fromage et .... laissa tomber par terre. Le renard, bien sûr, ... ramassa et commença par .... manger un bon morceau.

LE RENARD ET LE CORBEAU

Le corbeau .... regardait, impuissant et furieux.
Le renard .... donna une petite leçon de morale avant de partir : Mon cher ami, n'écoutez pas les flatteurs, ils .... tromperont toujours !

Par une belle matinée d'été, un lion dormait au soleil quand soudain, un petit rat sortit de terre juste entre ses pattes. Quand il vit l'énorme bête, il se mit à trembler, certain qu'elle allait .... dévorer tout cru. Le lion ouvrit un œil, ...aperçut, ... saisit prestement d'un coup de patte. Il était dans un de ses bons jours et .... laissa la vie sauve.

Le rat .... remercia et .... promit qu'il pourrait peut-être, à son tour, ... rendre service un jour.

Le lion éclata de rire ! Comment un misérable petit rat pourrait .... être utile ? Comment pourrait-il avoir besoin de .... un jour ? Il .... doutait fortement !

Mais quelques jours plus tard, il tomba dans un filet. Les chasseurs .... avaient tendu pour capturer des sangliers mais c'est le malheureux lion qui s'............. retrouva prisonnier. Malgré tous ses efforts, impossible de se libérer. Le rat entendit ses rugissements furieux et accourut pour .... porter secours. Il commença par .... tranquilliser et il .... dit de .... faire confiance. Puis il se mit à ronger une maille du filet qui emporta toutes les autres. En deux minutes, le lion était libre. Il n'arrivait pas à .... croire ! Il remercia le rat.

Deux conclusions : 1) Faites une bonne action et vous .... serez récompensé un jour.
2) Ne méprisons pas les petits. On peut avoir besoin d'............. un jour.

• 3. LES ADJECTIFS ET PRONOMS DÉMONSTRATIFS •

1. Associez correctement les adjectifs démonstratifs *ce / cet / cette / ces* **et les noms.**

...Cette... femme, ...cet... homme, ...ce... ministre, ...ce... appartement, ...cette... maison, ...cet... immeuble, ...cette... assiette, ...ce... médecin, ...cette... artiste, ...cet... acteur, ...cette... actrice, ...ces... rues, ...ces... pays, ...cet... enfant, ...cette... porte, ...cette... lampe, ...cet... étudiant, ...cette... étudiante, ...cette... fleur, ...ces... fleurs, ...cette... arbre, ...ces... arbres, ...cet... parc, ...ces... jardins.

2. Mettez ces phrases au singulier.

1. Ces armes sont dangereuses. ....

2. Est-ce que ces pull-overs sont en laine ? ....

3. Regarde ces images ! Elles sont très belles. ....

4. Ces énormes bateaux sont des transatlantiques. ....

5. À quoi servent ces objets bizarres ? ....

6. Attention ! Ces assiettes sont en porcelaine. ....

7. Admirez ces héros, ils ont accompli des actions extraordinaires. ....

8. Connaissez-vous ces écrivains américains ? ....

3. Complétez par le pronom démonstratif qui convient :
celui(-ci) / celui(-là) ; celle(-ci) / celle(-là)...

1. J'hésite entre ces deux manteaux : .... est plus chaud,
   mais .... est plus sympa.

2. – As-tu le numéro de téléphone de Jean ? – Non, mais j'ai .... de son amie.

3. – Regarde cette jeune fille ? – Laquelle ? – .... qui lit *Le Monde*.

4. Ces deux textes sont émouvants : ce sont .... qui ont été écrits
   par Dostoïevski en Sibérie.

5. Je te présente mes amies polonaises, tu sais, ... qui habitent avec moi.

6. Ces deux équipes sont très différentes : .... est plus combative, ...
   est plus réfléchie.

7. Qui est le plus heureux ? .... qui reçoit ou .... qui donne ?

8. J'ai gardé pas mal de cours d'université, notamment .... de certains
   professeurs, particulièrement passionnants.

4. Complétez le texte suivant par des pronoms démonstratifs simples
(celui, celle, ceux, celles) **ou composés** *(celui-ci, celle-ci, ceux-ci).*

Les « vraies » vacances restent (1) .... de l'été, pour beaucoup de Français.
Il y a (2) .... qui préfèrent la mer et (3) .... qui vont à la campagne.
Pour être réussies, les vacances doivent marquer une rupture avec la vie quotidienne

car (4) .... est souvent fatigante. Cependant, toutes les familles françaises ne partent pas en vacances. Les familles des cadres et des professions libérales partent plus et plus loin que (5) .... des ouvriers ou des paysans. La génération des retraités et (6) .... des jeunes font plus de voyages que les autres classes d'âge. Normal ! Ce sont (7) .... qui ont le plus de temps. Les vacances coûtent cher. C'est pourquoi elles se passent souvent chez les grands-parents, surtout quand (8) .... vivent à la campagne ou au bord de la mer.

5. Complétez avec un adjectif ou un pronom démonstratif.

(1) .... carte de restaurant propose deux menus. Prends (2) .... que tu préfères. Tout (3) .... qui est fait ici est délicieux. Par exemple, les poissons sont très frais, j'en suis sûr, je connais le patron. Et son vin est le meilleur de la région. Tiens, regarde les menus ! (4) .... menu ou (5) .... ? On prend le moins cher, (6) .... à 29 euros ? Je prendrais bien (7) .... plat et toi, tu pourrais prendre (8) .... Comme (9) ...., nous pourrions goûter aux deux. (10) .... te convient ?

6. Choisissez le pronom *ce* (*c'*) ou *ça* (les deux sont parfois possibles).

1. « La Marseillaise », ... est l'hymne national français.

2. Comment va ton nouveau travail ? .... n'est pas trop dur ?

3. Si tu avais accepté, ... m'aurait fait plaisir.

4. .... me gêne que tu dises des choses pareilles.

5. – Quelle est la meilleure université pour toi ? – .... dépend !

6. Ah ! Te voilà ! .... n'est pas trop tôt ! .... m'énerve d'attendre !

7. Si tu me disais .... qui ne va pas, je pourrais t'aider peut-être.

8. J'aime bien .... que tu fais, oui, j'aime vraiment ....

7. *Ceux* ou *ce* ? Barrez la mauvaise réponse.

Exemple : *Les romans français du XIXᵉ siècle sont* ⬛ceux⬛ ⬛c̶e̶⬛ *que je préfère.*

1. En général, je ne mange pas de gâteaux, sauf ⬛ceux⬛ ⬛ce⬛ qui sont au chocolat.

2. D'accord, on va en Grèce cet été puisque c'est ⬛ceux⬛ ⬛ce⬛ que tu veux.

3. Allez, je t'invite au restaurant, tu pourras prendre ⬛ceux⬛ ⬛ce⬛ qui te fait plaisir.

4. Dis-moi ⬛ceux⬛ ⬛ce⬛ qui ne va pas, tu as l'air si triste.

5. J'ai enfin acheté des gants, tu sais, ⬛ceux⬛ ⬛ce⬛ que nous avions vus dans cette vitrine.

6. Les enfants de Claire sont remuants, ⬛ceux⬛ ⬛ce⬛ de Lili sont calmes.

7. – Tu as rencontré tes voisins ? – Lesquels ? ⬛ceux⬛ ⬛ce⬛ du troisième étage ?

8. À mon avis, ⬛ceux⬛ ⬛ce⬛ dont tu as besoin, c'est de partir au soleil.

• 4. LES ADJECTIFS ET PRONOMS POSSESSIFS •

1. Complétez avec l'adjectif possessif qui convient.

Exemple : *Quel désordre ! Tu peux ranger un peu **tes** vêtements, **ton** sac à dos, **ta** chambre, quoi !*

1. – Quel âge ont vos enfants ? – .... fils a sept ans et .... fille cinq ans ;
   .... jumeaux sont beaucoup plus jeunes, ils n'ont que six mois.

2. Une seule chose semble compter pour toi : .... copains, ... mob,
   .... argent de poche ! Et .... études ? .... avenir ? Tu y songes parfois ?

3. Désolée, c'est à .... tour de passer. Cela fait une heure que j'attends !

4. Voici le sac, les gants, le parapluie de Chris : il a encore oublié .... affaires !

5. Elle ne passe pas inaperçue avec .... grand chapeau violet et .... canne.

6. Monsieur ! Voilà .... courrier et .... journaux.

2. Récrivez cette phrase en remplaçant *je* par les pronoms indiqués.

Exemple : *Tous les matins, je **conduis mes enfants à l'école avant de me rendre à mon travail.***

1. Tous les matins, tu ....

2. Tous les matins, nous ....

3. Tous les matins, vous ....

4. Tous les matins, elle ....

5. Tous les matins, ils ....

3. Barrez la mauvaise réponse.

Exemple : *Que pensez-vous de* son ~~sa~~ *histoire ?*

1. Pour un si long voyage, prenez mon ma auto, elle est plus confortable.

2. Mets ton ta autre chemise, la bleue, elle est plus jolie.

3. Quel champion incroyable ! C'est son sa douzième victoire à Roland Garros.

4. Demandez-lui son sa opinion sur la question, c'est un spécialiste.

5. Est-ce que ton ta amie est arrivée ?

6. Elle nous parle toujours de son sa chère amie Inès.

7. Venez, je vais vous faire visiter mon ma petite maison.

8. Ton Ta immense maison, tu veux dire !

4. Complétez les phrases suivantes avec : *le, la, les, son, sa, ses, mon, ma, mes, ton, ta, tes.*

1. J'ai mal à .... tête depuis ce matin.

2. Lave-toi .... mains avant de venir à table, s'il te plaît !

3. Elle s'est cassé .... bras en faisant du ski.

— 43 —

4. – Il fait tout de .... main gauche ? Il est 100 % gaucher ?

– Non, mais au tennis, c'est .... main préférée.

5. Attention ! Vous avez failli m'écraser .... pieds !

6. Le chien a dressé .... oreilles en entendant du bruit.

7. J'ai pris .... main dans la mienne, sans parler, et nous sommes partis.

8. Je te présente Mathieu dont tu connais déjà .... femme.

5. Complétez les phrases par un pronom possessif (*le mien, la tienne*, etc.).

1. J'ai rempli ma feuille d'impôts, n'oublie pas de remplir ....

2. Tu as des ciseaux ? J'ai perdu ....

3. J'ai trouvé une écharpe. Est-ce que quelqu'un a perdu .... ?

4. Les enfants des Dupuy sont partis au Canada, mais les Dubois n'ont pas voulu
   que .... partent seuls.

5. Votre appartement est très clair. Celui où nous habitons depuis bientôt dix ans
   est beaucoup plus sombre que ....

6. – C'est votre parapluie ? – Oui, c'est ....

   Oh ! Non, pardon, je me suis trompée, c'est ....

   – Ce n'est pas grave, ils se ressemblent tous et personne ne reconnaît ....

7. Votre bicyclette est en parfait état. Je suis plus négligent : .... n'a plus
   de sonnette et les freins marchent mal.

8. J'ai comparé tous les contrats de toutes les entreprises. Je pense que ....
   est le plus avantageux, monsieur.

6. Reliez la bonne réponse à chacune des questions suivantes.

1. Est-ce votre faute si l'accident
   est arrivé ?

2. À qui sont ces chaussures qui traînent ?

3. Ma voiture est en panne. Tu me prêtes
   la tienne ?

4. Nous allons voir ce film avec nos enfants,
   et vous ?

5. Vous ont-ils raconté leurs vacances ?

6. J'aime beaucoup mon travail, et toi ?

7. Pardon, que disiez-vous sur mes roses ?

8. Vous achetez toujours vos arbres
   chez « Le verger » ?

a. Oui, les leurs sont de meilleure qualité.

b. Non, les nôtres sont encore trop petits.

c. Bien sûr que non, c'est la sienne, moi, je
   roulais très lentement.

d. Moi aussi, j'aime beaucoup le mien.

e. Désolé, la mienne aussi !

f. Ce sont les siennes, il ne les range jamais !

g. Je disais que les vôtres sont plus
   parfumées que les miennes.

h. Non, nous avons seulement parlé des
   nôtres.

7. Attention, ne confondez pas le pronom personnel *leur* (invariable)
et l'adjectif possessif (*leur*, *leurs*) dans le texte suivant.

Marc et Sara se disputent sans cesse.
Les voisins en ont assez de (1) ....
histoires, de (2) .... conversations.
Ils le (3) .... ont déjà dit mais rien
n'y fait. La police est intervenue, elle
(4) .... a gentiment demandé de
ne plus faire de bruit le soir mais ils sont
incapables de se calmer. Même (5) ....
famille n'arrive pas à les aider. Si ça continue,
les habitants de l'immeuble vont (6)
.... demander de déménager ou ce
sont eux qui (7) .... laisseront la place

car la cohabitation est impossible. Ils se rendent malheureux avec (8) .... bêtises.
Quel dommage !

5. LES ADJECTIFS ET PRONOMS INDÉFINIS

Les adjectifs indéfinis

1. Trouvez les formes de l'adjectif *tout* (*tout*, *toute*, *tous* ou *toutes*).

Exemple : *Dans une bibliothèque, **tous** les livres, **toutes** les revues sont à la disposition
de **tout** le monde, **toute** la journée.*

1. J'aurais aimé étudier .... ma vie.

2. .... les ans ils visitent une grande capitale, en Europe ou ailleurs.

3. Vous prendrez votre température .... les trois heures.

4. La tempête qui a soufflé .... la nuit a arraché presque ....
les arbres et .... les fleurs du parc.

5. .... le monde suit ?

6. .... travail mérite sa récompense.

2. *Tout* ou *chaque* ? (Dans une des phrases, les deux sont possibles :
tout = *chaque* dans des phrases à valeur générale.)

Exemple : ***Toute** la soirée, elle a parlé de ce qu'elle faisait **chaque** jour.*

1. On recommande à .... les conducteurs qui font de longs trajets
de s'arrêter .... les deux heures.

2. Il pleut .... le temps ici.

3. J'aimerais pouvoir mettre un nom sur .... arbre.

4. Les savants ont-ils résolu .... les mystères de la nature ?

5. .... matin, nous prenons notre petit déjeuner en écoutant les informations à la radio.

6. Elle est restée chez elle .... la matinée.

7. .... homme a droit au travail.

8. C'est .... fois la même chose ; elle sort en oubliant ses clés.

3. Choisissez entre *tout* et *chaque* et faites des transformations si nécessaire (parfois deux réponses sont possibles).

Exemple : *(Tout / Chaque) soir en rentrant chez elle, elle fait le compte de (tout / chaque) les dépenses de la journée.*

⇨ **Chaque** *soir en rentrant chez elle, elle fait le compte de* **toutes** *les dépenses de la journée.*

1. (*Tout / Chaque*) véhicule doit subir un contrôle technique (*tout / chaque*) les deux ans.

....

2. Après (*tout / chaque*) épreuve sportive, (*tout / chaque*) son corps lui semble douloureux, (*tout / chaque*) ses muscles lui font mal.

....

3. Aujourd'hui on peut dire que (*tout / chaque*) les certitudes s'effondrent.

....

4. (*Tout / Chaque*) vérité est-elle bonne à dire ?

....

5. (*Tout / Chaque*) les Français aiment-ils le vin, le pain et le fromage ?

....

6. On dit que (*tout / chaque*) Français boit un verre de vin à (*tout / chaque*) repas.

....

7. (*Tout / Chaque*) les journalistes doivent rechercher l'objectivité.

....

8. Cet écrivain fait paraître un livre (*tout / chaque*) année, celui-là en fait paraître un seulement (*tout / chaque*) les trois ou quatre ans.

....

4. *Plusieurs* ou *quelques* ? (Rappel : *plusieurs* = + *de deux et bien au-delà*, *quelques* = *un petit nombre* et cet adjectif a une valeur restrictive.)

Exemple : *C'était la fin de l'examen.* **Plusieurs** *élèves avaient déjà quitté la salle et les professeurs passaient et repassaient en répétant : « Il ne vous reste que* **quelques** *minutes, dépêchez-vous. »*

1. Nous étions en novembre ; il ne restait plus que .... feuilles aux arbres.

2. Elle possède .... paires de chaussures élégantes, une quinzaine, mais elle ne porte que des baskets.

3. À la fin de la soirée, seuls .... invités bavardaient encore en buvant un dernier verre.

4. À Paris, il ne subsiste que .... bâtiments du XVIᵉ siècle.

5. J'ai lu .... textes de ce philosophe, au moins une vingtaine, mais je ne comprends toujours pas sa pensée.

6. Il y a des écrivains qui ont un style si particulier qu'il suffit de lire .... lignes pour les reconnaître.

5. *Aucun, nul / tout, chaque / quelques, plusieurs* ?

Exemple : *Il était minuit. Il n'y avait **aucun** bruit dehors. **Toutes** les fenêtres étaient fermées. **Chaque** Parisien essayait de trouver le repos. Mais parfois on entendait le pas de **quelques** passants.*

1. C'est extraordinaire, à 90 ans, il a encore .... ses dents, et il n'a .... cheveu blanc.

2. Quand on est ordonné, on trouve une place pour .... chose.

3. Est-ce que tous les pays demandent un visa à .... visiteur étranger ?

4. Je n'ai .... solution, je n'ai que des questions, dit le philosophe.

5. .... question ne doit rester sans réponse. J'ai .... les réponses à vos questions, dit l'homme politique.

6. .... homme ne peut rester insensible au malheur des autres.

7. Vous ne verrez .... habitant dans le petit village. .... le monde est parti depuis .... années déjà.

8. Parmi .... les programmes que la télévision présente, il y a .... séries américaines et seulement .... séries françaises. Les acteurs français s'en plaignent.

6. Réécrivez la phrase en choisissant dans la parenthèse l'équivalent du mot souligné.

Exemple : *Il a rencontré <u>certains</u> problèmes au cours de son voyage.* (= des / sûrs)
⇨ *Il a rencontré **des** problèmes au cours de son voyage.*

1. Elle n'est pas parfaite, mais elle a <u>certaines</u> qualités. (= **des / évidentes, sûres**)

....

2. Je vous recommande ce jeune homme, il a des qualités <u>certaines</u>. (= **des / évidentes, sûres**)

....

3. Nous avons des opinions <u>différentes</u>, mais nous nous aimons bien quand même. (= **plusieurs / opposées**) ....

4. Ils ont proposé <u>différentes</u> solutions que nous avons rejetées. (= **plusieurs / opposées**)

....

5. <u>Nulle</u> plante ne pourrait pousser sur une terre aussi pauvre. (= *aucun(e) / mauvais(e)*)

....

6. Cet enfant désespère ses parents, il est <u>nul</u> en mathématiques. (= *aucun(e) / mauvais(e)*)

....

7. – Où veux-tu aller dîner ? – Oh ! dans un restaurant <u>quelconque</u>. (= *n'importe quel / médiocre*)

....

8. – Comment as-tu trouvé ce restaurant : bon, mauvais, excellent ? – Mmm, vraiment
<u>quelconque</u>. (= *n'importe quel / médiocre*)

....

7. *N'importe quel, tel, même, autre* ?

**Exemple : *N'importe quel* professeur te dira que tu pourrais avoir d'*autres* résultats
si tu ne faisais pas toujours les *mêmes* erreurs de méthode.**

1. Arrête de tourner autour de moi. Prends un livre, ... livre, et tiens-toi
tranquille un moment.

2. Cet homme est un génie. Je n'ai jamais vu une .... intelligence.

3. Physiquement, cette adolescente ressemble à sa mère : elle a les ....
yeux, le .... nez, la .... bouche, mais elle n'a pas
le .... caractère.

4. – Je prendrai du poisson, toi aussi ? – Non, je prendrai un .... plat.

5. En ce qui concerne les repas, elle n'a aucune règle ; elle mange à .... heure.

6. Il est surprenant qu'elle ait eu une .... réaction. Je m'attendais
à une .... attitude.

7. Rendez-vous mardi prochain, à la .... heure, au .... endroit.

8. – Avez-vous d(e) .... propositions à me faire ? – Non, nous en resterons là.

Les pronoms indéfinis

1. Répondez par une phrase entière aux questions en utilisant le pronom
tout, tous, toutes. Attention aux accords !

Exemple : *Tu as compris toutes les questions ?*
⇨ *Oui, je les ai toutes comprises.*

1. – Est-ce que tous ces romans sont de Victor Hugo ? – Non, ...

2. – Vérifiez. Vous avez bien pris votre passeport, votre carte d'identité, votre billet d'avion ? –
Oui, oui, ...

3. – Est-ce que vous avez fait tous vos vaccins ? – Oui, ...

4. – Connaissez-vous toutes les capitales européennes ? – Non, ...

5. – Dans ma chambre, les murs sont bleus, le tapis est bleu, la lampe de chevet est bleue…
– Mais alors, dans votre chambre .... !

6. – Avez-vous visité tous les musées parisiens ? – Non, ...

7. – Tu as mangé tes tomates, tes pâtes, ton yaourt et ta pomme ?

– Oui maman, ... !

8. – Toutes les portes sont-elles bien fermées ? – Oui, ...

2. *Tous, toutes* ou *chacun(e)* ?

Auguste a cent ans !

Bien sûr, ses amis ne sont pas .... là pour le fêter, il en manque beaucoup. Mais la famille est venue. ...., petits et grands, sont présents. .... a apporté un souvenir : un objet, une photo, un livre. .... ont des anecdotes à raconter et .... évoquent l'humour et la bienveillance de leur père, grand-père ou arrière-grand-père. Lui, il a du mal à les croire .... mais il est heureux. Il contemple ses deux arrière-petites-filles, deux cousines. .... a quelque chose qui lui rappelle sa chère femme : un ton de voix, un sourire. De plus, ... porte un prénom qui commence par un z, comme le sien : Zita.

3. Répondez par la négative en utilisant les mots suivants : *personne, rien* ou *aucun(e)*.

Exemple : *Avec qui est-elle ? – Avec **personne**. ou Elle n'est avec **personne**.*

1. – Qui a pris le livre ? – ....

2. – Veux-tu quelque chose d'autre ? – ....

3. – Combien d'oiseaux ont échappé à la marée noire ?

–.., c'est catastrophique.

4. – Tu as tout vu ? – ....

5. – Est-ce que tu as lu quelque chose d'intéressant ? – ....

6. – Quelqu'un est passé ? – ....

7. – Combien de malades le médecin doit-il visiter aujourd'hui ?

–..., le médecin ne consulte pas aujourd'hui.

8. – Quelqu'un d'autre a quelque chose à dire ? – ....

4. Complétez par : *n'importe qui, n'importe quoi, n'importe lequel, laquelle...*

Exemple : ***N'importe** qui fait **n'importe quoi** dans cette entreprise.*

1. Je peux inviter qui je veux pour mon anniversaire ? Vraiment .... ?

2. Quelle réponse ! Mais c'est .... !

3. Je vais demander à un spectateur, ... parmi vous, de monter sur la scène.

4. – Que voulez-vous boire ? – Oh ....

5. Allez, posez-moi une question, ..., j'y répondrai.

6. Prenez des magazines, ..., vous y trouverez les mêmes images, les mêmes articles.

7. Je voudrais parler à quelqu'un, à ...., cela m'est égal.

8. – De toutes les jeunes actrices que vous avez rencontrées, quelle est celle que vous choisirez pour jouer le rôle principal ? – Anna Bloom, certainement. Ce n'est pas .... : elle ne ressemble à personne !

5. Lequel choisissez-vous ? *Plusieurs, certains, quelques-uns, l'un, l'autre ?*

Exemple : – *Connaissez-vous beaucoup de pays d'Afrique?*
    – *Oh non,* ~~plusieurs~~ quelques-uns *seulement, deux ou trois tout au plus.*

1. – Avez-vous beaucoup d'amis ici ? – Non, j'en ai seulement <u>plusieurs / quelques-uns</u>.

2. – Lisez-vous des romans policiers ? – Oui, et même <u>plusieurs / certains</u> par mois.

3. – Que pensez-vous de ces deux candidats ? – <u>L'autre / L'un</u> est compétent mais plutôt âgé, <u>l'un / l'autre</u> est jeune mais il n'est pas très expérimenté.

4. – Est-ce que tous les élèves d'une classe se ressemblent ? – Non, <u>certains / les uns</u> sont attentifs, <u>les uns / les autres</u> distraits ; <u>quelques-uns / plusieurs</u>, ils ne sont pas nombreux, sont excellents.

5. – Avez-vous vu tous les films de Fellini ? – Presque tous peut-être, en tout cas, j'en ai vu <u>plusieurs / quelques-uns.</u>

6. – Avez-vous vu tous les films de Christian Tournon ? – Oh non, <u>les uns / quelques-uns</u> m'ont suffi, je n'aime pas Christian Tournon.

7. – Où sont tous vos enfants et vos nombreux petits-enfants ? – Un peu partout. <u>Les uns / les autres</u> vivent ici, en France, mais <u>les autres / quelques-uns</u> sont tous à l'étranger. <u>Certains / Plusieurs</u> en Amérique du Nord, c'est la majorité d'entre eux, et <u>plusieurs / quelques-uns</u> en Afrique.

8. – Qui sont ces deux jeunes filles ? – <u>L'autre / L'une</u> est la petite amie de mon fils, <u>l'une / l'autre</u> est ma nièce.

6. Complétez par : *le même, la même, les mêmes, un autre, d'autres, autre chose, autrui, je ne sais qui, un je-ne-sais-quoi.*

Exemple : *C'est agaçant ! Tu veux tout faire comme moi. J'achète une robe, tu achètes* **la même**, *je commande un plat, tu commandes* **le même**, *je choisis des films, tu choisis* **les mêmes**. *Tu ne pourrais pas acheter, commander et choisir* **autre chose** *?*

1. – Quel vin désires-tu ? – Oh, je ne sais pas. Qu'est-ce que tu as choisi ? Un brouilly ? Moi j'en prendrai ...., je prendrai plutôt un pouilly fumé.

2. – Tu as encore faim ? Veux-tu.................................... ?

3. La morale enseigne de faire passer .... avant soi-même.

4. Lorsqu'on achète un canapé chez Ikea, on est sûr de trouver .... chez des amis ou chez des voisins.

5. Quand on lit un roman de cet écrivain, on les a tous lus. Il réécrit toujours ....

6. – Ce chanteur a-t-il chanté ses chansons habituelles ? – C'est vrai qu'il chante toujours ...., mais cette fois-ci, il en a chanté ....

7. Elle a quitté ses amis, sa famille pour vivre avec ...., un type que personne ne connaît.

8. Il n'est peut-être pas très beau ni très intelligent, mais il a ....

II. LA SPHÈRE DU NOM

• 6. LES ADJECTIFS ET PRONOMS INTERROGATIFS ET EXCLAMATIFS •

1. Passage du français standard (avec *Est-ce que...*) au français plus soutenu (avec inversion du sujet). Transformez comme dans l'exemple.

Exemple : *Qu'est-ce que tu fais ?* ⇨ *Que fais-tu ?*

1. Qu'est-ce qu'ils disent ? ....

2. Qu'est-ce que vous prendrez comme dessert ? ....

3. Qu'est-ce que tu as fait le week-end dernier ? ....

4. Qu'est-ce que vous pensez de ma proposition ?
   Est-ce que vous êtes d'accord ....

5. Avec qui est-ce que tu t'en vas en vacances ? ....

6. Chez qui est-ce que vous avez passé la soirée ? ....

7. Où est-ce que tu as acheté ton manteau ? Il est superbe. ....

8. Par où est-ce que tu es passé ? Je ne t'ai pas vu. ....

2. Complétez avec la forme correcte de l'adjectif interrogatif ou exclamatif *quel*.

– Comment ? Il est déjà parti ? (1) .... idée ! La fête commence à peine !
   Et il a donné (2) .... raison pour filer comme ça, sans même nous dire au revoir ?
   (3) .... type mal élevé ! Et d'abord, je voudrais bien savoir (4) ....
   obligations il pouvait bien avoir ? Il m'avait dit qu'il serait libre toute la soirée.

– Dis donc ! De (5) .... droit tu le surveilles ? Tu es bien curieuse !

– Ça alors ! (6) .... culot ! Tu peux parler, toi qui veut toujours tout savoir.

– Bon, alors, dis-moi (7) .... est son prénom et (8) .... sont vos relations, exactement.

3. Proposez un contexte pour chacune des expressions suivantes

Exemple : *Quel pays !* ⇨ *Ça fait trois jours qu'il pleut sans arrêt ! Quel pays !*
   Quel pays ? ⇨ *– Il a vécu dans le plus beau pays du monde – Ah oui ? Quel pays ?*

1. Quelle ville ! ....

2. Quelle ville ? ....

3. Quel acteur ! ....

4. Quel acteur ? ....

5. Quelles aventures ! ....

6. Quelles aventures ? ....

4. Pour chacune des réponses, complétez la question en utilisant : *quel, quelle, quels, quelles* **avec une préposition si c'est nécessaire (il peut s'agir de personnes ou de choses).**

Exemple : – *Par quelle* route êtes-vous passés ?
                  – *Par la Nationale 113, comme d'habitude.*

1. – .... distance se trouve le supermarché le plus proche ?

– À douze kilomètres environ, en allant vers Amiens.

2. – .... études avez-vous faites ?

– Des études de droit puis un master de sciences politiques.

3. – .... amis sors-tu ce soir ?

– Avec des copains du lycée, Pierre, Marina, Éva...

4. – .... région passez-vous vos vacances ?

– En général, dans le Midi, en Provence ou sur la Côte d'Azur.

5. – .... défaut avez-vous le plus d'indulgence ?

– Je ne sais pas, peut-être pour le bavardage. Ou bien pour la paresse.

6. – .... année êtes-vous né ?

– En 1996.

7. – .... chaînes de télévision regardez-vous ?

– Aucune, je n'ai plus de télévision depuis longtemps.

8. – .... couleur sont les yeux d'Isabelle Adjani ?

– Bleus, très bleus.

• 7. LES PRONOMS RELATIFS •

1. Complétez ce dialogue avec les pronoms relatifs *qui* **ou** *que***.**

Clément	– Tu te souviens du film .... nous avions vu l'an dernier à Versailles ?
Laura	– Non. Un film de qui ?
Clément	– De John Huston. Moi, ce n'est pas celui de John Huston .... je préfère mais toi, c'est un film .... tu adores. Tu as vraiment oublié ?

	C'est un film .... est sorti dans les années 50 et .... se passe à New-York.
Laura	– Euh…
Clément	– Mais si ! Souviens-toi, c'est Bogart .... joue le rôle principal.
Laura	– D'accord mais il s'appelle comment, ton film ?
Clément	– Ah, le titre, le titre… C'est un titre .... j'oublie toujours. Mais toi, tu dois savoir. C'est un film .... tu as vu au moins vingt fois !

2. Avec ces deux phrases simples, construisez une phrase complexe en utilisant les pronoms *qui, que, où*.

Exemple : *Elle a un frère. Ce frère s'appelle Gérard.*
   ⇨ *Elle a un frère qui s'appelle Gérard.*

1. J'ai fini par trouver un manteau. Il correspond exactement à ce que je cherchais.
....

2. Je vais vous proposer une solution. Elle vous conviendra certainement.
....

3. Dans ce cours, il y a beaucoup d'Italiens. Je les trouve très sympathiques.
....

4. Demain, je vais dans un musée d'art africain. Je n'y suis encore jamais allé.
....

5. Elle vient d'avoir un enfant. Elle l'a appelé Victor.
....

6. Je connais un excellent restaurant. On y mange des cuisses de grenouille délicieuses !
....

7. C'est un très vieil ami. Je le connais depuis vingt ans.
....

8. Je vais te présenter quelqu'un. Tu vas beaucoup l'apprécier, j'en suis sûr.
....

3. Verbes construits avec la préposition *de*. Avec ces deux phrases simples, construisez une phrase complexe en utilisant le pronom *dont*. (Remarque : n'oubliez pas qu'on ne peut pas avoir dans la même phrase *dont* et *en*, ni *dont* et un possessif.)

Exemple : *C'est une erreur tragique. Il s'en est aperçu trop tard.* (s'apercevoir **de** quelque chose)
   ⇨ *C'est une erreur tragique <u>dont</u> il s'est aperçu trop tard.*

1. On vient de m'offrir un livre d'art. J'avais une envie folle de ce livre.
....

2. Ne vous inquiétez pas pour ce travail. Je m'en chargerai très volontiers.
....

3. Ils ont trois enfants très jeunes. Ils s'occupent d'eux avec une patience d'ange !
....

4. Je viens d'acheter un studio à Nice. Tu peux en profiter, si tu veux.

....

5. Dans ma vie j'ai fait pas mal de bêtises. Je m'en suis souvent repenti.

....

6. Ils ont des conditions de travail très pénibles. Ils s'en plaignent sans arrêt
mais ils ne font rien pour changer les choses.

....

7. Tu te rappelles cette histoire d'ascenseur en panne ? Je t'en ai parlé l'autre jour.

....

8. À la maison, on a beaucoup de vieilles choses. On aimerait bien s'en débarrasser.

....

4. Adjectifs construits avec la préposition *de*. Avec ces deux phrases simples, construisez une phrase complexe en utilisant le pronom *dont*. (Même remarque.)

Exemple : *C'est une étrange nouvelle. J'en suis très surpris.*
⇨ ***C'est une étrange nouvelle dont je suis très surpris.***

1. Le peintre regarde son dernier tableau. Il en est satisfait.

....

2. Notre Renault est une vieille voiture. On s'en contente pour l'instant.

....

3. Il parle sans arrêt de son jardin. Il en est extrêmement fier.

....

4. Ma banque ? C'est une banque plutôt efficace. J'en suis assez satisfaite.

....

5. Voilà les dernières nouvelles. J'en ai été informé ce matin même.

....

6. Il a tenu des propos insultants. Tout le monde en a été scandalisé.

....

5. Avec ces deux phrases simples, construisez une phrase complexe en utilisant le pronom *dont*.

Exemple : *Il a acheté une vieille maison. Ses murs sont couverts de vigne vierge.*
⇨ ***Il a acheté une vieille maison dont les murs sont couverts de vigne vierge.***

1. C'est un joli petit bureau. Malheureusement, j'en ai perdu la clé.

....

2. Tu sais, c'est mon cousin François. Sa fille vit actuellement en Espagne.

....

3. C'est un roman qui commence bien. Mais je n'en ai pas aimé la fin.

....

4. Je me demande bien à qui appartient cette maison. Ses volets sont toujours fermés.

....

5. François Truffaut aimait bien le premier film de Jean-Luc Godard *À bout de souffle*. Il en avait d'ailleurs écrit le scénario.

....

6. C'est une histoire assez étrange. On n'en connaît pas tous les détails.

....

7. Je viens de lire un roman magnifique. L'action se passe au Moyen Âge.

....

8. Il a épousé une très jolie fille. Mais son caractère est épouvantable, hélas !

....

6. Complétez avec *qui, que, où, dont*.

Voici la petite ville (1) .... sont nés mes parents. C'est une jolie ville (2) ....
n'a pas beaucoup changé au fil des ans. Tous ceux (3) .... y vivent vantent son
charme et sa tranquillité. La seule chose (4) .... tout le monde se plaint, c'est la
quantité de voitures (5) .... stationnent l'été dans les petites rues étroites. Le maire,
(6) .... je connais bien, puisque c'est un ancien camarade de classe, voudrait bien
transformer ces ruelles en zones piétonnes mais les commerçants, (7) .... vivent
du tourisme, ne sont pas d'accord. Les prochaines élections municipales, (8) .... on
parle déjà beaucoup, seront décisives pour l'avenir.

7. Même consigne.

Regarde, sur cette photo, c'est Loulou, le chien *dont* je t'ai mille fois parlé. C'était un
chien (1) .... était un peu bête mais (2) .... toute la famille adorait. Le jour
(3) .... il a disparu, tout le monde était désespéré. Tu ne peux pas imaginer les
larmes (4) .... j'ai versées ce jour-là ! Ce jour-là et les jours suivants car on l'a
cherché une semaine entière. Je t'assure que c'est une semaine (5) .... on se
souviendra toute notre vie. On l'a cherché partout, dans tous les coins (6) .... il se
cachait d'habitude. Finalement, c'est mon petit frère Laurent (7) .... l'a retrouvé
dans la cave (8) .... on l'avait enfermé par mégarde. Il est mort dix ans plus tard,
l'année (9) .... j'ai quitté la maison.

8. Donnez la définition des mots suivants en utilisant une préposition
(avec, sans, grâce à, à l'aide de..., à cause de, pour, contre, par, dans...)
+ lequel, laquelle, lesquels, lesquelles.
Attention aux pronoms relatifs contractés :
à + lequel ⇨ auquel ; à + lesquels ⇨ auxquels ; à + lesquelles ⇨ auxquelles
de + lequel ⇨ duquel ; de + lesquels ⇨ desquels ; de + lesquelles ⇨ desquelles
Si vous ne connaissez pas le mot, utilisez votre dictionnaire.

Exemple : *Un tire-bouchon, c'est un ustensile avec lequel on peut ouvrir une bouteille (de vin, surtout).*

1. une pince à linge = ...

5. une montgolfière = ...

2. un marteau = ...

6. une pince à épiler = ...

3. des béquilles = ...

7. des lentilles (verres de contact) = ...

4. un microscope = ...

8. l'oxygène = ...

9. Complétez avec l'un des pronoms suivants : *chez lesquels/chez qui, avec lequel/avec qui, pour laquelle, dans lequel, contre lesquelles, auquel, parmi lesquelles, sur lesquels.*

Exemple : *Nous nous sommes trompés de chemin, ce n'est pas la route **par laquelle** nous sommes passés hier.*

1. Tu connais le garçon .... Larissa est partie en Grèce ?

2. La malhonnêteté, c'est une chose .... je n'ai aucune indulgence.

3. Comment s'appelle le film .... tu as fait allusion hier soir ?

4. Il y a deux ou trois points de détail .... je voudrais insister un peu.

5. Le train était presque vide. Le wagon .... on s'est installé était libre.

6. Insolence, bagarres, insultes, autant d'incivilités .... l'Éducation nationale a décidé de lutter.

7. Les gens .... Francine habite sont très sympathiques.

8. À cette soirée, il y avait de nombreuses actrices, ... on a remarqué Marion Cotillard, Sara Forestier, Mélanie Laurent...

10. Remplacez ce qui est souligné par : *faute de quoi - à la suite de quoi - moyennant quoi - grâce à quoi - après quoi - sans quoi.*

1. Il a réservé ses billets bien à l'avance. <u>Comme ça</u>, il les a payés très peu cher.

....

2. Dépêchons-nous <u>sinon</u> nous risquons d'arriver en retard.

....

3. Envoyez votre dossier complet avant le 15 janvier. <u>Autrement</u>, ce sera trop tard.

....

4. Termine ton travail. <u>Ensuite</u>, tu pourras aller jouer.

....

5. Les parents mettaient leur fils devant un dessin animé, <u>et en échange</u>, ils étaient tranquilles tout l'après-midi.

....

6. Ces révélations ont provoqué un énorme scandale <u>et par conséquent</u>, le ministre a dû donner sa démission.

....

11. Utilisez le pronom relatif *dont* chaque fois que cela est possible. Sinon, utilisez le pronom relatif composé *lequel*. Faites les transformations nécessaires (*de + lequel = duquel*). Attention aux phrases 7 et 8 : il y a deux ou trois possibilités.

1. La tour, ... le sommet était occupé par un restaurant gastronomique, était fermée pour travaux.

2. La tour, au sommet de .... se trouvait un restaurant gastronomique, était fermée pour travaux.

3. Le lac, sur les bords de .... poussaient des iris, était très pittoresque.

4. Le lac, ... les bords étaient couverts d'iris, était très pittoresque.

5. Cette maison, ... les balcons sont ornés de géraniums rouges et blancs, a obtenu le premier prix des maisons fleuries.

6. La maison, sur les balcons de .... tu vois ces beaux géraniums rouges et blancs, a obtenu le premier prix des maisons fleuries.

7. Qui est donc cet homme à la vue de .... elle s'est enfuie ?

8. C'est un homme .... personnellement, je pense beaucoup de bien.

BILAN

1. Complétez avec la proposition qui convient.

j'aimerais bien habiter – j'ai beaucoup d'intérêt – mes amis Green m'ont souvent parlé – se trouve devant la gare du Nord, à Paris

C'est une maison...

qui ....

....

....

pour laquelle ....

....

....

où ....

et dont ....

2. Retrouvez huit pronoms relatifs et soulignez-les.

Quand le temps était clair et que ma mère avait fini l'une de ces multiples tâches auxquelles elle consacrait la matinée du samedi, nous prenions nos vélos. Il n'y avait que cinq kilomètres pour aller jusqu'à la mer mais cela nous paraissait, à nous qui étions si petits, le bout du monde. La plage de sable fin où nous arrivions enfin était le paradis que nous avions attendu toute la semaine. Le premier qui se jetait à l'eau (une eau que, sans vouloir l'avouer, nous trouvions bien fraîche) était applaudi à grand bruit. Ces moments que rien ne venait assombrir et dont le souvenir m'est encore si proche sont parmi les plus doux de mon enfance.

3 La quantification

1. Écrivez en toutes lettres les nombres suivants.

1. 41 =....................................
2. 70 =....................................
3. 71 =....................................
4. 79 =....................................

5. 92 =....................................
6. 100 =....................................
7. 400 =....................................
8. 801 =....................................

2. Écrivez en toutes lettres les sommes (phrases 1 à 5) et les dates (phrases 6 à 8).

1. Veuillez trouver ci-joint un chèque de 81 euros à l'ordre de Cécile Barrot.

....

2. Chèque de 200 euros. Destinataire : Sonia Chauffourier.

....

3. Reçu. Je reconnais avoir reçu de monsieur Denis Petit la somme de 235 euros.

....

4. Facture du 13 septembre 2019 : 2 393,30 euros. En votre aimable règlement.

....

5. Votre salaire brut s'élèvera à 3 021,50 euros.

....

6. Le charleston était à la mode à la fin des années 30.

....

7. En 68, la France a connu un mouvement étudiant très fort.

....

8. Ils se sont rencontrés au milieu des années 90.

....

3. Écrivez en toutes lettres ce qui est en gras.

1. À la fin de la **1re** mi-temps, Bastia menait par **3** buts à **0**. Mais au cours de la **2e** mi-temps, à la **12e** minute, miracle ! Dimitri Payet marquait enfin son **1er** but, un but absolument superbe !

....

2. Relisez le texte de la page **71**. Puis faites les exercices qui suivent (à la **3e** page).

....

3.– Je sais qu'elle habite au 199 avenue d'Italie mais j'ai mal entendu à quel étage c'était. C'est au **2ᵉ** ou au **12ᵉ** ?

....

– Ni l'un ni l'autre, c'est au **10ᵉ**, porte gauche.

....

4. Écrivez en toutes lettres.

1. Prenez **250** grammes de farine, **1/3** de litre de lait et **100** grammes de beurre.

....

2. Il est resté absent **1/2** journée.

....

3. Il y a eu **83 %** de reçus au bac.

....

4. On se retrouve devant le ciné à **4 h 1/2**. D'accord ?

....

5. Elle passe les **3/4** de l'année au bord de la mer.

....

6. En 2018, **31 %** des Français ne sont pas partis en vacances.

....

5. Complétez avec : *une demi-douzaine - une huitaine - une douzaine - une vingtaine - une cinquantaine ; une centaine - plusieurs centaines - des milliers.*

1. Vous voulez des huîtres ? Je vous en mets .... ?

– Non, merci, seulement .... Six, ça suffira.

2. Elle a une fille d'une .... d'années qui est étudiante à Reims.

3. – Et son fils ? Il a plus de dix ans, non ?

– Oh oui, il doit avoir .... d'années maintenant. Il va au collège.

4. Certains étudiants dont les parents vivent loin de tout sont obligés de faire leurs études à .... de kilomètres de chez eux.

5. Chaque week-end, été comme hiver, mon frère fait .... de kilomètres à bicyclette. C'est pour cela qu'il reste en forme malgré son travail.

6. Vous savez qu'il est chauffeur routier, toujours dans son camion, par tous les temps, du lundi au vendredi. Il fait chaque année .... de kilomètres. C'est un métier très dur, physiquement et nerveusement.

7. On recherche Luc Farra. Il est âgé d(e) .... d'années, il a une barbe poivre et sel, des lunettes et porte un manteau bleu marine.

8. Il a disparu il y a peu de temps, ... de jours, lundi dernier exactement.

6. Complétez en choisissant l'un des mots suivants : *aucun(e), chacun(e), quelques, certain(e)s, plusieurs, tout, toute, tous, toutes, la plupart, la quasi-totalité.*

Concours d'entrée à l'Institut supérieur des langues européennes

Le concours a eu lieu le 12 juin. (1) .... les candidats devaient se présenter à neuf heures précises en salle 210. (2) .... retard n'était accepté, (3) .... excuse non plus. Comme toujours, il y avait (4) .... retardataires mais très peu, deux ou trois seulement. Ils n'ont pas pu se présenter à l'examen. (5) .... des candidats devait se munir d'une carte d'identité et de sa carte d'étudiant. (6) .... dictionnaire ni (7) .... grammaire n'étaient autorisés. En tout, il y avait 430 candidats. (8) .... d'entre eux, 375 exactement, ont été reçus, (9) .... très brillamment, d'autres dans la moyenne, d'autres encore de justesse. Et les 55 « collés », que deviennent-ils ? Parmi eux, (10) .... candidats (une quinzaine, seulement ceux qui ont obtenu entre 9 et 10 sur 20) pourront se présenter à une session de rattrapage en septembre. Finalement, entre les reçus de juin et les « rattrapés » de septembre, on peut espérer que (11) .... des étudiants réussiront ce concours. On suppose que seuls 10 % des candidats seront définitivement éliminés. Et pourtant, ce n'était pas facile : parmi les épreuves proposées aux candidats, il y en avait (12) .... qui étaient assez compliquées, (13) .... étaient même vraiment difficiles.

7. Complétez avec : *une douzaine - deux - une pincée - 250 grammes - une cuillère à soupe - une petite cuillerée – quelques.*

Une bonne salade pour l'été !

Faites cuire .... de riz. Laissez refroidir. Pendant ce temps-là, faites cuire .... œufs. Rajoutez .... de crevettes décortiquées, ... grosses moules d'Espagne. Faites une sauce avec .... d'huile, ... de moutarde, ... de sel, du poivre. Mélangez et servez très frais.

8. Reliez.

Puisque tu vas faire les courses, pourrais-tu me rapporter :

1. un litre de	a. crème fraîche
2. une demi-livre de	b. sardines à l'huile
3. deux paquets de	c. mayonnaise
4. un petit pot de	d. roses blanches
5. une boîte de	e. café moulu
6. cinq tranches de	f. lait demi-écrémé
7. un tube de	g. beurre
8. un bouquet de	h. jambon

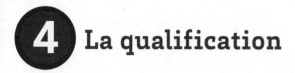

4 La qualification

• 1. LE COMPLÉMENT DU NOM •

1. À, *de (d')* ou *en* ? Entourez la bonne réponse.

1. Ils vivent dans un très bel immeuble <u>à</u> / <u>de (d')</u> / <u>en</u> pierre de taille.

2. À partir du 8 janvier, les soldes <u>à</u> / <u>de (d')</u> / <u>en</u> hiver commencent partout.

3. Dans l'avion Toulouse-Paris, il y avait beaucoup d'hommes <u>à</u> / <u>de (d')</u> / <u>en</u> affaires qui revenaient de la grande foire-exposition d'octobre.

4. Notre machine <u>à</u> / <u>de (d')</u> / <u>en</u> laver est encore en panne !

5. Son sac <u>à</u> / <u>de (d')</u> / <u>en</u> main est absolument superbe.

6. Sa robe est <u>à</u> / <u>de</u> / <u>en soie</u>, elle vient de Chine.

7. Si vous continuez à tousser, prenez une cuillère <u>à</u> / <u>de (d')</u> / <u>en</u> soupe de sirop trois fois par jour.

8. Qu'est-ce qui vous ferait plaisir ? Une bonne tasse <u>à</u> / <u>de (d')</u> / <u>en</u> thé bien chaude ?

2. Complétez avec, au choix : *à, de (d'), avec, sans, pour, en...*

1. – Bonjour, je voudrais une chambre pour une nuit, s'il vous plaît.

– Très bien. Une chambre .... douche ou .... salle de bains ?

2. Nous allons toujours dans des hôtels .... première catégorie.

3. C'est une chanson très .... la mode, cet hiver.

4. Est-ce que vous avez des livres .... adolescents ? De préférence en livres .... poche, c'est moins cher.

5. L'été prochain, comme chaque année, nous irons dans notre maison .... campagne.

6. Vous préférez les films .... version originale ou .... version française ?

7. Il achète toujours des voitures .... occasion.

8. Tu as pris tes chaussures .... ski ? Ta veste .... Gore-Tex ? Tes chemises .... laine ? Ta crème .... bronzer ?

3. Lisez cette phrase : *La crainte des ennemis était immense.*

Elle est ambiguë car elle a deux sens possibles. Lesquels ?

....

....

• 2. L'ADJECTIF •

1. Reliez les noms aux adjectifs.

1. une voiture	a. actif
2. une route	b. bleu
3. un homme	c. caillouteuse
4. des cheveux	d. public
5. un chemin	e. puissante
6. une femme	f. publique
7. une école	g. roux
8. une jupe	h. bleue
9. un camion	i. rousse
10. un pull	j. caillouteux
11. une chevelure	k. puissant
12. un banc	l. active

2. Réécrivez ce texte en changeant *Éric* par *Léa*.

Éric est français. Il est jeune, assez beau, grand, mince et roux. Il a bon caractère, il est gentil et drôle mais il a deux défauts : il est un peu curieux et très bavard. Quand il est amoureux, tout va bien, il est heureux. Mais quand c'est fini, il devient ennuyeux comme la pluie.

Léa ....

....

....

....

3. Accordez l'adjectif entre parenthèses si c'est nécessaire.

1. Hier soir, les deux petites étaient vraiment très (*fatigué*) .... ; elles se sont couchées à huit heures du soir.

2. Il vient souvent à Tours mais les deux (*dernier*) .... fois, je ne l'ai pas vu car j'étais en déplacement.

3. Sa mère a plus de quatre-vingt-dix ans mais elle est encore très (*actif*), ... très (*vif*) .... ; elle habite (*seul*) .... et se débrouille très bien.

4. Les gens trop (*jaloux*) .... sont le plus souvent (*malheureux*) ....

5. Mes deux filles et mon fils sont très (*brun*) .... et ils ont les yeux (*noisette*) ....

6. Elle a acheté en solde deux chemises (*blanc*) .... et des chaussures (*bleu marine*) ....

7. Hier, j'ai rencontré par hasard un (*vieux*) .... ami que je n'avais pas vu depuis des années.

8. Tu as fait des folies mais quelle élégance : un (*nouveau*) .... pull, une (*nouveau*) .... veste, un (*nouveau*) impermeable ! Mais je vois que tu as gardé tes (*vieux*) .... chaussures.

4. Même consigne.

1. Quand ils sont (*petit*) ...., les enfants sont souvent très (*drôle*) ....

2. Je vous souhaite une très (*bon*)............... année et une (*bon*) .... santé.

3. Ils ont déménagé, ils ont quitté leur (*vieux*) .... appartement et vivent maintenant dans une maison (*neuf*) .... au bout du village.

4. Depuis qu'il existe des téléphones (*portable*) ...., il y a de moins en moins de cabines (*public*) .... dans les rues.

5. Le président a d'abord évoqué les problèmes (*national*) .... puis il a abordé, plus rapidement, les questions (*international*) ....

6. Pendant longtemps, la France (*rural*) était plutôt (*conservateur*) .... mais depuis quelques années, la différence ville/campagne est beaucoup moins (*net*) ....

7. Les acteurs, la mise en scène, la musique, les décors, tout dans ce film est (*superbe*) ....

8. – Hier soir, j'ai trouvé que nos amis n'étaient pas très en forme. Pas toi ?
– Si. Moi aussi, j'ai trouvé qu'ils avaient l'air (*fatigué*) ....

5. Complétez avec l'un des adjectifs à valeur d'adverbe qui suivent : *juste, faux, sec, fort, net, jaune, rouge, froid, bon, chaud, cher, lourd, dur, jeune, vieux, mauvais, bas, haut.*

1. Soudain, on entendit quelqu'un qui criait très ....

2. Si tu as pris froid, la meilleure chose à faire est de boire ....

3. Mm... Ça sent .... ! Qu'est-ce que c'est ? Une tarte ?

4. Cette année, les huîtres coûtent beaucoup plus .... que l'an dernier.

5. Pour cet examen, je sais que vous avez travaillé .... pendant des mois. Vous avez bien mérité de réussir.

6. Si vous voulez que tout le monde puisse entendre, il faut parler plus ....

7. Si tu ne viens pas manger tout de suite, tu vas manger ....

8. Quand il m'a dit ça, j'étais furieux. Vraiment, j'ai vu .... J'ai failli lui casser la figure.

6. En utilisant des préfixes négatifs (*a-, in-, dés-, mal-, ant-...*), donnez le contraire des adjectifs soulignés.

Exemple : *Votre information est* <u>exacte</u>. ⇨ *Votre information est* **inexacte.**

1. C'est une jeune fille agréable. ....

2. Ces enfants sont ordonnés et organisés. ....

3. Elle a l'air heureuse. ....

4. Ses désirs sont limités. ....

4. Vous avez été adroit et vos efforts ont été utiles. ....

5. C'est une histoire à peine croyable, tout à fait ....

6. Ton devoir est lisible cette fois-ci ? Non, il est .... comme d'habitude.

7. Votre raisonnement est logique. ....

7. Modifiez l'expression soulignée en utilisant un préfixe pour marquer la supériorité (archi-, hyper-, sur-, super-, ultra-...) et complétez les phrases suivantes.

Exemple : *Il est conservateur, **ultraconservateur**.*

1. Rappelle-moi l'air de cette chanson, tu sais, elle est très connue, ...

2. Ce pays est devenu très puissant, ...

3. Il a eu une mère protectrice, et même .... !

4. Ne la trouble pas, ne sois pas brutal, elle est très sensible, ...

5. Ce sont des mensonges, c'est faux, ...

6. « Mon fils est un enfant très doué, ... », dit fièrement la mère.

7. Aujourd'hui on voyage dans des avions qui dépassent la vitesse du son,
   dans des avions ....

8. Cet excellent professeur faisait ses cours dans des amphithéâtres pleins,
   .... !

8. À l'aide de suffixes, formez des adjectifs à partir des expressions soulignées.

Exemple : *Mon mari travaille dans la fonction publique, il est **fonctionnaire**.*

1. Elle exerce un travail qui se fait à la main, un travail ....

2. Ce vote n'était pas conforme à la démocratie, il n'était pas ....

3. Elle était comme d'habitude, elle avait son air ....

4. Ce sont des phrases qui appartiennent à la forme de l'interrogation, à la forme
   ....

5. Vous avez une attitude que l'on ne peut admettre, une attitude ....

6. Il paraît que le Mont-Blanc est un sommet auquel on peut accéder facilement,
   un sommet ....

7. Votre dévouement est digne d'admiration, il est..

8. Ce vin est un peu éventé, mais faute de mieux, on peut le boire, il est ....
   ....

9. Associez les noms et les adjectifs suivants en mettant l'adjectif à la place qui convient.

1. Un homme   (*âgé*) ....

2. Une femme   (*vieille*) ....

3. Un dictionnaire   (*gros*)......................................

4. Une feuille   (*verte*) ....

5. Des étudiants   (*espagnols*) ....

6. Des robes   (*longues*) ....

7. Une table   (*petite*).................................

8. Un tapis   (*rond*).....................................

9. Un tableau   (*beau*) ....

10. Placez et accordez convenablement les adjectifs entre parenthèses (il peut y avoir parfois plusieurs possibilités).

Exemple : *Un chat dormait au soleil. (petit, blanc)* ⇨ *Un **petit** chat **blanc** dormait au soleil.*

1. Il s'est acheté une voiture (*beau, allemand*).

....

2. Vous devez passer une visite (*médical*).

....

3. À la fenêtre de mon salon, j'ai accroché des rideaux (*rouge, épais*).

....

4. Elle travaillait sur une table (*grand, ancien*).

....

5. C'est son ami (*petit, ancien*).

....

6. Dans les deux vers (*premier*), le poète dit sa tristesse.

....

7. Sur le banc, il y avait un homme (*vieux*) et une femme (*âgé*).

....

8. Elle avait toujours à portée de sa main des dictionnaires de langue (*gros*).

....

11. Placez et accordez convenablement les adjectifs entre parenthèses (il peut y avoir parfois plusieurs possibilités).

1. Parmi les manifestants, il y avait des lycéens, des étudiants, des professeurs (*jeune, allemand et français, célèbre*)

....

2. Mon salon est une pièce (*grand, rectangulaire*).

....

3. Mes amis, je lève mon verre à votre santé (**bon**).

....

4. Son armoire est remplie de vêtements (***très cher***).

....

5. Regarde ! Quel ciel (***beau, bleu***) !

....

6. Je vous présente un élève (***nouveau***).

....

7. L'année a été exceptionnelle à tous points de vue (***dernier***).

....

8. Est-ce que ce sera la même chose l'année (***prochain***) ?

....

12. Donnez un équivalent pour chacun des adjectifs soulignés.

Exemples : *Je l'ai vu de mes propres yeux. (« propre » ici renforce l'adjectif possessif =*
mes yeux à moi) Mets une chemise propre. (« propre » ici est le contraire de « sale »)

1. C'est un grand homme. / C'est un homme très grand.

....

2. En été ils louent des chambres dans une ancienne abbaye. / Ils logent dans la partie
la plus ancienne.

....

3. Remettez le document en mains propres. / As-tu les mains propres ?

....

4. Je ne le verrai plus, c'est un sale type. / Le pauvre clochard était vraiment sale.

....

5. C'est un curieux personnage, tu ne trouves pas ? / Méfie-toi de lui, il est très curieux.

....

6. C'est un brave garçon. / Il n'a peur de rien. C'est un garçon très brave.

....

7. Ils nous ont présenté différents projets, ils étaient tous différents.

....

8. Divers bruits couraient sur la santé du président, des bruits très divers.

....

**13. Réécrivez les phrases en donnant le contraire des mots soulignés
(attention à la place de l'adjectif).**

1. Je l'ai aperçu au volant de sa vieille voiture. ....

2. C'est une action très laide. ....

3. Ces deux frères ont les mêmes goûts. ....

4. Elle était en compagnie d'une vieille femme. ....

5. Quel <u>beau</u> temps ! ....

6. La journaliste avait invité à son émission le <u>nouveau</u> ministre de l'Éducation nationale ; elle avait invité également la .... ministre de la Culture.

7. L'année dernière nous avons étudié l'histoire <u>moderne</u>, mais l'année prochaine, nous étudierons ....

8. La <u>première</u> année du lycée a été difficile. ....

14. La construction de l'adjectif. Complétez par *à* ou *de*.

1. Je suis vraiment ravi .... vous avoir rencontré.

2. Si tu es fatigué .... attendre debout, assieds-toi.

3. Alors, ça y est ? Tout le monde est prêt .... partir ?

4. Je suis désolé .... vous avoir dérangé pour rien.

5. Il est très fier .... sa fille Louise.

6. Si tu es pressé .... partir, va, je fermerai le magasin.

7. Elle s'est longtemps opposée .... cette idée mais finalement, elle s'est résignée !

8. Je n'ai pas été surpris .... ce résultat.

15. Complétez avec la préposition qui convient (*à, de, en, contre, dans, envers*...).

1. Pardon, est-ce que le pourboire est compris .... l'addition ?

2. Ce que vous proposez est contraire .... toutes les règles.

3. Excusez-nous, ce retard est tout à fait indépendant .... notre volonté.

4. Il faut toujours être bon .... les animaux.

5. On dit souvent : « Malheureux .... jeu, heureux .... amour » pour consoler ceux qui perdent.

6. Hier soir, j'étais absolument furieux .... lui, j'ai été vraiment choqué .... son attitude !

7. Sa fille est gentille mais elle n'est pas très douée .... les études.

8. Elle est assez bonne .... maths mais nulle .... français et .... langues.

16. Degré d'intensité de l'adjectif. Classez par ordre d'intensité, du plus agréable au moins agréable.

1. Elle est très agréable.

2. Elle est assez peu agréable.

3. Elle est franchement désagréable.

4. Elle est assez agréable.

5. Elle est extrêmement agréable.

6. Elle est agréable.

7. Elle n'est pas agréable.

8. Elle est peu agréable.

....

17. Remettez ces phrases dans l'ordre.

1. la – la – du – désordonnée – monde – suis – personne – plus – Je

⇨ Je ....

2. plus – année – film – beau – l' – C'est – le – de

⇨ C'est ....

• 3. L'ADJECTIF VERBAL ET LE PARTICIPE PRÉSENT •

1. Dans les cinq premières phrases, le mot souligné est un participe présent.
Dans les cinq dernières, c'est un adjectif verbal. Observez bien ces phrases
puis répondez aux questions qui suivent.

1. Les enfants, <u>obéissant</u> enfin à leurs parents, ont rangé leur chambre.

2. On pourrait se débarrasser de ces deux meubles <u>encombrant</u> le couloir.

3. Sa conférence <u>n'intéressant</u> pas beaucoup l'auditoire, peu de questions lui furent posées.

4. Elle avait une voix douce et <u>chantante</u>.

5. <u>Menaçant</u> les clients de leur arme, les deux gangsters s'emparèrent de la caisse
qui contenait 10 000 euros.

6. Je revois ma grand-mère, assise près de moi, tricotant, bavardant et parfois <u>chantant</u>
des chansons d'autrefois.

7. J'ai acheté un meuble ancien, une commode, elle est vraiment jolie mais <u>encombrante</u>.

8. Autrefois, on pouvait entendre ce genre de phrase : les enfants <u>obéissants</u> seront
récompensés.

9. Furieuse, elle leva une main <u>menaçante</u> et l'enfant n'insista pas.

10. Ce film m'a semblé <u>intéressant</u> et même <u>passionnant</u>.

a. Le participe présent est toujours invariable.	VRAI	FAUX
b. On peut mettre un participe présent à la forme négative (*ne* + participe présent + *pas*).	VRAI	FAUX
c. L'adjectif verbal peut être suivi d'un complément d'objet direct (COD).	VRAI	FAUX
d. On ne peut pas remplacer l'adjectif verbal par un adjectif qualificatif « normal ».	VRAI	FAUX
e. Devant un adjectif verbal, on peut mettre un adverbe (*un peu*, *très*, *plus*, *moins*, *trop*, *vraiment*...).	VRAI	FAUX
f. Devant un participe présent aussi.	VRAI	FAUX
g. Seul, l'adjectif verbal peut être attribut du sujet (avec des verbes comme *être*, *sembler*, *paraître*...).	VRAI	FAUX
h. Le participe présent considère l'action en train de se dérouler.	VRAI	FAUX

2. Barrez la forme inexacte comme dans les exemples.

Exemples : *C'est un homme très* ~~influant~~ influent .

Le mauvais temps influant ~~influent~~ *très négativement sur ton caractère,*
tu devrais toujours vivre au soleil !

1. Leurs avis convergents convergeant , l'accord put enfin être signé.

2. Je suis heureux de voir que nos avis sont convergeant convergents .

3. Dans le cours précédent précédant , nous avons parlé des premiers écrits de Flaubert.

4. Au cours du mois précédent précédant son départ, il lui arriva une aventure étrange.

5. Il aperçut deux ou trois chiens, somnolents somnolant au soleil.

6. Ce matin, je vous trouve un peu somnolents somnolant , mes enfants !
Réveillez-vous un peu !

7. Il pratiquait tous les sports, excellent excellant surtout dans l'escrime et l'aviron.

8. Tous les sports ou presque sont excellents excellant pour la santé.

3. Complétez ces dialogues avec l'un des verbes suivants employés
soit comme adjectif verbal soit comme participe présent.

encombrer – exceller – exiger – fatiguer – négliger – provoquer – résider

1. Sacha, j'en ai assez, tu es vraiment .... ; tu laisses tout traîner, tes chaussettes, tes magazines, tes baskets ! Comment tu veux qu'on entre dans la salle de bains avec tous ces trucs .... le passage !

– Maman, arrête ! Tu ne penses pas que tu es un peu trop .... avec moi ? Regarde, j'ai eu des notes .... en maths et en philo, c'est l'essentiel, non ?

2. – Maître, pour la dernière fois, si votre client continue à se montrer aussi ....
......................., je suspens la séance !

– Madame la juge, un peu de compréhension, s'il vous plaît ! Mon client, ...
à l'étranger, n'avait pas vu ses enfants depuis un an. Sa femme, ... dans les mensonges et les faux-fuyant, refuse de les laisser quitter le territoire français. Mon client est un .... père, ne .... rien pour le bien-être de ses enfants. Tous les témoignages, à commencer par ceux des enfants, le prouvent.

4. Reformulez ces phrases comme dans les exemples.

Exemples : *une odeur suffocante = une odeur **qui fait suffoquer***
*une soirée dansante = une soirée **où on danse***

1. un trottoir glissant = ...

2. une couleur voyante = ...

3. une table roulante = ...

4. une place payante = ...

5. une rue passante = ...

6. une personne bien portante = ...

III. LA SPHÈRE DU VERBE

Chapitre 1 • La syntaxe des verbes

1 • Les verbes intransitifs
2 • Les verbes parfois transitifs, parfois intransitifs
3 • Les différents compléments d'objet du verbe
4 • Les verbes à double construction
5 • Les verbes suivis d'un attribut

Chapitre 2 • Les formes active / passive, pronominale et impersonnelle

1 • Les auxiliaires être et avoir
2 • La forme passive
3 • La forme pronominale
4 • La forme impersonnelle

Chapitre 3 • Le mode indicatif et ses temps

1 • Révision des formes
2 • L'expression du présent
3 • L'expression du futur
4 • L'expression du passé (1)
5 • L'expression du passé (2) : les relations entre les différents temps du passé
6 • La concordance des temps

Chapitre 4 • Les autres modes personnels

1 • Le mode subjonctif
2 • Le mode conditionnel
3 • Le mode impératif
4 • Les semi-auxiliaires modaux : devoir, pouvoir, vouloir, savoir

Chapitre 5 • Les modes impersonnels

1 • Le mode participe
2 • Le participe présent
3 • Le gérondif
4 • La proposition participe

1 la syntaxe des verbes

• 1.1 LES VERBES INTRANSITIFS •

1. Complétez ce texte par les verbes intransitifs suivants, au présent de l'indicatif :
arriver, descendre, entrer, monter, mourir, naître, partir, rester, sortir, tomber.

Jo Diwan (1) .... le 22 mars 1968 à Nantes. Il y (2) .... jusqu'à sa majorité. À 18 ans, il (3) .... dans la marine nationale pour voir du pays. Il (4) .... de Nantes pour Brest où il doit embarquer sur le navire école *la Jeanne d'Arc*. Le jour de ses vingt ans, il (5) .... à New York. Pendant ses jours de permission, il admire les gratte-ciel. Il (6) .... tout en haut de la statue de la Liberté. Après les États-Unis, il fait escale en Guyane, au Venezuela, au Brésil avant de rentrer en France. Au bout de quelques années, il prend du galon, il devient officier. À 50 ans, il a fait plusieurs fois le tour du monde. Il est temps pour lui de retrouver la terre ferme. Le jour où il revient de son dernier voyage, il (7) .... de sa cabine, un peu mélancolique. La passerelle est mise. Il (8) .... sur le quai. Il ne voit pas la corde d'amarrage : il (9) .... Superstitieux comme tous les marins, il prend cela pour un signe et décide de réembarquer. Dix ans plus tard, il est aux Caraïbes où il décide de finir ses jours. Il (10) .... à quatre-vingt-quinze ans alors qu'il relevait ses filets de pêche.

• 1.2 LES VERBES PARFOIS TRANSITIFS, PARFOIS INTRANSITIFS •

1. Les verbes soulignés sont-ils transitifs (Tr), c'est-à-dire suivis d'un complément d'objet direct ou intransitifs (Intr), sans COD ?

Exemples : *Ils passent la frontière à l'aube.* **(Tr)**
Il est presque minuit quand ils passent nous voir. **(Intr)**

1. Le gardien sort les poubelles de l'immeuble. (............)

2. L'employé monte les valises dans notre chambre. (............)

3. Les enfants passent de très bonnes vacances chez leurs cousins. (............)

4. Elle sort de chez elle, tous les matins, à 8 heures précises. (............)

5. L'ascenseur monte jusqu'au 12e étage. (............)

6. Il descend les vieux journaux à la cave. (............)

7. L'été passe, la cigale chante toujours. (............)

8. Regardez, le funiculaire descend ! (............)

9. La voisine rentre ses chaises de jardin. Il va pleuvoir. (............)

10. Il ne traîne pas après les cours, il rentre tout de suite. (............)

2. Mettez les phrases précédentes au passé composé.

Exemples : *Ils ont **passé** la frontière à l'aube. (Tr)*
*Il était presque minuit quand ils **sont passés** nous voir. (Intr)*

1. ....

2. ....

3. ....

4. ....

5. ....

6. ....

7. ....

8. ....

9. ....

10. ....

3. Dites s'il s'agit d'un état (É) ou d'une action (A).

Exemples : *Que fait-il dans la vie ? Il peint (**É**) = c'est un artiste peintre*
*Que fait-il en ce moment ? Il peint les meubles de jardin. (**A**)*

1. Cet homme a le foie très malade, il boit. (............)

2. Arrête ! Tu bois trop vite ! (............)

3. Ce romancier a aussi écrit quelques poèmes. (............)

4. Comment gagne-t-il sa vie ? Il écrit. (............)

5. Je fumais deux paquets par jour, j'ai arrêté. (............)

6. – Pourquoi tousse-t-il tous les matins ? – Il fume. (............)

7. Ma femme est à la retraite, elle ne travaille plus. (............)

8. – Que faisait-elle ? – Elle travaillait la laine, à l'usine. (............)

9. Tu en mets du temps à ouvrir, tu n'as pas entendu la sonnette ? (............)

10. Inutile de crier, cet homme n'entend pas. (............)

• 1.3 LES DIFFÉRENTS COMPLÉMENTS D'OBJET DU VERBE •

1. Avec les verbes donnés, faites plusieurs phrases, comme dans l'exemple.

	+ un nom	+ infinitif	+ une proposition à l'indicatif ou au subjonctif
Exemple : *Savoir*	*L'enfant sait <u>sa leçon</u>.*	*L'enfant sait <u>chanter</u>.*	*L'enfant sait <u>qu'il ira en classe demain</u>.*
1. Vouloir			
2. Aimer			
3. Souhaiter			
4. Dire			

2. Avec ces verbes construits avec la préposition *à*, faites plusieurs phrases, comme dans l'exemple.

	+ *à* + nom	+ *à* + infinitif	+ *à* + *ce que*
Exemple : *Penser*	*Pense à <u>ton avenir</u> !*	*Pense à <u>fermer</u> la porte.*	*Pense <u>à ce que je t'ai dit</u> !*
1. S'habituer			
2. Renoncer			
3. Se décider			
4. S'attendre			

3. Même exercice mais avec des verbes construits avec la préposition *de*.

	+ *de* + nom	+ *de* + infinitif	+ *de* + ce que
Exemple : *Avoir besoin*	*Elle a besoin de ton aide.*	*Tu as besoin d'aller prendre l'air.*	*Il n'a pas besoin de ce que tu lui proposes.*
1. S'excuser			
2. Avoir envie			
3. Se moquer			
4. Rêver			

• 1.4 LES VERBES À DOUBLE CONSTRUCTION •

1. Construisez deux phrases, l'une avec un nom, l'autre avec un infinitif, comme dans l'exemple.

Exemple : *Une sortie en mer, ça vous dirait ?*
⇨ *Il a proposé à ses amis une sortie en mer.*
⇨ *Il a proposer à ses amis de sortir en mer.*

1. Quelle belle réussite ! Bravo !
⇨ Elle a félicité sa fille ....
⇨ Elle a félicité sa fille ....

2. Une augmentation ? Ah non, pas question !
⇨ Il a refusé .... aux employés.
⇨ Il a refusé aux employés ....

3. Désolée ! Je suis en retard !
⇨ Elle a regretté ....
⇨ Elle a regretté ....

4. Merci, papa, je n'ai pas besoin de ton aide.
⇨ Il a refusé ....
⇨ Il a refusé ....

5. J'ai horreur d'avoir froid !
⇨ Il déteste ....
⇨ Il déteste ....

6. Ça y est, tu vois, tu sais nager !
⇨ La petite fille a appris ....
⇨ La petite fille a appris ....

2. Dans les phrases suivantes, peut-on supprimer les mots en italiques ?
Attention aux phrases 1 et 4.

Exemples : *Il s'est levé* très tôt ce matin.
⇨ Oui : ***Il s'est levé*** est correct.
Elle nous a dit qu'elle viendrait nous voir cet hiver.
⇨ Non : ***Elle nous a dit*** est impossible ! Elle nous a dit quoi ?

1. Les combattants se sont rendus *à l'aube*.

2. On a travaillé *toute l'année*.

3. Après une adolescence difficile, il est devenu *un étudiant modèle*.

4. Nous nous rendons *à Bruxelles pour une conférence*.

5. La neige tombe *à gros flocons*.

6. Elle a vendu *sa trottinette électrique*.

7. Il dort *neuf heures par nuit*.

8. Et si on lui offrait *une place de théâtre pour son anniversaire* ?

3. Dans les phrases suivantes, les verbes soulignés sont-ils intransitifs (il y en a 4) ou bien transitifs mais employés sans COD exprimé (il y en a 4) ?

Exemples : *Pas de problème. Je* <u>cherche</u> **(TR)** *et je te rappelle dans une heure.*
Deux heures <u>passèrent</u>. **(INT)**

1. Et la politesse ? Il faut <u>saluer</u>, mon petit ! (............)

2. Vous <u>avez agi</u> parfaitement bien. Bravo ! (............)

3. <u>N'avancez</u> pas ! Stop ! Restez où vous êtes ! (............)

4. J'ai l'impression que ma montre <u>retarde</u>. (............)

5. Il a eu beau insister, elles <u>ont refusé</u> net ! (............)

6. La nuit <u>tombait</u> quand le bateau arriva au port. (............)

7. Je ne sais pas mais je <u>devine</u> ! (............)

8. <u>Attends</u> ! Il va arriver ! (............)

4. Avec les quatre verbes qui sont transitifs mais dont le COD n'est pas exprimé, proposez un COD qui conviendrait au contexte.

Exemple : *Pas de problème. Je cherche* **les informations** *sur Internet et je te rappelle.*

1. ....

2. ....

3. ....

4. ....

• 1.5 LES VERBES SUIVIS D'UN ATTRIBUT •

1. Complétez le dialogue suivant par la forme qui convient : *c'est* ou *il/elle est.*

– Devine qui vient dîner ?

– (1) .... Liza?

– Non, (2) .... pas elle ! (3) .... Mona !

– Génial ! Mona, (4) .... ma grande amie. (5) .... installée à Bordeaux
mais, en vérité, (6) .... une Parisienne de naissance.

– Tu ne la vois pas beaucoup ?

– Non, pas beaucoup, (7) .... œnologue et vit là-bas pour son travail.

– (8) .... rare, une femme œnologue. J'ai hâte de la rencontrer.

2. Choisissez les mots qui manquent parmi les possibilités données, selon le contexte :
électricien, anglophone, un spécialiste, formidable, moi, une championne, un artiste,
francophone, sportive, remboursé.

1. Quel talent ! Il est ...., je l'adore !

2. Leonard Cohen, c'est .... connu dans le monde entier.

3. Ta copine Diana qui vient du Canada, elle est .... ou .... ?

4. – Que fait-il dans la vie ? – Il est ....

5. Ce médicament, il est .... ou non ?

6. C'est .... des yeux, pas un généraliste.

7. – Qui a emprunté ma voiture sans permission ? – C'est .... pardon !

8. Elle est très ...., c'est même .... dans sa spécialité.

2 Les formes active, passive, pronominale, et impersonnelle

• 2.1 LES AUXILIAIRES *ÊTRE* ET *AVOIR* •

1. *Être* ou *avoir* ? Mettez les verbes soulignés au passé composé.

Exemple : *Elle <u>sort</u> de chez elle à 7 heures du matin.* ⇨ *Elle **est sortie** de chez elle à 7 heures du matin.*

1. Nous <u>partons</u> à la même heure et pourtant vous <u>arrivez</u> avant moi. Par où <u>passez</u>-vous ?

....

2. Je <u>monte</u> sur une chaise pour changer une ampoule abîmée.

....

3. Elle ne <u>rentre</u> pas avant 8 heures du soir.

....

4. Je <u>viens</u> vous demander un service.

....

5. Ils <u>parviennent</u> au sommet du Mont-Blanc après 5 heures de marche. Ils <u>arrivent</u> épuisés.

....

6. Les touristes <u>descendent</u> dans les Catacombes à Paris et ils ont eu un peu peur.

....

7. Je <u>vais</u> à l'Opéra pour voir la nouvelle danseuse étoile.

....

8. En grandissant, votre fille <u>devient</u> coquette !

....

2. *Être* ou *avoir* ? Mettez à une forme composée les verbes à l'infinitif. Faites les modifications orthographiques. Attention aux accords.

Exemple : *Ils (faire)* **ont fait** *la paix après (se disputer)* ***s'être disputés***.

1. Les années (*passer*) .... , des gens (*naître*) .... , d'autres (*mourir*) .... mais vous, vous (*ne pas changer*) .... , vous (*rester*) .... la même.

2. Le vieil homme (*monter*) .... les premières marches et il (*s'arrêter*), ... déjà fatigué.

3. Elle était pressée, elle (*descendre*) .... l'escalier quatre à quatre.

4. En rentrant chez elle, elle (*se sentir*) .... fiévreuse ; alors elle (*se mettre*) .... au lit, et elle y (*rester*) .... toute la journée.

5. Après (*passer*) .... l'après-midi au grenier, les enfants (*descendre*) .... pour dîner.

6. Il était sept heures du matin : il (*se lever*) .... , (*se doucher*) .... , puis il (*s'habiller*) .... , il (*aller*) .... à la cuisine, il (*se préparer*) .... un petit déjeuner bien copieux, (*se brosser*) .... les dents et il (*sortir*) ....

7. La lettre d'amour qu'on (*vendre*) .... hier aux enchères (*écrire*) .... par un écrivain célèbre du XIXᵉ siècle.

8. Elle (*sortir*) .... le linge de la machine à laver et elle le (*étendre*) ....

3. Mettez les verbes à une forme composée en faisant les accords qui conviennent. Faites les modifications orthographiques nécessaires.

Exemple : *Où sont mes lunettes ? Je les (laisser)* **ai** *sûrement* ***laissées*** *sur ma table de nuit.*

1. Elle (*acheter*) .... une tablette de chocolat qu'elle (*manger*) .... aussitôt.

2. Une fois sur scène, la chanteuse (*oublier*) .... les paroles de sa chanson. Et pourtant, elle les (*apprendre*) .... pendant des heures et des heures !

3. Que d'heures je (*passer*) .... dans mon enfance, un livre à la main !

4. Admire ma robe ! Je la (*faire*) .... moi-même.

5. Quels films vous (*voir*) .... ce mois-ci ?

6. La télé (*diffuser*) .... une émission que je (*ne pas aimer*) .... du tout.

7. Mais où sont tes longs cheveux ? Pourquoi tu les (*faire*) .... couper ?

8. Quelles magnifiques régions nous (*traverser*) .... pendant notre voyage !

4. Même consigne.

1. Les musées parisiens ? J'en (*visiter*) .... quelques-uns seulement, mais ceux que je (*visiter*) ...., je les (*visiter*) .... avec beaucoup d'attention !

2. La tempête qu'il y (*avoir*) .... la nuit dernière (*briser*) .... la cheminée de notre immeuble.

3. Après un régime sévère, elle est très loin maintenant des 100 kilos qu'elle (*peser*) .... autrefois.

4. Ne soyez pas trop sévère avec lui ; il a fait tous les efforts qu'il (*pouvoir*) ....

5. Elle (*ramasser*) .... les morceaux de l'assiette qu'elle (*faire*) .... tomber par terre.

6. Combien de projets, combien de travaux il (*falloir*) .... pour creuser le tunnel sous la Manche !

7. Elle (*se laver*) .... les cheveux puis elle les (*sécher*) .... au soleil.

8. Je vous prie de trouver ci-joint les pièces que vous me (*réclamer*) .... pour compléter mon dossier de Sécurité sociale.

• 2.2 LA FORME PASSIVE •

1. **Mettez les phrases suivantes à la forme passive. Attention, il n'y a pas toujours de complément d'agent.**

Exemples : *Marseille <u>remporte</u> la victoire par 2 buts à 1.*
   ⇨ *La victoire **est remportée** par Marseille par 2 buts à 1.*
   On <u>annonce</u> le train 2014 en provenance de Poitiers.
   ⇨ *Le train 2014 en provenance de Poitiers **est annoncé** quai 14.*

1. Les fermiers normands et eux seuls fabriquent le vrai camembert.

....

2. Le comité d'entreprise organise tous les voyages.

....

3. La secrétaire prend tous les rendez-vous.

....

4. L'entreprise Gertec fait les travaux de ravalement de notre immeuble.

....

5. On demande Mme Raffin à l'accueil.

....

6. On fabrique la porcelaine à Limoges depuis le XVIIIe siècle.

....

7. Votre offre d'emploi m'intéresse.

....

8. Le président de l'Assemblée ouvre la séance.

....

2. Même consigne. Le verbe est au passé composé.

> **Exemple :** *On a offert une superbe serviette en cuir à Marc pour son départ en retraite.*
> ⇨ *Une superbe serviette en cuir **a été offerte** à Marc pour son départ en retraite.*

1. Un court-circuit a provoqué un incendie au 21 rue de Brest.

....

2. Les pompiers ont éteint l'incendie en quelques minutes.

....

3. Mon oncle a acheté cette maison vers 1990.

....

4. Le gouvernement a accordé une prime de 150 euros aux policiers.

....

5. On n'a pas rendu ces deux livres à la bibliothèque.

....

6. Le tribunal a rendu le verdict le 21 mai dernier.

....

7. Les jurés ont condamné l'accusé à trois ans d'emprisonnement.

....

8. En 2017, les Français ont élu Emmanuel Macron président de République.

....

3. Même consigne. Attention, il y a une phrase piège dans laquelle
la transformation est impossible.

1. Un automobiliste a renversé un jeune cycliste dans le village de Gevey.

....

2. Un voisin a aussitôt prévenu les pompiers.

....

3. Les pompiers lui ont prodigué sur place les premiers soins.

....

4. On a transporté le blessé à Dijon.

....

5. On l'a hospitalisé aussitôt dans le service du Professeur Finaly.

....

6. Le Docteur Finaly l'a opéré lui-même, en urgence.

....

7. L'opération a duré deux heures dix.

....

8. Ce matin, les médecins ont déclaré le jeune homme hors de danger.

....

4. Mettez ces phrases passives à la forme active.

Exemples : *Perdu en forêt, l'enfant <u>a été retrouvé</u> par la police grâce à son téléphone mobile.*
⇨ *La police **a retrouvé** l'enfant, perdu en forêt, grâce à son téléphone mobile.*
Un paquet suspect <u>a été découvert</u> ce matin gare de l'Est.
⇨ ***On a découvert** un paquet suspect ce matin gare de l'Est.*

1. Catherine Deneuve a longtemps été habillée par le célèbre couturier Yves Saint Laurent.

....

2. De nombreuses maisons ont été construites dans ce village depuis cinq ans.

....

3. Je suis désolée d'être en retard, j'ai été retenue au bureau par ma patronne.

....

4. Le droit d'asile a été accordé à 22 personnes.

....

5. La piscine sera définitivement fermée le 30 juin prochain.

....

6. L'accident a été provoqué par un chauffard qui roulait à 150 km/h.

....

7. Deux tableaux de Van Gogh ont été dérobés dans le célèbre musée d'Amsterdam.

....

8. Le vol a été découvert par les gardiens tôt ce matin, à l'ouverture du musée.

....

5. Dans les phrases suivantes, pour chacun des verbes passifs soulignés, indique-t-on qui est responsable de l'action ? Si oui, qui est-ce ? Si non, quel est le responsable de l'action, à votre avis ? Attention, il y a une phrase piège où il n'y a aucun responsable ni aucune action.

Le 14 juillet 2018 à Paris

1. Cette année-là, les cérémonies du 14 juillet <u>ont été célébrées</u> sous un ciel tout bleu.

2. À dix heures, les troupes <u>ont été passées en revue</u> par le Président de la République. Les troupes aéroportées <u>ont été ovationnées</u> par la foule qui se pressait sur les Champs-Elysées.

3. Comme toujours, la Garde Républicaine <u>a fait l'objet</u> d'un accueil très chaleureux des Parisiens.

4. Emmanuel Macron <u>était accompagné</u> de son premier ministre et des membres du gouvernement au grand complet.

5. La solennité de cette journée <u>a été soulignée</u> dans les différents discours qui <u>ont été prononcés</u> à cette occasion.

6. Les cérémonies du matin <u>ont été suivies</u>, dans l'après-midi, par une gigantesque garden-party dans le Bois de Boulogne.

7. Le soir, un gigantesque feu d'artifice <u>a été lancé</u> depuis la tour Eiffel et un grand concert lyrique <u>a été offert</u> gratuitement aux Parisiens.

8. Pour clore cette journée, c'est la tradition, plusieurs bals <u>ont été organisés</u> par les Pompiers de Paris.

6. Justifiez dans les phrases suivantes l'emploi de *de* ou de *par*.

Exemples : *La petite route était bordée d'arbres.*
⇨ *Le verbe **border** donne des informations spatiales = **de**.*
Ce chef de guerre est redouté de beaucoup et son passé est ignoré de tous.
⇨*Le verbe **redouter** traduit un sentiment ; **ignorer** traduit une opération intellectuelle.*
Les agresseurs ont été interceptés par la police vers 11 h.
⇨ *La police fait réellement l'action = **par**.*

1. La Fontaine était aimé de tous en raison de sa simplicité légendaire.

....

2. Enfant, Jules Vallès fut souvent battu par sa mère.

....

3. La nouvelle de l'accident a été annoncée ce matin par toutes les radios.

....

4. Le Premier ministre est apparu sur le perron de l'Élysée, très détendu, entouré de plusieurs ministres.

....

5. Les tableaux de Van Gogh qui ont été dérobés sont bien connus de tous les spécialistes.

....

6. Les deux œuvres ont été peintes par l'artiste dans sa jeunesse.

....

7. Cette exposition consacrée à l'art brut a été vivement appréciée de tous les visiteurs.

....

8. La projection du film sera suivie, à 22 h, d'une rencontre avec le réalisateur.

....

7. Dans quelles phrases pourrait-on utiliser *de* à la place de *par* ?

1. L'hiver dernier, **Andromaque** a été joué au Palais-Royal .... les Comédiens-Français.

2. La pièce est suivie .... une Préface de l'auteur très intéressante qui a beaucoup inspiré les acteurs.

3. Cette œuvre de Racine est bien connue .... tout le monde.

4. Comme la plupart des pièces classiques, elle est composée .... cinq scènes.

5. Andromaque est aimée .... Pyrrhus qui, lui-même, doit épouser Hermione.

6. Hermione est dévorée .... jalousie.

7. Finalement, Pyrrhus est assassiné .... Oreste, cousin et amant malheureux d'Hermione.

8. Cette tragédie a été écrite .... Jean Racine en 1667.

• 2.3 LA FORME PRONOMINALE •

1. Conjuguez le verbe pronominal entre parenthèses selon le contexte.

Exemple : *Bonjour, ça va ? Comment vous (se sentir)* **sentez-vous** *aujourd'hui ?*

1. « Bientôt je (*s'en aller*) .... sur la mer profonde », ce sont les paroles d'une chanson française qui (*se chanter*) .... en chœur.

2. Vous (*ne jamais s'occuper*) .... d'enfants ? Désolée, je ne peux pas vous engager comme baby-sitter.

3. Elle était ennuyée, elle (*ne plus se rappeler*) .... le titre du roman qu'elle voulait acheter.

4. Je reprendrai la route après (*se reposer*) .... un moment.

5. Vous (*s'imaginer*) .... ! Le jour de l'examen ! Elle (*ne pas se réveiller*) .... à l'heure !

6. Comment (*s'appeler*) .... -tu ? Moi, c'est Marie.

7. Vous (*s'absenter*) .... un peu trop souvent en ce moment, que (*se passer*) .... -il ?

8. Si tu avais bien lu la question, tu (*ne pas se tromper*) ....

2. Identifiez les formes verbales soulignées. Est-ce qu'il s'agit d'une forme pronominale (P) ou d'une forme non pronominale (NP) ?

Exemple : <u>*Je me suis couchée*</u> *dès que je suis rentrée à la maison.* **(P)**

1. Allô, Jean ? <u>Je t'attends</u> depuis une heure, que fais-tu ? (.......)

2. <u>Nous nous retrouverons</u> la semaine prochaine. (.......)

3. <u>Tu me rappelles</u> ou <u>je te rappelle</u> ? (.......) (.......)

4. On dit que les personnes âgées <u>se souviennent</u> avec plus de précision de leur passé que de leur présent. (.......)

5. Le mercredi après-midi, <u>je m'occupe</u> de mes enfants, <u>je les occupe</u> ; ils font du judo, de la musique, du basket. (.......) (.......)

6. Après <u>vous être inscrits</u> à l'université, vous irez voir les professeurs qui <u>vous inscriront</u> aux différents cours. (.......) (.......)

7. <u>Asseyez-vous</u>, <u>je vous prie</u> ! (.......) (.......)

8. <u>Tais-toi</u>, <u>tu m'ennuies</u> ! (.......) (.......)

3. Dans les phrases suivantes, certains des verbes soulignés existent à la forme pronominale et à la forme non pronominale. Cochez les phrases où le verbe est uniquement pronominal.

Exemple : <u>*Nous ne nous sommes pas méfiés de lui.*</u> ☑

1. Elles <u>s'absentent</u> souvent. ❑

2. <u>Nous nous sommes revus</u> depuis notre dernière rencontre. ❑

3. À la grande frayeur de tous, <u>il s'est évanoui</u> au beau milieu de la conversation. ❑

4. Les adolescents <u>se moquent</u> souvent des adultes. ❑

5. Elle <u>s'est</u> rapidement <u>changée</u> avant de sortir. ❑

6. <u>Tu te rappelles</u>, quand nous jouions autrefois à la marelle ? ❑

7. Le voleur <u>s'est enfui</u>, le sac de sa victime à la main. ❑

8. <u>Je m'en vais</u> et je ne reviendrai pas. ❑

4. Choisissez une des deux formes verbales proposées et conjuguez-la au temps qui convient, suivant le contexte.

Exemple : *Je **doute** qu'il vienne. (**douter** / se douter)*

1. Quand je suis pressée, je .... déjeuner. (***passer** / **se passer de***)

2. Ce matin, un prisonnier .... la prison de la Santé.
(***échapper à** / **s'échapper de***)

3. Il a réussi à .... toutes les polices du pays.
(***échapper à** / **s'échapper de***)

4. Beaucoup de gens .... les malheureux sans-abri.
(***plaindre** / **se plaindre de***)

5. Hier soir, elle .... (***apercevoir** / **s'apercevoir***) que quelqu'un la suivait, alors elle .... courir. (***mettre** / **se mettre à***)

6. Tout le monde .... un changement de régime,
(***attendre** / **s'attendre à***) mais les élections n'ont rien changé.

7. Enfin, après des semaines d'hésitation, de réflexion, de doute,
ils .... tout quitter. (***décider de** / **se décider à***)

8. Hier, dès l'ouverture, il .... la bibliothèque pour rapporter ses livres. (***rendre** / **se rendre à***)

5. Mettez les verbes entre parenthèses au passé composé en faisant les accords du participe passé, si nécessaire.

Exemple : *Elle (se mettre) **s'est mise** au travail.*

1. Elle était fatiguée, elle (***s'allonger***) .... un instant avant le dîner.

2. Elles (***s'apercevoir***) .... trop tard de leur erreur.

3. Nous (***se préparer***) .... un bon petit déjeuner.

4. Elles (***se préparer***) .... à partir.

5. Elle (***se blesser***) .... en taillant une petite branche d'arbre.

6. Elle (***se faire***) .... une coupure profonde au doigt.

7. Ah ! Enfin, Marie, tu (***s'habiller***) .... ! Il était temps !

8. Vous n'êtes pas très gentils les enfants ! Pourquoi vous (***se moquer***)
.... de votre camarade ?

6. Même consigne.

1. Ils (*ne pas s'adresser*) .... à la personne compétente.

2. Nous (*se disputer*) .... et nous (*se lancer*) ....
à la figure des insultes terribles.

3. Elle (*se souvenir*) .... tout à coup qu'elle avait un rendez-vous
important.

4. Ces deux sœurs, qui (*se ressembler*) .... beaucoup dans leur enfance,
sont maintenant très différentes l'une de l'autre.

5. Nous (*se parler*) .... pendant une heure hier au téléphone.

6. Les oiseaux (*s'envoler*) .... dans un bruit d'ailes assourdissant.

7. Elle (*se brosser*) .... les dents, puis elle (*se doucher*)
....

8. Plusieurs philosophes de l'Antiquité (*se suicider*) ....
en buvant de la ciguë.

**7. Mettez les verbes entre parenthèses au passé composé en faisant
les accords du participe passé, si nécessaire.**

1. Elle (*se regarder*) .... longuement dans la glace.

2. Elle était gênée, elle est devenue toute rouge, elle (*se regarder*) ....
les pieds et elle a gardé le silence.

3. Comme elle a travaillé toute la matinée sur le moteur de sa voiture, elle avait
les mains très sales, pleines de cambouis ; elle (*se les laver et brosser*)
.... très soigneusement pendant plusieurs minutes.

4. Les livres politiques (*mal se vendre*) .... cette année, il y en a eu trop !

5. Les deux amis (*s'apercevoir*) .... dans la foule.

6. Elle (*se plaindre*) .... de tout, comme d'habitude !

7. Nous (*se plaire*) .... et nous sommes devenus rapidement
les meilleurs amis du monde.

8. Elle (*se porter*) .... candidate en 2016.

**8. Mettez ces phrases à la forme pronominale à sens passif.
Que remarquez-vous ?**

Exemple : *On prend ce médicament à jeun.* ⇨ *Ce médicament **se prend** à jeun.*

1. Attention, on joue ce passage de la sonate *moderato cantabile*.

....

2. On visite le château uniquement pendant les mois d'été.

....

3. On apprend ce poème facilement.

....

4. On vend le prix Goncourt à des milliers d'exemplaires.

....

5. On mange la tarte Tatin accompagnée de crème fraîche.

....

6. On cueille ce champignon dans les sous-bois les plus ombragés.

....

7. Aujourd'hui, c'est dans la rue qu'on fait la mode.

....

8. On lit cette langue de droite à gauche.

....

9. **Mettez ces phrases à une forme pronominale à sens passif en utilisant les verbes :** *se faire, se laisser, se voir, s'entendre* + infinitif.

Exemple : *La presse a violemment critiqué le chauffard qui avait provoqué l'accident.*
⇨ *Le chauffard qui avait provoqué l'accident **s'est fait** violemment **critiquer** par la presse (ou « s'est entendu… critiquer » ou « s'est vu… critiquer »).*

1. Une violente tempête de neige a surpris les randonneurs imprudents.

....

2. Dans un stade archiplein, les spectateurs mécontents sifflaient l'arbitre.

....

3. Quelle femme ! On lui obéit au doigt et à l'œil !

....

4. Le candidat à la présidence de la République n'a pas convaincu les électeurs.

....

5. Un chirurgien réputé a opéré ma tante de la cataracte.

....

6. Un pitbull a mordu mon voisin.

....

7. On a refusé à cette employée modèle l'augmentation qu'elle réclamait.

....

8. En raison de travaux sur l'autoroute, on a obligé les automobilistes à changer d'itinéraire.

....

• BILAN •

Identifiez les verbes pronominaux. Verbes réellement pronominaux (UP),
verbes pronominaux réfléchis (Réf), verbes réciproques (Réc), verbes pronominaux
à sens passif (SP).

Exemple : *Cécilia se regardait (Réf) dans son petit miroir. Un dernier coup d'œil avant de partir.*
Il était presque huit heures et elle se souvenait (UP) que son amie Marie avait une longue journée
de travail devant elle. Ses livres se vendaient (SP) bien mais quel travail ! Elles se firent un petit salut
(Réc) et Cécilia fila, laissant Marie travailler.

Il était minuit. Il était temps de quitter la table de travail. Marie (1) s'était installée (............) le matin devant son ordinateur et maintenant, elle (2) se sentait (............) fatiguée, mais contente. Elle avait mis un point final à l'histoire qu'elle (3) s'efforçait (............) de terminer depuis plusieurs jours. Elle (4) se demandait (............) si les enfants pour qui elle écrivait (5) s'intéresseraient (............) aux aventures de ses jeunes héros.

Une histoire (6) s'écrit (............) pour un public, bien sûr mais elle (7) se comprend (............) chaque fois de façon différente, selon le lecteur. Marie avait déjà écrit des textes pour les enfants. Elle et eux (8) s'étaient souvent rencontrés (............) dans le cadre des ateliers lecture, ils (9) s'étaient parlé (............), ils (10) se comprenaient bien (............), du moins le pensait-elle.

Elle (11) se leva (............), et tout en (12) se frottant (............) les yeux, (13) se dirigea (............) vers la cuisine. Elle (14) se fit (............) une tisane avant d'aller (15) se coucher (............).

• 2.4 LA FORME IMPERSONNELLE •

1. Parmi ces phrases, lesquelles peut-on mettre au pluriel ?
Faites-le quand c'est possible et faites les transformations nécessaires.

1. Il semble fatigué, il devrait prendre quelques jours de vacances.

....

2. Il s'est produit sur scène un peu partout : à New York, à Londres, à Paris, à Berlin...

....

3. Il se passe ici quelque chose d'étrange.

....

4. Il suffit d'un rien pour que son humeur change.

....

5. Il est certain d'avoir réussi ses examens. J'aimerais être aussi optimiste.

....

6. Il semble qu'un vent de panique ait soufflé sur les actionnaires de ce groupe financier.

....

7. Il existe des pays où la presse est étroitement contrôlée.

....

8. Il s'agit d'une affaire extrêmement complexe.

....

9. Il existe vraiment et, d'ailleurs, je l'ai rencontré.

....

10. Il se passe facilement de manger ou de boire mais se passer de fumer, ça, il ne peut pas !

....

2. Parmi les verbes soulignés, lesquels sont employés à la forme impersonnelle ?

<u>Il se produit</u> tous les jours des choses bizarres. Par exemple, dans notre entreprise, <u>il semble qu'</u>il y ait un trou assez important dans les comptes. <u>Il s'est trouvé</u> quelqu'un (qui tient à garder l'anonymat) pour faire peser les soupçons sur l'aide-comptable. Selon cette personne, <u>il se serait déjà trouvé</u> mêlé à une affaire du même genre il y a trois ans, à Lille. <u>Il paraît qu'</u>il avait été innocenté finalement mais, à son avis, « <u>il n'y a pas</u> de fumée sans feu ».

<u>Il faut</u> dire quand même qu'<u>il convient</u> bien pour ce poste et que tout le monde reconnaît ses capacités.

Il est ouvert et sympathique, <u>il paraît</u> honnête. Il est très apprécié de son chef et aimé de tous les employés.

Bref, mystère total ! <u>Il conviendrait</u> cependant de savoir d'où vient ce trou dans les finances et de faire toute la lumière sur cette affaire.

3. Où peut-on trouver les panneaux suivants, à votre avis ?

1.

IL EST OBLIGATOIRE DE VALIDER
SON TITRE DE TRANSPORT
AVANT LE DÉPART.

2.

IL EST NÉCESSAIRE
DE PRENDRE
RENDEZ-VOUS
AUPRÈS DE LA
SECRÉTAIRE.

3.

PAR MESURE DE SÉCURITÉ,
IL SERA EXIGÉ UNE PIÈCE
D'IDENTITÉ POUR TOUS
LES VISITEURS.

4.

IL EST
STRICTEMENT
INTERDIT DE FUMER
DANS CES LOCAUX

DANGER
DE MORT

5.

IL EST
DÉFENDU,
SOUS PEINE
D'AMENDE,
DE DÉPOSER
DES ORDURES

6.

*Il est recommandé
à notre aimable clientèle
de ne laisser
aucun objet de valeur
dans les chambres.
La maison
n'est pas responsable
en cas de vol.*

7.

IL EST
PRÉFÉRABLE
DE RESTER
ATTACHÉ
MÊME APRÈS
L'EXTINCTION
DES SIGNAUX
LUMINEUX

8.

*Il ne faut pas
toucher aux portes :
tu pourrais te faire
pincer très fort !*

3 Le mode indicatif et ses temps

3.1 RÉVISION DES FORMES VERBALES

1. Mettez les verbes entre parenthèses au présent de l'indicatif.

Tous les samedis matin, Madame Doat (*faire*) (1) .... la même chose : elle (*aller*) (2) .... au marché. Elle dit que cela en (*valoir*) (3) .... la peine car les fruits et les légumes (*être*) (4) .... moins chers et plus frais qu'ailleurs. Ses voisines le (*savoir*) (5) .... et lui demandent souvent si elle (*pouvoir*) (6) .... leur rapporter des provisions. Comme elle (*être*) (7) .... très serviable, elle (*accepter*) (8) .... volontiers.

2. Récrivez le texte ci-dessus en mettant tous les verbes à l'imparfait.

Tous les samedis matin, ...
....
....
....
....

3. Choisissez le verbe qui convient suivant le contexte et mettez-le au futur simple :
aller – connaître – habiter – implanter – payer – pouvoir – savoir –travailler – vivre – voir.

En 2050...

1. on .... en vacances sur la lune.

2. on .... un jour sur deux ! Vive les loisirs !

3. on ne .... plus avec de l'argent, un chèque ou une carte mais par reconnaissance faciale ou digitale.

4. on .... plusieurs vies parce qu'on .... tous jusqu'à plus de cent ans.

5. nous .... dans des immeubles connectés avec des robots.

6. en cas d'accident ou de maladie, les chirurgiens nous .... des os, des membres ou des organes artificiels.

7. on .... fabriquer nous-mêmes (en 3D) nos vêtements, nos meubles...

8. on ne .... plus de plastique dans les océans.

9. grâce aux implants sous la peau, on .... se passer de papiers d'identité.

4. Mettez les verbes entre parenthèses au passé composé.

1. Mes amis et moi (*rentrer*) .... de voyage depuis deux jours.

2. Il (*arriver*) .... une drôle d'histoire à ma voisine.

3. Sam (*raccompagner*) .... son amie chez elle à la sortie du théâtre.

4. Les enfants (*rentrer*) .... leurs vélos avant qu'il pleuve.

5. Le train (*arriver*) .... avec dix minutes de retard.

6. Pour éviter les bouchons sur l'autoroute, ils (*passer*) ....
   par l'itinéraire « Bis ».

7. En un an, elle (*améliorer*) .... son accent.

8. Ma sœur (*passer*) .... un an au Canada, à Québec exactement.

5. Voici la biographie de Camille Claudel. Elle est au passé composé. Retrouvez l'infinitif des verbes soulignés.

Camille Claudel (1) est née à Paris en 1864. Elle (2) a fait preuve très tôt de dons artistiques et (3) a obtenu, de sa famille, le droit de venir étudier à Paris. En 1885, elle (4) est devenue l'assistante du grand sculpteur Auguste Rodin et sa maîtresse.

Mais, à partir de 1892, leurs relations (5) se sont dégradées. Cependant, Rodin (6) a toujours reconnu sa valeur : « Je lui ai montré où trouver de l'or, mais l'or qu'elle trouve est bien à elle. » Mais, abandonnée, isolée, considérée comme folle, Camille Claudel (7) a été enfermée pendant presque trente ans dans un asile psychiatrique. Elle y (8) est morte de malnutrition en 1943 et (9) a été enterrée dans la fosse commune. Elle (10) n'a jamais reçu une seule visite de sa mère ni de sa sœur.

6. Mettez le texte ci-dessus au passé simple.

Camille Claudel *naquit* ....

....

....

....

....

7. Complétez par le verbe souligné au passé composé ou au futur.

1. – Tu as appris tes leçons ? – Non, je les .... demain, c'est mercredi.

2. – Est-ce que vous viendrez voir l'exposition ? – Non, je l' ....
   le mois dernier à Turin.

3. – Avez-vous dîné ? – Non, nous .... après le théâtre.

4. – Est-ce qu'elle vous <u>a remerciés</u> ? – Non, mais je suppose qu'elle nous .... plus tard.

5. – Tu <u>trouveras</u> facilement son adresse ? Je peux t'aider ? – Non merci, je la .... tout seul.

6. – <u>Prendrez</u>-vous un café ? – Non merci, j'en .... un à la maison.

7. – Tu l'<u>as</u> encore <u>cru</u> ? – Oui, mais c'est fini, je ne le .... plus jamais.

8. – <u>Avez</u>-vous <u>visité</u> l'Irlande ? – Oui, et je l' .... trois fois, c'est magnifique.

8. Complétez ces subordonnées de temps par le verbe entre parenthèses au temps composé qui convient : passé composé, plus-que-parfait, futur antérieur. Attention au choix de l'auxiliaire.

Exemple : *Aussitôt que la nuit (tomber)* **sera tombée**, *le feu d'artifice commencera.*

1. Dès qu'il (*terminer*) .... son dossier, il l'enverra.

2. Elle n'avait pas l'esprit tranquille tant qu'il (*ne pas téléphoner*) ....

3. Les enfants s'endorment aussitôt qu'ils (*être couché*) ....

4. Une fois qu'ils (*arriver*) .... chez eux, ils lisaient leurs mails.

5. Lorsque l'orage (*éclater*).. , les animaux se sont mis à l'abri.

6. Quand elle (*signer*).. le bail, elle pourra emménager.

7. Aussitôt qu'ils (*franchir*).. le mur d'enceinte, l'alarme s'est déclenchée.

8. À partir du moment où il (*gagner*) .... quelques euros d'argent de poche, il était content.

• BILAN •

1. Répondez aux questions en utilisant le verbe souligné (au présent, au passé composé, à l'imparfait ou au futur simple). Faites les modifications orthographiques nécessaires.

Exemple : – *Tu <u>as fait</u> quoi samedi ?* – *J'ai fait un tour à vélo le long de la côte.*

1. – Vous <u>avez pris</u> mon stylo ? – Non, je .... celui de Claire.

2. – Tu <u>as</u> des nouvelles de Karim ? – Non, on en .... peut-être demain ou jeudi.

3. – Où <u>étiez</u>-vous ? – Nous .... dans le jardin.

4. – Que <u>fais</u>-tu ? – Je .... un gâteau.

5. – Où <u>irez</u>-vous cet été ? – Nous .... en Australie.

6. – Qu'est-ce que tu <u>as eu</u> pour ton anniversaire? – Je .... un vélo.

7. – <u>Saviez</u>-vous qu'il était musicien ? – Oui, nous le ....

8. – Vous <u>voulez</u> toujours changer le monde ? – Euh… non ! Autrefois, nous
.... faire la révolution mais nous avons vieilli !

2. **Mettez les verbes entre parenthèses au temps de l'indicatif qui convient selon le contexte (sauf passé simple et passé antérieur).**

Depuis quelques jours, le temps est chaud. Le soleil (*se lever*) (1) ....tôt
et (*se coucher*) (2) ....tard, c'(*être*) (3) ....le début de l'été.
Chaque matin, nous (*partir*) (4) .... de bonne heure à la plage ; il
(*faire*) (5) .... bon dans l'eau et il n'y (*avoir*) (6) .... pas
encore trop de monde. <u>Autrefois</u>, il n'y (*avoir*) (7) .... personne. Nous
(*être*) (8) .... les seuls à connaître cette petite crique et nous y (*venir*)
(9) .... chaque jour. Quand ils (*décider*) (10) ....
de construire une route nationale, notre tranquillité (*disparaître*) (11) ....
.... Il (*falloir*) (12) .... partager notre paradis avec les touristes. Et ce
n'est pas fini. Ils (*projeter*) (13) .... <u>aujourd'hui</u> de bâtir des résidences
secondaires et d'ouvrir un camping. <u>Dans quelques années</u>, on ne (*voir*) (14) ....
.... plus le sable tant il y (*avoir*) (15) .... de serviettes sur la plage.
C'est juré, aussitôt que le premier hôtel (*ouvrir*) (16) ...., je (*partir*) (17)
.... en quête d'un autre coin tranquille.

• 3.2 L'EXPRESSION DU PRÉSENT •

Le présent

1. **Observez ces phrases au présent et dites quelle définition correspond le mieux à leur sens : A = un ordre, B = un présent historique, C = une action ponctuelle, D = une vérité intemporelle, E = une habitude, F = une action en train de se faire, G = une hypothèse, H = un passé récent, I = un futur proche, J = une description, K = un présent de narration.**

1. Quatre et quatre font huit. (......)

2. – Il y a longtemps que vous m'attendez ? – Non, j'arrive à l'instant. (......)

3. En 1945, la France accorde enfin le droit de vote aux femmes. (......)

4. Chut ! Pas de bruit ! Le bébé dort. (......)

5. Voilà mon vélo mais tu me le rends demain sans faute ! (......)

6. Si vous vous disputez encore, je vous supprimerai vos dessins animés. (......)

7. Je ferme la porte. (......)

8. Tous les ans, mes parents passent quinze jours en Corse, près de Bonifacio. (......)

9. Ils attendaient sagement leur tour à la boulangerie, ils bavardaient. Soudain, un homme entre, dépasse tout le monde, se fait servir et ressort sans un mot ! (......)

10. La pièce est très grande, haute de plafond et les larges fenêtres laissent entrer un maximum de lumière. (......)

11. Ne quittez pas, elle arrive, je vous la passe. (......)

2. Observez ces phrases et identifiez la valeur du présent.

Exemple : *Nous <u>ouvrons</u> nos livres. (Action ponctuelle).*

1. Il <u>enseigne</u> le français depuis plusieurs années. ....

2. Tous les soirs, elle <u>prend</u> une tisane avant de s'endormir. ....

3. Attention, un pas de plus et tu <u>tombes</u> dans la rivière ! ....

4. Je m'absente un moment, mais tu n'<u>allumes</u> pas la télé ! ....

5. En juillet 1830, une révolution <u>chasse</u> le roi Charles X du trône de France. ....

6. Elle a l'air très heureuse, elle se <u>marie</u> demain. ....

7. Si tu <u>sors</u>, prends un parapluie ; il va pleuvoir. ....

8. Pierre ? Non, il n'est pas là, je <u>descends</u> à l'instant de chez lui, j'ai sonné et personne n'a répondu. ....

Le passé composé, accompli du présent

1. A. Observez les phrases suivantes et entourez la bonne définition.

1. Il est deux heures du matin, <u>j'ai terminé</u> mon roman. (*résultat dans le présent / action ponctuelle passée*)

2. Il relit et il corrige l'article qu'<u>il a écrit</u>. (*valeur de futur antérieur / antériorité par rapport à un présent*)

3. Ne t'inquiète pas, dans cinq minutes, <u>je suis parti</u>. (*résultat dans le présent / valeur de futur antérieur*)

4. Ouf, je suis bien fatiguée, <u>j'ai rangé</u> toute la vaisselle ! (*antériorité par rapport à un présent / résultat dans le présent*)

B. Observez ces phrases et dites si le passé composé exprime un résultat dans le présent ou une action dans le passé ?

5. Je <u>suis arrivée</u> hier matin.

6. Ça y est, <u>j'ai enfin compris</u>. Je peux continuer.

7. Non, Michel n'est pas là, <u>il est sorti</u>.

8. <u>Ils se sont mariés</u> en 2010.

2. Dans les phrases suivantes, peut-on remplacer le passé composé par
un passé simple ? Répondez par « oui » ou par « non » et justifiez.

Exemples : *Tu as vu ? Un homme bizarre <u>est entré</u> chez la voisine.*
(Non. Nous sommes dans le temps de la conversation, donc dans le présent.)

Un beau matin, il <u>s'est levé</u>, il <u>a fait</u> ses bagages et il <u>est parti</u> loin, très loin.
**(Oui. Nous avons des actions successives qui se déroulent dans un passé indéfini,
il n'y a pas de rapport avec le présent.)**

1. Ce célèbre roman de Balzac <u>est paru </u>d'abord en feuilleton.

2. Victor Hugo <u>est né</u> en 1802.

3. Patience, patience, dans un quart d'heure nous <u>sommes arrivés</u>.

4. En 1960, un tremblement de terre <u>a</u> presque complètement <u>détruit</u> la ville
d'Agadir au Maroc.

5. Il <u>a neigé</u> cette nuit ; le sol est tout blanc.

6. Quelle tristesse ! Ce grand peintre ne peut plus peindre, il <u>est devenu</u> aveugle.

7. Les enfants décorent le sapin que les parents <u>ont installé</u> dans le salon.

8. La voiture roulait lentement dans le brouillard quand le conducteur <u>a vu</u> arriver
face à lui un animal énorme et étrange.

•3.3 L'EXPRESSION DU FUTUR•

1. Observez des phrases au futur et dites quelle définition correspond le mieux
à leur sens : A = vérité générale, B = futur historique, C = futur de supposition,
D = futur d'indignation, E = certitude, F = fait à venir, G = politesse, H = promesse.

1. On fermera le magasin pour inventaire samedi prochain. (......)

2. Un tiens vaut mieux que deux tu l'auras. (......)

3. Le chat miaule, on aura encore oublié de laisser une fenêtre ouverte. (......)

4. C'est juré, je serai là pour ton anniversaire. (......)

5. Prendrez-vous un thé ou un café ou bien un digestif ? (......)

6. En 1789, les Français se révoltent contre la royauté. Quatre ans plus tard,
le roi mourra et la France changera profondément. (......)

7. Elle va faire une énorme bêtise et je ne ferai rien pour l'en empêcher ! (......)

8. Le 30 mai 2019, tu auras dix-huit ans, tu seras majeur ! (......)

2. Choisissez le temps qui convient le mieux : futur simple ou futur proche.

Exemples : *Attendez ici, on (chercher) **va chercher** la voiture.*
*Quand j'aurai fini ma maîtrise, je (chercher) **chercherai** un travail.*

1. S'il te plaît, arrête de courir et de grimper partout, tu (***tomber***) ....

2. Trop de corruption, trop d'impôts, quand les gens en auront vraiment assez, le gouvernement (**tomber**) ....

3. Excusez-moi, je vous laisse un moment, c'est l'heure du coucher des enfants. Je (**raconter**) .... une histoire aux petits.

4. Excusez-moi, je dois partir, je vous (**raconter**) .... la suite de l'histoire une autre fois.

5. Tout est prêt ? Le car de touristes (**arriver**) .... d'un instant à l'autre.

6. Ne pleure pas ! Tu la (**revoir**) .... un jour ta copine.

7. Tu ne (**tuer**) .... point.

8. Dépêchez-vous, on (**être en retard**) ....

3. Reliez les deux parties de la phrase qui vont ensemble.

1. Si tu m'attends
2. On partira à l'aube
3. L'enfant se demande
4. Personne ne sait
5. Si tu aimes ce chanteur
6. S'il pleut ce week-end

a. si les négociations reprendront.
b. je t'offrirai une place à son concert.
c. nous rentrerons ensemble à la maison.
d. j'en profiterai pour ranger le grenier.
e. si vous n'y voyez pas d'inconvénient.
f. si le Père Noël lui apportera un vélo.

4. Dites si le futur antérieur utilisé dans ces phrases a une valeur d'antériorité (A) ou de probabilité (P).

1. On sonne : ton père aura oublié ses clés. (......)

2. Elle ne trouve plus sa bague : elle l'aura perdue sans s'en rendre compte. (......)

3. Quand ils auront acheté cette maison à la montagne, ils y passeront toutes les vacances. (......)

4. Les enfants iront chez leurs grands-parents dès qu'ils auront fini l'école. (......)

5. Le bus sera pris dans les embouteillages, cela fait 15 minutes que je l'attends. (......)

6. Mon amie n'était pas à notre rendez-vous : elle aura eu un empêchement de dernière minute. (......)

7. Aussitôt qu'on aura réparé l'ordinateur, elle pourra reprendre son travail. (......)

8. Les bolides s'élanceront sur la piste dès que l'arbitre aura abaissé son drapeau. (......)

5. Mettez les phrases au passé, comme dans l'exemple.

Exemples : *Je n'arrose pas, je pense qu'il va pleuvoir.*
⇨ ***Je n'ai pas arrosé, j'ai pensé qu'il allait pleuvoir.***
Il veut savoir si le bureau de poste sera ouvert en août.
⇨ ***Il voulait savoir si le bureau de poste serait ouvert en août.***

1. Son grand-père lui promet qu'il l'emmènera au cirque dimanche prochain.

....

2. La ministre affirme que le gouvernement prendra les mesures nécessaires pour éviter la crise.

....

3. Les gens pensent que des réformes vont être faites très bientôt.

....

4. Ses parents lui disent qu'ils l'aideront à payer ses études.

....

5. L'électricien nous assure qu'il aura fini la réparation avant midi.

....

6. On nous prévient qu'il n'y aura pas de métro aujourd'hui.

....

7. Le train est bondé, il pense qu'il sera difficile de trouver une place.

....

8. Ils se demandent si la bibliothèque restera ouverte pendant les vacances.

....

• BILAN •

Il y a dans ce texte des verbes aux différents temps du futur.
Soulignez-les et donnez leurs valeurs.

Mission impossible

Dès que vous aurez écouté ce message, il s'autodétruira. Avant, vous aurez mémorisé les noms et les numéros qu'il contient. Dans moins de 24 heures, une femme vous contactera. Elle vous identifiera grâce au livre que vous serez en train de lire. Quand vous lui aurez donné les numéros et seulement les numéros du message, elle vous conduira au Spectre. Si vous vous trompez, elle vous tuera. Vous voilà prévenu. Il n'y aura pas de seconde chance. À peine sa mission accomplie, elle disparaîtra, vous serez seul. Vous allez avoir besoin de toutes vos ressources physiques et mentales. Je vous avais promis qu'Olga serait vengée. Elle va l'être, je vous fais confiance. Bonne chance, James !

4.4 L'EXPRESSION DU PASSÉ (1)

L'imparfait

1. Mettez ces phrases à l'imparfait.

Exemple : *Il vient tous les jours au bureau à pied.*
⇨ ***Avant, il venait tous les jours au bureau à pied.***

1. Nous prenons l'autobus 32 pour aller à la gare.

Autrefois, ...

2. Vous étudiez le chinois ou le japonais ?

L'an dernier, ...

3. Nous payons tous nos achats en espèces.

Il y a quelques années, ...

4. Il peint le dimanche pour son plaisir.

Avant sa retraite, ...

5. Nous rions beaucoup quand nous nous retrouvons.

Dans notre jeunesse, ...

6. Tu ne dis jamais la vérité et je ne te crois pas.

Quand tu étais petite, ...

7. Ils conduisent très prudemment.

Devenus vieux, ...

8. C'est toujours très gentiment que vous accueillez nos amis chaque été.

Je me souviens que...

2. Imaginez comment on pourrait compléter ces phrases.
Reprenez le verbe souligné à l'imparfait.

Exemple : *Maintenant, il prend son vélo pour aller à l'université, avant **il prenait** le métro.*

1. Depuis qu'il est célèbre, il voyage en première classe. Avant son succès, il ....

2. Qu'est-ce que vous étudiez maintenant ? Si je me souviens bien, avant, vous ....

3. Maintenant, on paie tout par carte mais avant, nous ....

4. Maintenant il peint des natures mortes mais dans sa jeunesse, il ....

5. Aujourd'hui, nous nous tutoyons, mais il y a quelques années, nous ....

6. D'accord, je te <u>crois</u> à présent que j'ai appris ce qui s'est passé mais tu sais, il y a un mois, je ....

7. Depuis son accident, il <u>conduit</u> très prudemment. Heureusement, parce qu'avant, il ....

8. Nous sommes trop vieux maintenant, nous n'<u>accueillons</u> plus personne pendant les vacances, mais autrefois, tu te souviens, on ....

3. Conjuguez les verbes entre parenthèses à l'imparfait. Faites les modifications orthographiques des pronoms nécessaires.

Quand je (*être*) (1) .... enfant, nous (*habiter*) (2) .... à Paris, dans le 6ᵉ arrondissement. Le mercredi, comme mes parents (*travailler*) (3) ...., ma grand-mère (*s'occuper*) (4) .... de moi. Nous (*passer*) (5) .... beaucoup de temps dans le jardin du Luxembourg qu'elle (*adorer*) (6) .... Nous (*s'asseoir*) (7) .... sous les arbres et, pendant que je (*jouer*) (8) .... avec d'autres enfants, elle (*lire*) (9) .... ou (*écrire*) (10) .... son courrier. Je (*aimer*) (11) .... surtout le jardin en automne, quand les feuilles (*jaunir*) (12) .... , (*rougir*) (13) .... puis (*tomber*) (14) .... Je (*ramasser*) (15) .... les plus belles que je (*mettre*) (16) .... en bouquets. Le soir, quand le gardien (*siffler*) (17) .... , il (*falloir*) (18) .... bien partir, à regret. Avant de rentrer, nous (*faire*) (19) .... halte dans un café, toujours le même : je (*prendre*) (20) .... un grand chocolat mousseux et elle (*boire*) (21) .... son whisky à petites gorgées gourmandes.

4. Avec les photos et les indications qui suivent, rédigez au passé composé la biographie de cette essayiste.

Johanna Haddad (1927-1971)

Tunisie (1927-1945)

Marseille (1945-1949)

Lausanne (1949-1957)

Kyoto (1957-1967)

Suisse (1967-1971)

Zao wou-Ki

– Enfance et jeunesse en Tunisie (Tunis)

– Études (École d'art et de culture) à Marseille

– Master et doctorat d'histoire de l'art à Lausanne (1955) – Chargée de cours à l'université (1955-1957). Publication de son premier livre *L'art et l'abstraction*, (1957)

– Départ pour le Japon (professeure invitée, université de Kyoto)

– 1958, 1960, 1961, 1964, 1965 : essais sur différents artistes et écrivains japonais

– 1967 : premiers problèmes respiratoires. Retour en Suisse

– 27 décembre 1970 : publication de son chef d'œuvre : *Le silence dans l'œuvre de Zao Wou-Ki*

– 27 février 1971 : mort à Lausanne

5. Lisez ces phrases et répondez par « Vrai » ou « Faux ».

1. « *Si vous veniez dimanche, on pourrait aller se promener.* »
   La personne parle du dimanche précédent.   VRAI   FAUX

2. « *À dix-huit heures quinze, l'accusé quittait le domicile de sa victime.* »
   Il s'agit d'un fait précis, ponctuel.   VRAI   FAUX

3. « *Si seulement tu pouvais m'écouter un peu !* »
   Il s'agit d'un désir, d'un souhait.   VRAI   FAUX

4. « *Une seconde de plus et il se faisait écraser.* »
   Il s'est fait écraser en une seconde.   VRAI   FAUX

5. « *Excusez-moi, je voulais juste vous demander un tout petit renseignement.* »
   La personne est en train de demander un renseignement.   VRAI   FAUX

6. « *Et si tu me disais la vérité ?* »
   Il s'agit d'une suggestion.   VRAI   FAUX

7. « *Si j'étais riche, j'achèterais un bateau à voile.* »
   Quand j'avais de l'argent, j'avais un bateau à voile.   VRAI   FAUX

8. « *Il l'aimait trop, il l'a tuée.* »
   L'imparfait exprime la cause.   VRAI   FAUX

Le plus-que-parfait

1. Mettez les verbes entre parenthèses au plus-que-parfait. Attention aux accords du participe passé !

1. Quand je suis arrivé, ma petite fille (*mettre*) .... la table.

2. Hier matin, il est arrivé en retard car il (*ne pas entendre*) .... son réveil sonner.

3. Comme la météo l' (*annoncer*) .... la semaine dernière, le typhon Cecilia est passé au large de la Martinique.

4. Je ne savais pas qu'il était déjà parti. Personne ne m' (*prévenir*) ....

5. C'est bizarre qu'il n'ait pas écrit. Il (*promettre*) .... qu'il le ferait dès son arrivée.

6. J'ai revendu la voiture que j' (*acheter*) .... l'an dernier.

7. Je vous (*dire*) .... que l'examen était aujourd'hui. Vous (*oublier*) .... ?

8. Ils ont divorcé et pourtant, en vingt ans, ils (*ne jamais se disputer*) ....

2. Reliez.

1. Il a échoué à son examen.	**a.** Elle avait teint ses cheveux en violet.
2. Je suis arrivée très en retard.	**b.** que tu avais empruntés à la bibliothèque ?
3. Je n'ai pas pu partir en Iran.	**c.** Je n'avais pas fait de vélo depuis dix ans !
4. Elle était étrange !	**d.** J'avais oublié de renouveler mon passeport.
5. Tu as rendu les livres	**e.** Normal ! Il n'avait pas du tout révisé.
6. Il a revu Angela.	**f.** Il ne l'avait pas vue depuis Noël.
7. J'ai mal à tous les muscles.	**g.** de tous les voyages qu'elles avaient faits.
8. Elles se souvenaient	**h.** J'avais complètement oublié notre rendez-vous.

3. Mettez les mots dans l'ordre pour faire des phrases.

1. avant-hier / a dit / qu'elle / Elle / ta lettre / avait reçu / .

....

2. Avant / dès qu'ils / les enfants / allaient / de dîner / . / au lit / avaient fini

....

3. il avait terminé / Il rangeait / . / toutes ses affaires / après qu' / son travail

....

4. vous / votre exercice / pensais / depuis / aviez terminé / Je / que / . / longtemps

....

4. Imparfait, passé composé ou plus-que-parfait ? Faites les modifications orthographiques nécessaires. Attention aux accords du participe passé !

1. Je vais enfin lui offrir les deux livres que je lui (*promettre*) .... depuis des semaines et des semaines. Je les (*acheter*) .... hier.

2. Hier, je (*rencontrer*) .... Jennifer aux Galeries Lafayette, elle (*faire*) .... des courses avec sa mère.

3. Quand je suis rentré chez moi hier soir, ce (*être*) .... la catastrophe : les enfants (*ne pas dîner*) .... , ils (*ne pas être couchés*) .... , la maison (*être*) .... sens dessus dessous ! Une horreur !

4. Ils m'ont raconté qu'ils (*passer*) .... leurs vacances en Italie l'été dernier et qu'ils (*adorer*) .... ce pays, surtout la Toscane

où ils (**vouloir**) .... retourner le plus vite possible.

5. Dès que je (**ouvrir**) .... ce livre, je (**s'apercevoir**)
.... que je le (**lire**) .... il y a quelques mois.

6. Quand nous (**être**) .... enfants, nous (**ne pas avoir**) .... le
droit de parler tant que le repas (**ne pas être fini**) ....

7. Hier soir, quand elle (**entrer**) .... , je (**comprendre**) ....
immédiatement qu'il lui (**arriver**) .... quelque chose au travail.

8. Ce matin, Laurent nous (**expliquer**) .... qu'il (**ne pas pouvoir**)
.... venir hier soir à la réunion parce que sa femme (**devoir**)
.... être hospitalisée d'urgence pour une crise d'appendicite aiguë.

Le passé simple

**1. Relevez les dix passés simples qui se trouvent dans le texte suivant
et donnez leur infinitif.**

Élisa entra dans la salle de bal. Elle était si belle que tous les regards se tournèrent
vers elle. Elle se dirigea d'un pas hésitant vers la maîtresse de maison, la salua et resta
quelques minutes auprès d'elle. Deux officiers l'invitèrent pour la prochaine mazurka.
Elle déclina l'invitation et ils n'insistèrent pas. Quand Ludwig pénétra à son tour dans
la salle, ses yeux brillèrent : il avait tenu parole, il était venu !

Exemple : *elle entra ⇨* **entrer**
Complétez la conjugaison du passé simple des verbes qui se terminent en -er.

– je .... -ai   nous .... -âmes

– tu .... -as   vous .... -âtes

– il/elle .... - ....   ils/elles .... -.......

2. Même consigne.

Quand Socrate reçut l'ordre de boire la ciguë, il parut
d'un calme absolu : il s'attendait à cet ordre depuis
bien longtemps. Il but d'un trait le poison et mourut
presque instantanément. Ses disciples et amis
accoururent et ne purent que constater le décès de
leur maître. Leur chagrin fut si violent qu'il fallut les
empêcher de mettre fin, eux aussi, à leurs jours. Afin
que les enseignements de Socrate lui survivent, ils
résolurent de les faire connaître à tous. Et en effet, ces
enseignements survécurent jusqu'à aujourd'hui.

Exemple : *il reçut ⇨* **recevoir**
Complétez la conjugaison du passé simple de ces verbes.

– je .... -us   nous .... -ûmes

– tu .... -us   vous .... -ûtes

– il/elle .... - ....   ils/elles .... -.......

3. Même consigne.

Dès qu'il ouvrit la lettre qu'Aglaé lui avait laissée, il faillit s'évanouir. Il blêmit, se mit à trembler de fureur et finit sa lecture à grand-peine. C'était un adieu sec et moqueur. Ah ! Elle s'était bien jouée de lui et il serait la risée de tous ses amis qui, en effet, firent des gorges chaudes de ses malheurs. Il prit la plume et écrivit à la traîtresse une longue missive accusatrice. Il la poursuivit longtemps de ses messages tantôt plaintifs, tantôt furieux, messages auxquels elle ne répondit jamais.

Exemple : *il ouvrit* ⇨ *ouvrir*

Complétez la conjugaison du passé simple de ces verbes.

– je .... -is   nous .... -îmes

– tu .... -is   vous .... -îtes

– il/elle .... - ....   ils/elles .... - ....

4. Relevez les dix passés simples dans le texte suivant et donnez leur infinitif. *Deux* verbes ne suivent aucune des trois conjugaisons que nous venons de voir. Lesquels ?

En Grèce, il y a fort longtemps, vivait une jeune princesse parfaitement belle, Hélène. Tous les rois soupiraient pour elle. Aussi, le père d'Hélène les convoqua tous afin qu'elle-même choisisse son futur époux. Ils vinrent tous et, à la surprise générale, elle choisit le jeune Ménélas, roi de Sparte et frère du puissant Agamemnon. Hélène fit jurer à tous ses prétendants de venir à son aide et à celle de Ménélas en cas de malheur. Ils jurèrent et repartirent, mélancoliques, chacun chez soi. Plus tard, cependant, à la demande de Ménélas, tous tinrent parole. Hélène et Ménélas vécurent heureux quelques années. Une fille leur était née, Hermione. Un jour, Pâris, le plus jeune fils de Priam, roi de Troie, arrivant à Sparte, vit Hélène et un violent désir s'empara de son âme.

Exemple : *convoqua* ⇨ *convoquer*

Exceptions : ....

5. Reprenez l'exercice 1 et transformez les verbes du passé simple au passé composé, comme si vous racontiez l'histoire à quelqu'un. Attention aux accords de participe.

....

....

....

....

....

6. Comparez les deux versions du même événement puis répondez par « Vrai » ou « Faux » aux quatre questions qui suivent.

Version 1. Cette année-là, ils décidèrent d'aller passer toutes leurs vacances dans le Pays basque. Ils partirent par un beau matin de juillet et firent la route en trois jours. Ils prirent de petites routes. Ils flânèrent.

Ils arrivèrent à Biarritz le lundi soir et s'installèrent à l'hôtel du Palais. Ils sortirent faire un tour sur la plage puis se dirigèrent vers le restaurant *Chez Marinette*.

Version 2. Cette année-là, ils décidèrent d'aller passer toutes leurs vacances dans le Pays basque. En effet, ils désiraient depuis longtemps revoir les lieux de leur jeunesse. Cette idée leur plaisait beaucoup.

Ils partirent par un beau matin de juillet et firent la route en trois jours. Ils prirent de petites routes où il n'y avait que très peu de circulation. Ils flânèrent, s'arrêtant dès qu'ils en avaient envie. Ils voulaient prendre tout leur temps.

Le temps était superbe, ni trop chaud ni trop froid, le soleil brillait et les jours étaient longs, longs, longs... La vie était belle !

Ils arrivèrent à Biarritz le lundi soir et s'installèrent à l'hôtel du Palais qui leur rappelait tant d'agréables souvenirs. Ils sortirent faire un tour sur la plage puis se dirigèrent vers le restaurant *Chez Marinette*. La patronne était là, fidèle au poste. Tout était pareil, rien n'avait changé.

1. Le passé simple est utilisé pour exprimer les sentiments.	VRAI	FAUX
2. L'imparfait permet d'ajouter des détails.	VRAI	FAUX
3. L'imparfait sert à décrire une atmosphère, un lieu.	VRAI	FAUX
4. Le passé simple exprime les faits, les actions.	VRAI	FAUX

7. Passé simple et passé antérieur. Mettez le verbe entre parenthèses au passé antérieur. Attention à la phrase 6, le verbe à conjuguer est au passif.

1. Dès que les deux parties (*signer*) .... le contrat, on fit circuler champagne et petits fours.

2. Dès qu'il (*recevoir*) .... une réponse positive, il cessa de faire le siège de l'entreprise.

3. Aussitôt qu'ils (*convenir*) .... du prochain rendez-vous, ils se séparèrent.

4. Trois mois après qu'ils (*se marier*) .... , ils divorcèrent pour incompatibilité d'humeur.

5. Il publia son deuxième roman exactement dix ans après que le premier (*recevoir*) .... le prix Goncourt.

6. Dès que la paix (*être signée*) .... , les rebelles remirent leurs armes au pouvoir légal.

7. À peine il (*entrer*) .... que les applaudissements éclatèrent.

8. Ils cessèrent de se fréquenter lorsqu'ils (*comprendre*) .... qu'ils ne partageaient pas les mêmes idées politiques.

8. Peut-on ou ne peut-on pas remplacer le passé composé par un passé simple ?

1. J'ai déjeuné, je n'ai plus faim.

2. Comme elle a changé ! Est-ce qu'elle est malade ?

3. Des voyageurs sont arrivés un soir ; ils ont dîné, se sont reposés et ils nous ont raconté des aventures extraordinaires qui nous ont tenus réveillés toute la nuit.

4. C'est l'automne ; les feuilles ont jauni et sont tombées.

• BILAN SUR LES TEMPS DU PASSÉ •

Complétez avec le verbe entre parenthèses conjugué au temps qui convient.

On était au beau milieu de l'été et pourtant le temps (*se gâter*) (1) .... depuis plusieurs jours. Sous la pluie qui (*tomber*) (2) .... sans arrêt, la grande maison de vacances (*sembler*) (3) .... attendre patiemment le moment où la lumière (*revenir*) (4) .... enfin.

Les enfants, que le mauvais temps (*empêcher*) (5) .... de sortir, (*s'efforcer*) (6) .... de trouver des distractions comme le (*faire*) (7) .... tous les enfants qui (*s'ennuyer*) (8) ....

Après avoir discuté un moment entre eux, ils (*décider*) (9) .... de monter au grenier. Ce grenier (*être*) (10) .... un lieu mystérieux et attirant. Rempli de caisses poussiéreuses qui (*s'entasser*) (11) .... les unes sur les autres, il (*être*) (12) .... pour eux comme une caverne aux trésors.

Avec des cris de joie, les enfants (*commencer*) (13) .... à ouvrir ces caisses et à en sortir toutes sortes d'objets. Soudain, du fond d'une valise, ils (*tirer*) (14) .... quelque chose d'étrange. Qu'est-ce que ce (*être*) (15) .... ?

Une poupée, un masque ? Pendant un moment, ils (*tourner*) (16) .... et (*retourner*) (17) .... l'objet, se le passant de l'un à l'autre. Ils (*ne pas se douter*) (18) .... qu'ils (*tenir*) (19) .... entre leurs mains une tête réduite qu'un de leurs ancêtres (*rapporter*) (20) .... d'Amazonie bien des années auparavant.

3.5 L'EXPRESSION DU PASSÉ (2) : les relations entre les différents temps du passé

Les relations imparfait / passé composé

1. Pour chacune de ces phrases, cochez la phrase qui a le même sens.

1. Quand je suis entré, ils étaient tous en train de manger.

    a. Ils se sont mis à manger quand je suis arrivé. ❑

    b. Ils avaient commencé à manger avant mon arrivée. ❑

2. Quand il faisait froid, ma mère nous obligeait à mettre trois pull-overs.

    a. Cette année-là, ma mère nous obligeait à mettre trois pulls à cause du froid. ❑

    b. À chaque fois qu'il faisait froid, ma mère nous obligeait à mettre trois pulls. ❑

3. Pendant qu'il faisait la cuisine, elle a lu le journal.

    a. Elle a commencé à lire le journal quand il s'est mis à faire la cuisine. ❑

    b. Elle a lu tout le journal pendant qu'il faisait la cuisine. ❑

4. Quand on a annoncé la nouvelle à la radio, j'étais chez des amis.

    a. J'ai appris la nouvelle chez mes amis. ❑

    b. Je suis allé annoncer la nouvelle à des amis. ❑

5. Le public a sifflé lorsqu'il a pris la parole.

    a. C'est parce qu'il a pris la parole que le public a sifflé. ❑

    b. Il a pris la parole pour faire taire le public. ❑

2. Imparfait ou passé composé ? Faites les modifications orthographiques nécessaires.

1. Quand Gabriel (*arriver*) .... à Paris, en 1987, la Pyramide du Louvre, la grande Arche et la Cité de la musique (*ne pas exister*) ....

2. Dans les années 60, l'influence des États-Unis (*être*) .... très forte en France, comme le (*montrer*) .... Jean-Luc Godard dans ses premiers films.

3. Hier, quand vous (*appeler*) .... , elle (*ne pas entendre*) .... parce qu'elle (*être*) .... dans le jardin.

4. Mercredi, je (*arriver*) .... en retard parce que ma voiture (*refuser*) .... de démarrer. Je (*devoir*) .... prendre un taxi.

5. Dimanche dernier, pendant que je (*lire*) .... , je (*entendre*) .... un drôle de bruit dans la salle de bains. La baignoire avait débordé ! Le voisin du dessous (*monter*) .... aussitôt.

6. À l'époque dont je vous parle, tout (*paraître*) .... plus facile pour les gens qui (*vouloir*) .... créer leur propre entreprise.

7. Cet appartement, il le (**payer**) .... 200 000 euros ;
   il (**prendre**) .... un crédit sur quinze ans.

8. Hier soir, dès qu'elle (**rentrer**) ...., elle (**se mettre**)
   .... à travailler parce qu'elle (**avoir**) ....
   un devoir à terminer pour aujourd'hui.

3. Même consigne.

Exemple : *La nuit (tomber)* **tombait** *quand le train (entrer)* **est entré** *en gare.*

1. Il (**pleuvoir**) .... , je (**prendre**) .... mon parapluie.

2. Les footballeurs parisiens (**faire**) .... match nul contre Bordeaux
   dans un stade où les spectateurs (**être**) .... très nombreux.

3. La mer (**briller**) .... sous un soleil éclatant, au loin quelques
   bateaux de pêcheurs (**danser**) .... sur les vagues. Je (**s'avancer**)
   .... vers l'eau, elle (**être**) .... glacée ;
   je (**hésiter**) .... un moment et courageusement je (**plonger**)
   .... dans une vague ; j'en (**sortir**) ....
   aussitôt en courant.

4. Il (**ouvrir**) .... son réfrigérateur et il (**se rendre compte**)
   .... qu'il (**ne rien avoir**) .... à manger.
   Il (**remettre**) .... son manteau, (**prendre**) ....
   son caddie et (**aller**) .... au supermarché qui heureusement
   ne (**fermer**) .... qu'à dix heures du soir.

5. Les voyageurs (**attendre**) .... sur le quai de la gare. Le train
   (**avoir**) .... du retard. Certaines personnes (**lire**) ....
   tranquillement un journal, les autres (**faire**) .... les cent pas, les yeux
   fixés sur les rails, d'autres (**téléphoner**) .... Enfin, au grand
   soulagement de tous, le train (**entrer**) .... en gare et les voyageurs
   (**se précipiter**) .... vers les wagons.

Les relations imparfait / passé simple

1. Imparfait ou passé simple ? Conjuguez les verbes entre parenthèses au temps convenable.

Il était une fois une jolie petite fille que l'on (**appeler**) (1) .... le Petit Chaperon
rouge car elle (**porter**) (2) .... toujours un manteau à capuchon rouge.
Un jour, sa mère lui (**demander**) (3) .... d'aller voir sa grand-mère qui (**être**)
(4) .... malade et qui (**habiter**) (5) .... de l'autre côté de la
forêt. Elle lui (**donner**) (6) .... un panier avec une galette et un petit pot
de beurre ; elle lui (**dire**) (7) .... de faire bien attention au loup qui (**vivre**)
(8) .... dans la forêt et de ne pas écouter ses discours. L'enfant (**partir**)
(9) .... gaiement. En chemin, elle (**s'arrêter**) (10) ....
plusieurs fois pour cueillir des fleurs, des fraises. Soudain, elle (**entendre**) (11) ....

une belle voix grave qui (***dire***) (12) .... : « Bonjour, mon enfant, où vas-tu ainsi, toute seule ? » Le Petit Chaperon rouge lui (***répondre***) (13) .... vivement qu'elle (***ne pas avoir***) (14) .... le droit de lui parler. Il (***soupirer***) (15) .... en disant que les parents (***être***) (16) .... vraiment injustes avec lui alors qu'il (***n'avoir***) (17) .... que de bonnes intentions. Il lui (***raconter***) (18) .... beaucoup d'histoires et il (***être***) (19) .... si amusant, qu'elle (***finir***) (20) .... par l'écouter.

Les relations passé composé / passé simple

1. Observez ce texte. Contrairement à ce qu'on dit souvent, le passé simple et le passé composé peuvent cœxister.

Onze heures <u>sonnèrent</u>, et presqu'aussitôt le reflet de la lumière <u>se mit</u> à bouger au plafond du couloir. De nouveau, je <u>me levai</u> de mon fauteuil d'un bond [...]. La lueur <u>hésita</u>, <u>s'arrêta</u> une seconde sur le seuil, où le battant de la porte ouverte me la cachait encore ; puis la silhouette <u>entra</u> et <u>fit</u> deux pas sans se tourner vers moi, le bras de nouveau élevant le flambeau devant elle sans aucun bruit. J'<u>ai</u> rarement [...] <u>attendu</u> avec une impatience et une incertitude aussi intenses – le cœur battant, la gorge nouée – quelqu'un... Julien Gracq, ***La Presqu'île***, Corti, 1970.

2. Comment peut-on expliquer le passé composé dans la dernière phrase ?

• 3.6 LA CONCORDANCE DES TEMPS •

1. Reliez les propositions entre elles.

1. La météo annonce

2. Le gouvernement constate

3. Notre voisine a promis

4. – À ton avis, quel âge a-t-elle ? – Je pense

5. Des panneaux lumineux prévenaient les automobilistes

a. que son client était innocent.

b. que je viens de me garer et que je vais partir.

c. qu'il était temps de tailler les arbres.

d. qu'on avait fermé une portion de l'autoroute.

e. qu'elle allait faire le nécessaire pour calmer son chien

6. Je vous assure, monsieur l'agent,

7. Le jardinier jugeait

8. L'avocat a prouvé

f. qu'elle doit avoir dans les cinquante ans.

g. que les routes seront verglacées.

h. que la délinquance des jeunes augmente.

2. Même consigne.

1. Le chef d'État a déclaré

a. que certaines émissions télévisées abêtissent ?

2. L'enquête a démontré

b. que vous avez fait.

3. J'estimais

c. que le gouvernement proposerait de nouvelles réformes.

4. Voyons ce

d. que j'avais eu raison de partir.

5. Elle se dit

e. que c'était toujours mieux autrefois.

6. Combien de téléspectateurs pensent

f. que vous réussirez et que vous trouverez le bonheur.

7. Les personnes âgées disent

g. qu'il valait mieux attendre et qu'elle allait trouver la solution.

8. Nous espérons

h. que l'accusé n'avait pas commis le crime.

3. Mettez les verbes entre parenthèses à la forme verbale convenable. Faites les modifications orthographiques nécessaires. (Plusieurs possibilités.)

1. Regarde le ciel, je suis sûr qu'il (*pleuvoir*) ....

2. Aujourd'hui, on constate que beaucoup de gens (*se méfier*) .... du progrès.

3. Lisez ce livre, je pense qu'il vous (*plaire*) ....

4. Mon ami m'a téléphoné de l'aéroport ; il était très énervé ; il m'a dit que son avion (*décoller*) .... à l'instant même, qu'il le (*rater*) .... et il a ajouté qu'il (*attendre*) .... sur place le prochain vol.

5. On s'est rendu compte que l'automobiliste (*conduire*) .... la plupart du temps en état d'ivresse.

6. Le chef cuisinier a juré qu'à l'avenir il (*ne plus importer*) .... de viande interdite.

7. Ils pourront revenir chez eux dès que l'entreprise (*terminer*) .... les travaux.

8. J'ai renvoyé par la poste les colis que je (*recevoir*) .... la veille.

4 Les autres modes personnels

• 4.1 LE MODE SUBJONCTIF •

1. À partir de l'infinitif, donnez la troisième personne pluriel du présent de l'indicatif puis la première personne singulier du subjonctif présent, comme dans l'exemple.

Exemple : *tenir* ⇨ *ils tiennent* ⇨ *que je tienne*

1. prendre ⇨ ....
2. sortir ⇨ ....
3. venir ⇨ ....
4. arriver ⇨ ....
5. réussir ⇨ ....

6. mettre ⇨ ....
7. lire ⇨ ....
8. choisir ⇨ ....
9. connaître ⇨ ....
10. écrire ⇨ ....

2. À partir de l'infinitif, donnez la première personne pluriel de l'imparfait de l'indicatif puis la première personne pluriel du subjonctif présent, comme dans l'exemple.

Exemple : *sortir* ⇨ *nous sortions* ⇨ *que nous sortions*

1. écrire ⇨ ....
2. lire ⇨ ....
3. tenir ⇨ ....
4. dormir ⇨ ....
5. répondre ⇨ ....

6. comprendre ⇨ ....
7. étudier ⇨ ....
8. payer ⇨ ....
9. prévenir ⇨ ....
10. vendre ⇨ ....

3. Donnez l'infinitif correspondant aux subjonctifs suivants.

Exemple : *que nous aimions* ⇨ *aimer*

1. que vous écriviez ⇨ ....
2. que tu ailles ⇨ ....
3. que tu aies ⇨ ....
4. qu'il plaise ⇨ ....

5. qu'il pleuve ⇨ ....
6. qu'il pleure ⇨ ....
7. que vous croyiez ⇨ ....
8. que vous remerciiez ⇨ ....

4. À partir de l'infinitif, indiquez la première personne singulier puis la première personne pluriel du subjonctif présent, comme dans l'exemple.

Exemple : *venir* ⇨ *que je vienne, que nous venions*

1. pouvoir ⇨ ....
2. savoir ⇨ ....
3. attendre ⇨ ....
4. faire ⇨ ....

5. payer ⇨ ....
6. vouloir ⇨ ....
7. avoir ⇨ ....
8. être ⇨ ....

5. Transformez en mettant la phrase au subjonctif, comme dans l'exemple.

Exemple : *Je dois aller chez Martin demain.* ⇨ ***Il faut que j'aille chez Martin demain.***

1. Tu dois descendre la poubelle.

....

2. Vous devez prendre le train de 11 h 10.

....

3. Nous devons faire très attention à ce que nous mangeons.

....

4. Il doit être à Lyon avant mercredi.

....

5. Tu dois mettre des gants et un bonnet, il fait froid ce matin.

....

6. Nous devons étudier l'itinéraire avant de partir.

....

7. Je dois lire ce rapport pour la réunion de demain.

....

8. Elles doivent venir, c'est très important !

....

6. Transformez ces phrases à l'impératif en phrases au subjonctif, comme dans l'exemple.

Exemple : *Expliquez-moi ce qui s'est passé.* ⇨ ***Je voudrais que vous m'expliquiez ce qui s'est passé.***

1. Étudiez bien cette leçon, ça vous sera utile pour l'examen.

....

2. Va voir qui a sonné, s'il te plaît.

....

3. Puisque tu vas faire les courses, prends-moi le journal et des timbres.

....

4. Venez passer quelques jours avec nous à la campagne.

....

5. Sortez un peu, prenez l'air, ça vous fera du bien.

....

6. Mets d'autres chaussures, celles-ci ne sont pas assez chaudes.

....

7. Écrivez-moi quand vous serez arrivé, ça me fera plaisir.

....

8. Fais-nous plaisir en faisant ce qu'on te demande.

....

7. **Même exercice avec** *il vaut mieux que..., il vaudrait mieux que..., il est préférable que..., je préférerais que..., il ne faudrait pas que...*

Exemple : *Pars plutôt demain.* ⇨ *Il vaut mieux que tu partes demain.*

1. Faisons plutôt la vaisselle ce soir.

....

2. Elle sortira à sept heures plutôt qu'à six heures.

....

3. Tenez votre enfant par la main dans les escalators.

....

4. Ne conduis pas si tu as bu de l'alcool.

....

5. Payez vos dettes tout de suite, n'attendez pas !

....

6. Étudiez un peu de solfège avant d'apprendre à jouer du piano.

....

7. Envoyez-lui un mot pour son anniversaire, ça lui fera plaisir.

....

8. Il ne sait pas la vérité. C'est mieux comme ça !

....

8. **Parmi les deux phrases proposées, laquelle est la plus proche de la phrase de départ ?**

1. Je voudrais que tu fasses attention à toi.
    a. Sois prudent.
    b. Reste attentif.

2. Je ne pense pas qu'il sache ce qu'il fait.
    a. Je ne sais pas ce qu'il fait.
    b. Il ne sait pas ce qu'il fait, selon moi.

3. Pourvu qu'il soit heureux !
    a. Il est heureux et c'est bien.
    b. Je lui souhaite d'être heureux.

4. Dommage que vous ayez dû partir !
    a. Je regrette que vous ayez été obligé de partir.
    b. Je suis désolé que vous ne vouliez pas rester.

9. Expression des sentiments. Transformez comme dans l'exemple.

Exemple : *Tu viens ? Je suis content.* ⇨ ***Je suis content que tu viennes.***

1. Il est de mauvaise humeur tous les matins. Ça m'énerve !

....

2. Dis-moi tout. J'aime mieux ça.

....

3. Tu peux l'aider à déménager ? Elle sera vraiment ravie.

....

4. Les gens sont souvent désagréables avec les employés. Tu trouves ça normal, toi ?

....

5. Il ne sait pas encore lire. Ça m'étonne un peu, il a 7 ou 8 ans !

....

6. Vous refusez cette offre extraordinaire ? Ça me surprend beaucoup.

....

7. Elle part au ski avec des amis que personne ne connaît. Sa mère n'est pas très contente.

....

8. Tu dois déjà partir ? Je suis désolé.

....

10. Transformez en utilisant l'infinitif si le sujet des deux phrases est le même
ou le subjonctif si les deux sujets sont différents.

Exemples : *Il reçoit un prix. Il est content.* ⇨ ***Il est content de recevoir un prix.***
          Il reçoit un prix. Je suis content. ⇨ ***Je suis content qu'il reçoive un prix.***

1. Nous sommes encore en retard. Nous sommes désolés.

....

2. On lui fait beaucoup de compliments. Elle est toute fière.

....

3. Il n'est pas là. Je suis étonné.

....

4. On se moque souvent d'elle. Elle est furieuse.

....

5. Il ne tient jamais ses promesses. Tout le monde est indigné.

....

6. Je ne pourrai pas venir. Je suis désolé.

....

7. Elle ne dit jamais merci. On est choqués.

....

8. Il est toujours dans la lune. Ça m'agace !

....

11. Voici vingt verbes ou locutions verbales. Entourez ceux ou celles qui sont suivi(e)s du subjonctif.

vouloir que – désirer que – savoir que – il faut que – être heureux que – être surpris que – dire que – penser que – souhaiter que – regretter que – attendre que – aimer que – demander que – douter que – ordonner que – affirmer que – avoir peur que – trouver que – raconter que – se plaindre que

12. Barrez la mauvaise forme.

1. J'espère qu'elle | pourra | | puisse | venir avec nous ce soir.

2. C'est vraiment dommage que tu | dois | | doives | partir déjà !

3. J'ai peur que nous ne | pouvons | | puissions | pas finir ce travail dans les délais imposés.

4. Il est clair que vous nous | mentez | | mentiez | .

5. C'est bien normal que je | suis | | sois | fâché contre toi, non ! ?

6. J'attendrai que le printemps | revient | | revienne | pour planter les rosiers.

7. Il faut absolument que vous | allez | | alliez | voir cette pièce, la mise en scène est superbe.

8. Je crois bien que nous nous | trompons | | trompions | de route.

13. Transformez comme dans l'exemple.

Exemple : *Je regrette qu'il vienne.* ⇨ ***Je regrette qu'il soit venu.***

1. C'est vraiment bien que tu puisses faire ça tout seul.

....

2. C'est dommage que tu n'entendes pas la fin de l'histoire.

....

3. Ne pense pas que je veuille être indiscret.

....

4. Je trouve tout à fait normal que tu descendes les poubelles. Chacun son tour !

....

5. Je ne crois pas qu'elle prenne une décision.

....

6. J'ai bien peur que tu oublies de faire ce que je t'avais demandé.

....

7. Il ne me semble pas que nous soyons impolis avec eux.

....

8. Ça m'étonne beaucoup qu'il devienne célèbre, comme ça, brusquement.

....

14. Reliez.

1. Êtes-vous vraiment certain qu'elle	a. ne nous ayez pas vus.
2. Tu es contente qu'il	b. aies été félicité par tout le monde.
3. C'est très étrange que vous	c. n'ayons pas pu venir.
4. J'ai bien peur qu'elles	d. soit déjà arrivé ?
5. C'est bien normal que tu	e. (ne) tombent malades.
6. Je regrette vraiment que nous	f. ait été reçue à l'examen ?
7. Ils ont toujours peur que leurs enfants	g. t'aie posé cette question ?
8. Tu trouves étrange que je	h. (n')aient oublié notre rendez-vous.

15. Mettez l'infinitif entre parenthèses soit à l'indicatif (passé composé), soit au subjonctif passé comme dans l'exemple.

Exemple : *C'est impossible que tu (prendre)* **aies pris** *ce train. J'étais à la gare et je ne t'ai pas vu.*

1. Il est tout à fait regrettable que vous (*décider*) .... cela sans avertir vos supérieurs hiérarchiques.

2. Il a accepté tout de suite nos propositions sans que nous (*avoir besoin*) .... d'insister.

3. Je suis très heureux qu'ils (*se marier*) .... à Bruxelles. Comme ça, j'ai pu assister à leur mariage.

4. Il est absolument évident que nous (*faire*) .... une belle sottise en achetant cette voiture !

5. Je suppose que vous (*recevoir*) .... tous les documents que nous vous avons envoyés il y a une semaine.

6. C'est vraiment triste qu'il (*être obligé*) .... de vendre sa ferme.

7. Ses parents et ses amis ne croient pas qu'il (*pouvoir*) .... commettre une chose pareille.

8. J'attendrai que les enfants (*partir*) .... pour ranger la maison.

16. Parmi les conjonctions suivantes, trois ne sont pas suivies du subjonctif. Lesquelles ?

afin que – sans que – tant que – avant que – quoique – bien que – pourvu que – jusqu'à ce que – de peur que – à moins que – à condition que – aussitôt que – pendant que – pour que

17. Terminez les phrases suivantes.

1. Tu ne sortiras pas d'ici tant que tu ....

2. Dépêchons-nous de rentrer avant qu'il ....

3. Tu peux prendre la voiture à condition que ton père ....

4. Reste tranquille pendant que je ....

5. On pourrait aller au cinéma à moins que vous ....

6. Je te répéterai la même chose jusqu'à ce que tu ....

7. Donne-moi tes dates de vacances pour que je ....

8. Il est rentré à cinq heures du matin, très discrètement, sans que personne

....

18. **Les phrases suivantes expriment-elles l'obligation (O), le souhait (So), le doute (D), la surprise (Su) ou le regret (R) ?**

1. Je suis désolé que vous n'ayez pas pu assister à notre petite fête. (......)

2. Quel dommage qu'il soit déjà parti, il était adorable. (......)

3. Bizarre, bizarre qu'on nous ait caché cela ! (......)

4. Il est indispensable que tu ailles t'inscrire à l'université avant le 15 septembre. (......)

5. J'aimerais beaucoup que tu m'écoutes, pour une fois ! (......)

6. Personnellement, je ne crois pas qu'il y ait une grève des transports la semaine prochaine. (......)

7. Tiens, c'est drôle que tu me dises ça aujourd'hui ! (......)

8. Pourvu que tout se passe comme prévu ! (......)

19. **Conjuguez les verbes entre parenthèses. Qui a envie de louer cette maison ?**

Chers amis,

Qu'est-ce qui se passe ? Pas de réponse à mon dernier courrier. Vous arrivez bien toujours le 1ᵉʳ août ? Parce que sinon... Nous, nous comptons sur vous du 1ᵉʳ au 15, comme convenu. Je vous rappelle ce que je vous disais dans ce courrier : il faut que vous (1) (être) *............................... là la veille, nous voulons vous donner les clés nous-mêmes et je compte sur vous pour ma petite liste de choses à faire. Ce serait adorable que vous (2)* (s'en charger) *............................... Je vous les rappelle : voilà, ce serait bien que vous (3)* (arroser) *............................... les plantes et (4)* (passer) *............................... la tondeuse à gazon. Il y aura des cerises et des fraises, ce serait sympa de les cueillir et que vos enfants (5)* (faire) *............................... des confitures, ça les amusera. J'attendais un colis, il n'est pas arrivé ; il faudrait que l'un de vous (6)* (aller) *............................... à la poste le chercher. Nous avons une voisine très très très aimable qui nous rend bien des services. Quand je lui ai dit que tu tricotais, elle a sauté de joie, elle voudrait que tu lui (7)* (apprendre) *............................... à faire des chaussettes. Et son mari, qui est très serviable aussi, a un problème avec son* ordinateur. *Je suis sûre qu'il acceptera que Simon (8)* (venir) .... *lui donner un coup de main.*

Bon, je crois que c'est tout. Ah ! Non ! Je vous disais aussi qu'il était possible que nous vous (9) (laisser) .... *le chat qui ne supporte pas la voiture. Si c'était le cas, il faut que vous (10)* (savoir) .... *qu'il est assez sauvage, mais, avec un peu de patience, il (11)* (s'habituer) .... *à vous.*
J'attends votre confirmation.

Je vous embrasse,
Bérengère

PS : Bien que je lui (12) (téléphoner) .... *plusieurs fois et que je (13)* (aller) .... *le voir, le réparateur n'est pas encore venu, donc la télévision ne marche plus et nous n'avons pas encore de wifi. C'est la campagne ! Mais je suis certaine qu'il fera trop beau pour que vous (14)* (rester) .... *enfermés.*
Bonnes vacances !

20. Faites une courte réponse en utilisant les verbes : *regretter - craindre - falloir - vouloir.*

....

....

....

....

....

....

....

....

....

....

....

....

• 4.2 LE MODE CONDITIONNEL •

1. Présentez les nouvelles suivantes comme des informations non confirmées. Attention aux temps.

Exemples : *Elle est malade depuis trois semaines.* ⇨ *Elle **serait** malade depuis trois semaines.*
Un avion s'est écrasé au sud du Népal. ⇨ *Un avion **se serait** écrasé au sud du Népal.*

1. Un Français sur deux croit à l'existence des extraterrestres.

....

2. Un scientifique australien a découvert un vaccin contre le Sida.

....

3. Le pouvoir d'achat des Français restera stable dans les six prochains mois.

....

4. Une loi interdisant de telles manipulations génétiques sera votée prochainement.

....

5. D'importantes découvertes archéologiques ont été faites dans le nord du Pérou.

....

6. Le paquet a été envoyé de la poste centrale de Rome le 15 avril à 13 h.

....

7. Le navigateur atteindra la Guadeloupe d'ici quatre à cinq jours.

....

8. L'accident est dû aux mauvaises conditions météorologiques.

....

2. Reformulez les phrases suivantes en utilisant le conditionnel de politesse.

Exemple : *Vous pouvez fermer la porte !* ⇨ *Vous **pourriez** fermer la porte, s'il vous plaît ?*

1. Vous avez l'heure ?

....

2. Tu peux me laisser tranquille deux minutes ?

....

3. Tu ne sais pas où j'ai mis mon téléphone portable ?

....

4. Vous ne voulez pas changer de table, s'il vous plaît ?

....

5. Tu veux bien me raccompagner chez moi ?

....

6. Tu es d'accord pour nous aider à changer nos meubles de place ?

....

7. Je peux vous interrompre une seconde ?

....

8. Je me marie en mars. Peux-tu être mon témoin ?

....

3. Donnez un conseil en utilisant le conditionnel présent, comme dans l'exemple.

Exemple : *Va le voir !* ⇨ ***Moi, à ta place, j'irais le voir. / Si j'étais toi, j'irais le voir.***

1. Prends le menu à 29,90 euros, c'est le meilleur.

....

2. Appelle le médecin, c'est idiot de rester comme ça.

....

3. Ne viens pas trop tard si tu veux qu'il y ait encore des soldes intéressants.

....

4. Adresse-toi au service des renseignements, c'est plus rapide.

....

5. Ne fais pas ça, c'est trop risqué.

....

6. Achetez cette voiture, c'est une occasion unique, je vous assure !

....

7. Coupe-toi les cheveux, ça serait mieux.

....

8. Réfléchis un peu avant de te décider.

....

4. Reliez.

1. Tu devrais arrêter de boire.	a. Il est tellement sensible !
2. J'aimerais que tu arrêtes de bouger.	b. Ou alors, c'est moi qui conduis.
3. Vous ne devriez pas lui parler aussi sévèrement.	c. Ce serait plus honnête.
4. Tu devrais lui dire ce que tu penses d'elle.	d. Deux minutes et je te libère.
5. Je voudrais bien que vous me fichiez la paix.	e. Je vous ai déjà dit non, non et non !

5. Dans les phrases suivantes, le sentiment exprimé est-il : le conseil (C), la suggestion (Su), le souhait (So), le reproche (Rep) ou le regret (Reg) ?

1. Tu n'aurais pas dû lui dire ça, il va être fâché. (......)

2. Tu n'aimerais pas qu'on se mette au tennis tous les deux ? Ça nous ferait du bien, tu ne crois pas ? (......)

3. J'aimerais beaucoup que tu puisses venir avec moi en Irlande. (......)

4. Nous aurions été vraiment heureux de vous recevoir chez nous. (......)

5. Moi, je lui écrirais tout de suite pour m'excuser mais tu es assez grand pour savoir ce que tu dois faire. (......)

6. Vous pourriez faire attention, non ! Regardez, vous avez abîmé ma voiture ! (......)

7. Je voudrais que tu écrives un mot à ton grand-père pour son anniversaire. (......)

8. On pourrait aller voir un western, qu'est-ce que tu en penses ? (......)

6. L'expression de la condition/hypothèse. Reliez.

1. Il serait guéri depuis longtemps	a. on se serait baignés.
2. Si tu te dépêchais un peu,	b. tu aurais été reçu au concours.
3. Nous serions allés le chercher	c. tu aurais su faire ton exercice.
4. Si tu avais travaillé un tout petit peu plus,	d. on arriverait juste à l'heure pour le début de la séance.
5. Je ne me serais pas perdu	e. si tu m'avais indiqué le chemin correctement.
6. S'il avait fait un peu plus chaud,	f. s'il avait suivi les conseils du médecin.
7. Si tu avais pris le temps de bien lire la consigne	g. il faudrait nous avertir à temps.
8. Si par hasard tu ne pouvais pas venir	h. s'il nous avait prévenus de son arrivée.

7. Le futur dans le passé. Concordance des temps et discours indirect. Mettez ces phrases au discours indirect comme dans l'exemple.

Exemple : « Je _serai_ absent du 12 au 18 septembre. » ⇨
Le médecin a annoncé qu'il serait absent du 12 au 18 septembre.

1. « Je reviendrai en octobre », nous a-t-il promis.

....

2. Il avait affirmé : « Dans trois mois, les travaux seront terminés. »

....

3. Elle s'écria : « Jamais je ne recommencerai une pareille aventure ! »

....

4. Je vous l'avais bien dit : « Cet homme-là ne vous apportera que des ennuis. »

....

5. Ils m'avaient dit, à cette époque-là : « Dans quelques mois, quand nous aurons un peu plus de temps, nous te ferons signe. »

....

6. Il lui avait promis : « Je te construirai un palais, tu seras comme une reine, je serai aux petits soins pour toi ! »

....

7. Ils nous ont écrit : « Nous partirons le 15 et nous vous appellerons dès que nous serons arrivés. »

....

8. « Dès que vous aurez obtenu le prêt de votre banque, on pourra signer l'acte de vente », a déclaré l'employé de l'agence immobilière.

....

•4.3 LE MODE IMPÉRATIF•

1. Remplacez les formes verbales soulignées par un impératif.

Exemple : _Vous prendrez_ ce médicament à jeun. ⇨ **Prenez** ce médicament à jeun.

– Pardon madame, je ne suis pas d'ici et j'aimerais aller à la tour Eiffel ? Je peux y aller à pied ? Est-ce que c'est très loin d'ici ?

– Non, ce n'est pas loin. Voilà, nous sommes ici près de la tour Montparnasse. (1) Vous prendrez .... donc le boulevard de Vaugirard jusqu'au boulevard Pasteur. (2) Vous descendrez .... le boulevard Pasteur vers la place Cambronne. Quand vous serez place Cambronne, (3) vous tournerez .... légèrement sur votre droite et (4) vous vous engagerez .... dans une petite rue qui s'appelle la rue du Laos. (5) Vous irez .... jusqu'au bout de la rue, ensuite (6) vous traverserez .... l'avenue de la Motte-Picquet et (7) vous entrerez .... dans les jardins du Champ-de-Mars. (8) Vous regarderez .... droit devant vous et vous verrez la Tour. Vous ne pouvez pas la manquer.

2. Remplacez tous les infinitifs par des impératifs en faisant les transformations nécessaires.
Le maître à l'enfant :
Conseils d'un maître à son élève, pour apprendre une poésie.
– Paul, (1) faire attention ...., (2) ne pas être .... distrait, (3) prendre .... ton livre et (4) l'ouvrir .... à la bonne page ; ensuite (5) lire .... la poésie à voix basse, (6) la lire .... plusieurs fois, puis (7) la copier .... sur le cahier de poésies ; (8) ne pas écouter .... ton voisin, (9) ne pas lui parler ...., (10) ne pas le regarder .... et (11) essayer .... de réciter la poésie, à voix basse.

3. Remplacez les formes verbales soulignées par un impératif.
Le président de l'assemblée aux députés
« S'il vous plaît, mesdames, messieurs, un peu de silence. (1) Nous reprendrons .... l'étude de la question laissée en suspens la semaine dernière. Non, non, (2) vous ne devez pas protester .... (3) Nous commencerons .... par ce point, et (4) nous examinerons .... ensuite les autres questions mises à l'ordre du jour.

Messieurs les députés, (5) <u>vous essaierez</u> .... de donner l'image d'une Assemblée responsable et disciplinée. (6) <u>Vous n'oublierez pas</u> .... que le pays vous regarde et vous juge. (7) <u>Vous ferez attention</u> .... à bien respecter l'ordre de passage de chacun et chacune. (8) Et <u>vous éviterez</u> .... de vous interrompre les uns les autres. Cette séance est importante. (9) <u>Nous devrons procéder</u> .... avec ordre. (10) <u>Vous ne devez pas vous inquiéter</u>, ... il y aura une suspension de séance à midi. »

4. **Donnez les différentes valeurs de l'impératif : dites s'il exprime l'ordre, le souhait, la prière, le conseil, la politesse, la condition, l'opposition, une maxime.**

Exemple : *<u>Levez-vous !</u> (ordre)*

1. <u>Soyez</u> indulgent, monsieur le juge ! ....

2. <u>Mange</u> tes épinards et tu auras droit à un délicieux dessert ! ....

3. <u>Fais</u> tous les caprices que tu veux, je n'achèterai pas le DVD de ce film violent. ....

4. <u>Fais</u> de beaux rêves ! ....

5. <u>Veuillez</u> vous asseoir ! ....

6. <u>Tiens-toi</u> tranquille, ne bouge pas tout le temps ! ....

7. <u>Ne réveillez pas</u> l'eau qui dort. ....

8. <u>Soyez</u> prudentes ! ....

4.4 LES SEMI-AUXILIAIRES MODAUX :
devoir, pouvoir, vouloir, savoir

1. *Devoir,* verbe exprimant l'obligation. Transformez comme dans l'exemple.

Exemple : *Je dois partir.* ⇨ **Il faut que je parte.**

1. Vous devez prendre un ticket à la caisse.

....

2. Je dois payer le téléphone avant la fin de la semaine.

....

3. Tu dois toujours avoir un peu d'argent sur toi en cas de problème.

....

4. Elle doit être à la gare dix minutes avant le départ du train.

....

5. Chacun doit tenir ses promesses.

....

6. Nous devons étudier cette leçon pour lundi.

....

7. On doit absolument faire des économies !

....

8. Ils doivent aller à Dijon mercredi prochain.

....

2. Ordonnez ces quatre phrases de la plus injonctive (ordre très autoritaire) à la moins injonctive (suggestion).

1. Tu devrais vraiment faire un peu plus attention aux autres. (.....)

2. Tu dois faire tes devoirs avant d'aller jouer. (.....)

3. Tu dois obéir, un point, c'est tout ! (.....)

4. Tu devrais peut-être aller voir un médecin ou passer à la pharmacie... (.....)

3. *Devoir,* verbe exprimant la possibilité, la probabilité. Transformez comme dans l'exemple. Attention à la phrase 4.

Exemple : *Il n'est pas venu en cours ce matin. Il est peut-être malade.* ⇨ **Il doit être malade.**

1. Il n'est toujours pas là ? Il a probablement raté son train.

....

2. Tu es brûlant ! Tu as certainement de la fièvre.

....

3. Impossible de trouver mon écharpe. Il se peut que je l'aie oubliée dans le bus.

....

4. Je lui ai envoyé mon dossier hier. Il l'aura sans doute demain.

....

5. Il ne t'a pas dit bonjour ? Il était sans doute dans la lune, ça lui arrive souvent.

....

6. Tu crois que j'ai déjà payé cette facture ? C'est bien possible, tu as sans doute raison.

....

7. Il est encore très beau. Il était certainement superbe à vingt ans.

....

8. La concierge n'est pas là ? Elle est probablement dans les escaliers.

....

4. **Dans les phrases suivantes, le verbe *devoir* a-t-il une valeur d'obligation (O) ou de probabilité (P).**

1. Tu dois te dépêcher si tu veux attraper le train de 11 h 10. (....)

2. Vous devez faire la queue comme tout le monde, madame. (....)

3. Quand le crime a été commis, il devait être environ sept heures trente. (....)

4. J'ai dû intervenir pour séparer deux élèves qui se battaient. (....)

5. On est perdus ! On a dû se tromper de chemin. (....)

6. Selon la météo, il devrait faire moins froid dimanche. (....)

7. Quand il a vu tous ses cadeaux, il a dû être vraiment content. (....)

8. Tu devras faire bien attention à tout ce que tu diras. (....)

5. **Le verbe *pouvoir* a des sens différents suivant le contexte. Dans quelles phrases exprime-t-il l'approximation, la capacité (ou l'incapacité) physique ou mentale, le doute, la permission, la politesse, la possibilité ?**

1. À sept ans, un enfant peut lire des histoires simples. ....

2. Tu peux sortir ce soir, mais pas au-delà de minuit. ....

3. Il est handicapé, il ne peut plus rester seul chez lui. ....

4. Toi, tu peux garder un secret ? ....

5. Vous pouvez garder la monnaie. ....

6. Même un TGV peut avoir du retard. ....

7. Tu peux l'aider, s'il te plaît ? ....

8. La femme qui nous servait pouvait avoir une soixantaine d'années environ. ....

6. Laquelle de ces deux phrases, a. ou b., a le même sens que la phrase de départ ?

1. Vous pouvez partir avec Air France ou avec Alitalia, les deux compagnies vont à Moscou.
   a. Il vous est possible de choisir entre Air France ou Alitalia, les deux compagnies vont à Moscou.
   b. Vous partirez probablement avec Air France ou Alitalia, les deux compagnies vont à Moscou.

2. Vous n'auriez pas dû faire ça.
   a. Comment avez-vous réussi à faire ça ?
   b. Comment avez-vous pu agir ainsi ?

3. Attention, ça peut très bien nous arriver un jour ou l'autre.
   a. Il arrivera certainement un jour ou l'autre chez vous.
   b. Ça risque de nous arriver un jour.

4. Je sais bien que tu as fait tout ce que tu pouvais.
   a. Je sais bien que, si tu l'avais voulu, tu l'aurais fait.
   b. Je sais bien que tu as fait ton maximum.

5. Qu'est-ce qui s'est passé ? Mystère ! Personne n'a pu le dire.
   a. Personne, probablement, n'a dit ce qui s'est passé.
   b. Personne n'a été capable de dire ce qui s'est passé.

6. J'ai vu et revu ce film sans jamais pouvoir me souvenir du titre.
   a. Je suis incapable de me souvenir du titre de ce film.
   b. Je ne garde aucun souvenir de ce film.

7. *Savoir / connaître*. Complétez avec les verbes *savoir* ou *connaître* que vous conjuguerez au temps et au mode qui conviennent.

1. Vous .... mes amis Gonzalez ?

2. Vous .... la septième symphonie de Beethoven ?

3. Est-ce que vous .... comment aller de Paris à Reims sans prendre l'autoroute ?

4. Tu .... ce qui m'est arrivé hier ?

5. Je suis sûr que vous .... comment vous débrouiller.

6. Je .... mon ami Franck depuis dix-sept ans.

7. Demain, je .... la nouvelle petite amie de mon fils. Ils viennent dîner à la maison.

8. Personne ne .... qui a téléphoné ce soir-là.

8. *Je veux / je veux bien / je voudrais / je voudrais bien*. Dans les phrases suivantes, employez la forme qui convient le mieux.

1. Excusez-moi, je .... un tout petit renseignement.

2. Je .... t'aider mais vraiment, en ce moment, c'est impossible !

3. Aujourd'hui impossible mais demain, je .... t'aider. J'ai du temps après les cours.

4. Je .... que tu obéisses et tout de suite !

5. Je .... un kilo de pommes et une livre de fraises, s'il vous plaît.

6. Je .... revoir ce film. Tu crois qu'il va repasser un jour ?

7. Écoute, je .... être gentille mais il ne faut pas exagérer !

8. Je .... que tu finisses ton assiette. Pas de discussion !

9. Parmi les verbes des huit phrases suivantes, lesquels pourrait-on
   remplacer par : *avoir l'impression que* ?

1. <u>Je sais bien qu'</u>il y a des choses un peu bizarres dans cette affaire. ❑

2. <u>Je crois que</u> tu t'es trompé sur son compte. En réalité, il est plutôt sympathique. ❑

3. <u>Il me semble qu'</u>il a beaucoup changé depuis quelques mois. ❑

4. <u>Il paraît qu'</u>il va faire un froid de canard demain. ❑

5. <u>J'ai entendu qu'</u>on disait des horreurs sur son compte, mais est-ce vrai ? ❑

6. <u>Il a semblé que</u> les témoins étaient moins affirmatifs que lors de la
   première audience. ❑

7. <u>On dirait qu'</u>ils sont fâchés, ils ont évité de se saluer et ne se sont pas
   regardés une seule fois. ❑

8. <u>Il est question que</u> le fils de Sabine parte travailler en Australie
   l'année prochaine. ❑

5 Les modes impersonnels

• 5.1 LE MODE INFINITIF •

1. Répondez en utilisant un infinitif (présent ou passé, actif ou passif)
   comme dans l'exemple.

   Exemple : – *Tu as compris ? – Oui, je pense **avoir compris**.*

   1. – Il vous a salué en partant ? – Non, il est parti ....

   2. – On t'a informé du projet Alpha 3 ? – Non, j'aurais bien aimé ....

   3. – Patrice Trenner a rendu ses livres ? – Oui, il affirme .... il y a deux semaines.

   4. – Vous prenez les enfants pendant les vacances ? – Oui, nous pensons ....
      en juillet quand leurs parents travaillent encore.

   5. – Tu es sûre qu'elle était invitée ? – Pas du tout, elle est venue ....

   6. – Qu'est-ce qu'il a trouvé comme excuse ? Son travail ? – Oui, il a prétendu ....

2. Mettez l'infinitif à la forme négative.

Exemple : *Je préférerais avoir affaire à lui.* ⇨ *Je préférerais **ne pas avoir** affaire à lui.*

1. Le skieur blessé pense pouvoir reprendre la compétition l'année prochaine.

....

2. Il certifie avoir changé.

....

3. Je souhaiterais répéter mes explications.

....

4. Je suis sûre de lui avoir donné mon numéro de téléphone.

....

5. Il conviendrait de temps en temps de se laisser aller à la paresse.

....

6. Le député dit avoir reçu de l'argent en échange d'un service.

....

7. Regarde le critique ; il semble apprécier la pièce.

....

8. On m'a conseillé de me faire couper les cheveux.

....

3. Remplacez l'expression soulignée par une proposition infinitive. Attention à la phrase 7.

Exemple : *Je regarde la pluie qui tombe.*
⇨ *Je regarde **tomber la pluie*** ou ⇨ *Je regarde **la pluie tomber**.*

1. Je vois le métro qui arrive.

....

2. Cette nuit, j'ai entendu le vent qui soufflait.

....

3. Je regarde les acteurs qui répètent.

....

4. J'écoute à la radio des musiciens qui jouent.

....

5. Je sens les premières gouttes de pluie qui tombent.

....

6. Je vois avec inquiétude que la date de l'examen approche.

....

7. Il y a quelques années, j'ai entendu cet historien qui présentait ses dernières recherches.

....

8. Nous voyons que le monde change.

....

4. Même consigne : mais attention, il y a un COD dans la deuxième proposition.

Exemple : *Je regarde les <u>enfants qui lancent un ballon</u>.*
⇨ *Je regarde **les enfants lancer un ballon**.*

1. J'ai vu le vent qui soulevait la poussière.

....

2. Dans le métro, j'ai entendu un violoniste qui jouait une ***Partita*** de Bach.

....

3. À marée haute, on voit la mer qui recouvre le sable jusqu'aux cabines.

....

4. Il y a quelques années, j'ai entendu cet écrivain qui faisait une conférence sur une de ses œuvres.

....

5. J'ai senti que quelqu'un me touchait l'épaule.

....

6. Vous avez vu que le public applaudissait à tout rompre le candidat du jeu télévisé ?

....

7. Les parents ont entendu que leur fils ouvrait la porte d'entrée tout doucement.

....

8. J'ai entendu à la radio Del Potro qui, à Buenos Aires, remerciait chaleureusement son public.

....

5. a. Remplacez les noms soulignés par un infinitif. Faites les transformations nécessaires.

1. Ils partirent à la découverte d'autres îles, d'autres mers.

....

2. Elle travaille pour une amélioration de sa vie ordinaire.

....

3. Nous sortirons après le dîner.

....

4. Le mensonge est inadmissible, disent les moralistes.

....

5. Nous désirons tous le bonheur.

....

6. Il a commencé la rédaction de son roman pendant l'été 2012.

....

7. On dit que les adolescents d'aujourd'hui n'aiment plus la lecture.

....

8. Ils préfèrent les jeux sur leurs iPhones.

....

b. Remplacez la proposition soulignée par un infinitif.

1. Elle a couru en entendant son enfant qui pleurait.

....

2. Avec le temps, nous voyons que tous nos amis s'éloignent de nous.

....

3. Elle aime écouter la pluie qui tombe.

....

4. Toute la journée, les voisins mécontents entendaient le sculpteur qui travaillait sur un bloc de marbre.

....

5. J'adore regarder les chevaux qui courent librement, sans cavaliers.

....

6. L'homme politique sentait que sa popularité faiblissait.

....

7. Nous sommes vite rentrées en voyant que le ciel se couvrait de gros nuages noirs.

....

8. À l'atelier des Lumières, dans une demi obscurité, les visiteurs étonnés regardaient des formes colorées qui glissaient sur les murs, qui s'étalaient sur le sol et qui se transformaient en magnifiques tableaux.

....

• 5.2 LE MODE PARTICIPE •

Le participe présent

1. Mettez l'infinitif au participe présent.

Exemple : *(Vouloir)* **Voulant** *partir en vacances l'esprit tranquille, il a acheté ses billets à l'avance.*

1. Il a démissionné, (*savoir*) .... que ce poste ne lui convenait pas, (*être*) .... sûr qu'il trouverait mieux ailleurs.

2. Quand cet écrivain écrit un roman, il oublie tout, (*négliger*) .... femme, enfants, parents, amis.

3. Je revois encore Renoir (*peindre*) .... , un pinceau attaché à sa main. C'était dans un film qui montrait le peintre (*souffrir*) .... de rhumatismes aigus.

4. Elle marchait dans la rue, (*réfléchir*) .... aux événements de la journée.

5. Les péniches, (*avancer*) .... lentement mais sûrement, descendaient la Seine, lourdes de tout leur chargement.

6. Les enfants jouaient dans le jardin, (*courir*) .... , (*crier*) .... , (*se cacher*) .... , (*se poursuivre*) ....

7. Le malade, qui se levait pour la première fois depuis des semaines, a fait quelques pas dans la chambre puis, (*s'asseoir*) .... dans un fauteuil, il a repris son souffle.

8. Parmi tous les livres (*constituer*) .... votre bibliothèque, combien vous ont profondément influencé et définitivement changé ?

2. Même consigne : attention à la forme négative.

Exemple : *(Ne pas vouloir)* **Ne voulant pas l'inquiéter,** *je n'ai pas dit à mon amie qu'on avait été cambriolés*

1. (*Ne pas bien voir*) .... la scène, à l'entracte, j'ai changé de place.

2. (*Ne pas aimer*) .... les jeux de cartes et (*ne rien comprendre*) .... aux règles du bridge, elle a préféré regarder plutôt que de jouer.

3. Elle aimait rester chez elle, (*ne aller*) .... nulle part, ni au cinéma, ni au théâtre, ni au restaurant, (*lire*) .... ou (*écouter*) .... ses CD.

4. (*Ne jamais dire*) .... de mal de personne, il était respecté de tous.

5. (*Ne plus s'entendre*) .... avec son mari, elle a préféré divorcer.

6. Les deux chefs d'entreprise, (*ne plus avoir*) .... d'autres affaires à traiter, se sont levés et se sont serré la main.

7. L'orateur poursuivait son discours encore et encore, (*ne pas conclure*) .... , au grand ennui des auditeurs.

8. (*Ne pas connaître*) .... la ville, elle avait besoin d'un plan.

Le gérondif

1. **Remplacez l'expression soulignée par un gérondif (gérondif = *en* + participe présent. Le gérondif indique une action qui se passe exactement en même temps que celle de la proposition principale).**

Exemple : *On enseignait autrefois aux enfants qu'ils ne devaient pas parler <u>pendant qu'ils mangeaient</u>.* ⇨ *On enseignait autrefois aux enfants qu'ils ne devaient pas parler* **en mangeant.**

1. Il aimait toujours réfléchir <u>et marcher</u>.

....

2. Il a quitté le restaurant <u>et il a oublié</u> son sac sur la banquette.

....

3. <u>Pendant qu'elle bricolait</u>, elle écoutait de la musique.

....

4. Elle s'est cassé la jambe <u>quand elle a fait</u> une chute à skis.

....

5. <u>Si nous avions écouté</u> plus attentivement, nous aurions compris la démonstration du professeur.

....

6. <u>Alors qu'elle descendait</u> l'escalier à toute allure, elle a bousculé et fait tomber son voisin qui, lui, montait.

....

7. « <u>Si tu t'appliques</u> mieux, tu réussiras, c'est sûr », répète-t-on à chaque collégien.

....

8. Elle a quitté la salle de réunion, <u>parce qu'elle a vu</u> entrer des gens qu'elle ne voulait pas rencontrer.

....

2. Le gérondif peut exprimer la manière, la cause, le temps, la condition… Répondez aux questions posées en utilisant le verbe ou les verbes entre parenthèses et en les complétant si nécessaire.

Exemple : *Comment fait-on la crème Chantilly ? (battre) et (ajouter)*
⇨ ***En battant** de la crème fraîche et **en y ajoutant** du sucre.*

1. Comment vous informez-vous ? (***lire***), (***écouter***), (***regarder***)

....

2. Quand buvez-vous votre tisane calmante ? (***se mettre au lit***)

....

3. Pourquoi ce jeune homme a-t-il sauté de joie ? (***apprendre***)

....

4. Comment peut-on maigrir ? (***manger***)

....

5. Quand avez-vous constaté ce vol ? (***vérifier les comptes***)

....

6. Quand ferme-t-on sa porte à double tour ? (***sortir***)

....

7. Comment la police a-t-elle retrouvé le criminel ? (***enquêter***), (***interroger***)

....

8. Quand a-t-il appelé le médecin ? (*constater*)

....

3. Mettez les expressions soulignées à la forme négative.

Exemples : A. *Il a quitté la ville <u>en laissant</u> son adresse à ses amis.*
    ⇨ *Il a quitté la ville **sans laisser** son adresse à ses amis.*
    (Il a laissé son adresse à ses amis et il a quitté la ville : le gérondif marque la simultanéité.)

    B. *Je ferais une bêtise <u>en t'écoutant</u>.* ⇨ *Je ferais une bêtise **en ne t'écoutant pas**.*
    (Je ferais une bêtise si je ne t'écoutais pas : le gérondif marque la condition ; il peut marquer aussi le temps, l'opposition)

A.

1. J'ai traversé le boulevard <u>en regardant à droite et à gauche</u>.

....

2. Tu as répondu <u>en hésitant</u>.

....

3. Il s'est enrhumé <u>en sortant de chez lui</u>.

....

4. Le voleur a mis la main dans le sac de la femme <u>en se cachant</u>.

....

5. Nous sommes arrivés à l'heure <u>en nous pressant</u>.

....

6. Il a réussi <u>en travaillant</u> dur.

....

7. Pour une fois, il s'est endormi <u>en laissant</u> sa veilleuse allumée !

....

8. L'automobiliste a pu prendre ce virage <u>en ralentissant</u>.

....

B.

1. J'ai quitté le lieu du rendez-vous <u>en te voyant</u> arriver.

....

2. Tu me rendrais service <u>en venant</u> demain.

....

3. Attention ! Tu vas encore perdre cette partie d'échecs <u>en déplaçant</u> tes pions comme ça !

....

4. J'ai vexé mon ami <u>en répondant</u> à sa lettre.

....

5. Est-ce qu'on vous gênerait en partant tout de suite ?

....

6. Que ressent une actrice en obtenant le rôle dont elle a rêvé toute sa vie ?

....

7. S'il te plaît, tu nous ferais plaisir en racontant cette histoire de fantômes.

....

8. Ici, à la campagne vous seriez plus à l'aise en portant ces chaussures.

....

4. Participe présent ou gérondif ? Soulignez la bonne réponse.

Exemple : *C'est jouant / en jouant au ballon qu'il s'est blessé à la jambe.*

1. Les deux jeunes gens ont appris à se connaître *pratiquant / en pratiquant* le même sport.

2. Les travaux de la voirie *se poursuivant / en se poursuivant*, les bus sont obligés de modifier leur itinéraire.

3. Ce n'est pas *répétant / en répétant* mille fois la même chose que tu nous convaincras !

4. *Jugeant / En jugeant* qu'il était victime d'une injustice, il demanda la révision de son procès.

5. *Sentant / En sentant* sa fin prochaine, le vieil homme fit venir ses enfants.

6. Nous nous sommes trompés *prenant / en prenant* cette direction. Il faut faire demi-tour.

7. *Réfléchissant / En réfléchissant* un peu, tu trouverais la solution tout seul.

8. Il s'est cassé la voix, *hurlant / en hurlant* pendant tout le match.

5. Remplacez les expressions soulignées par des gérondifs ou des participes présents.

Il y a quelques jours, (1) alors que je revenais .... du marché, j'ai aperçu un chien sur le trottoir. Il était très maigre, il lui manquait une patte, il allait et venait, (2) il semblait .... chercher quelque chose à manger dans le caniveau. Je me suis arrêtée et (3) comme je ne savais .... pas quoi faire, j'ai regardé un long moment ce malheureux chien (4) qui sautillait .... comme il pouvait. Puis, je me suis dit qu'il fallait appeler la SPA. Mais, (5) je me suis rendu compte .... que j'avais oublié mon portable, je me suis décidée à entrer dans une boutique toute proche. La vendeuse, sans doute la patronne, est venue vers moi ; (6) elle a souri ...., elle m'a demandé ce que je voulais. Je lui ai expliqué qu'il y avait un chien perdu et affamé sur le trottoir et qu'il fallait appeler la SPA. Elle a regardé dehors et (7) quand elle a découvert .... le chien, elle s'est mise en colère. Et (8) en même temps qu'elle me poussait vers la porte, ... elle m'a crié que ce chien lui appartenait, qu'il n'était pas perdu mais seulement très vieux et que je ferais bien de m'occuper de mes affaires. (9) Alors que je sortais .... de la boutique, je me suis dit qu'elle avait bien raison et que (10) si j'avais réfléchi .... un peu plus, j'aurais évité cette situation désagréable.

La proposition participe

1. Dites si la proposition participe exprime le temps, la cause, la condition, l'hypothèse ou l'opposition. (Remarquez les deux sujets différents : « le temps » et « ils... » dans l'exemple).

Exemple : _**Le temps** s'étant remis au beau_, **ils** ont pu aller pique-niquer en forêt. _(cause)_

1. La soirée se prolongeant, elle a préféré rentrer chez elle. (............)

2. Le chômage augmentant, le gouvernement se verrait obligé de prendre des mesures très rigoureuses. (............)

3. Ses devoirs terminés, il allume la télévision. (............)

4. L'incendie ayant gagné les derniers étages, les pompiers ont dû déployer la grande échelle. (............)

5. La vaisselle lavée et rangée, la jeune femme pourra enfin se reposer. (............)

6. Le métro étant en grève, il s'est quand même rendu à son travail. (............)

7. Son premier film ayant remporté un grand succès, le metteur en scène n'a eu aucun mal à trouver de l'argent pour tourner le second. (............)

8. Son premier film ayant remporté un grand succès, le metteur en scène n'aurait eu aucun mal à trouver de l'argent pour tourner le second. (............)

2. Remplacez la proposition subordonnée soulignée par une proposition participe.

Exemples : _Comme le brouillard se levait_, on a pu enfin apercevoir le sommet du Mont-Blanc.
⇨ _**Le brouillard se levant**_, on a pu enfin apercevoir le sommet du Mont-Blanc.
Quand elle eut terminé son discours, elle quitta la salle.
⇨ _**Son discours terminé**_, elle quitta la salle.

1. Alors que l'hymne national retentissait, tout le monde se leva.

....

2. Quand vous aurez complété ce dossier, vous êtes prié de le renvoyer à l'adresse indiquée.

....

3. Lorsqu'il s'aperçut de son erreur, il s'excusa aussitôt.

....

4. Cette machine est provisoirement indisponible ; nous nous excusons pour ce dérangement.

....

5. Dès que la situation sera redevenue normale, vous serez averti par SMS.

....

6. Quand les derniers résultats nous seront parvenus, nous les afficherons dans le hall central.

....

7. Comme le prévenu refusait de répondre et se murait sans son silence, la séance fut levée.

....

8. Dès que le marché fut conclu, chacun retourna à ses affaires.

....

IV. LES MOTS INVARIABLES

1 Les prépositions

1. Reliez chaque personne à la caractéristique qui lui convient.

1. La chanteuse   a. au maillot jaune.

2. Le jockey   b. à l'écharpe tricolore.

3. La vieille dame   c. à la toque blanche.

4. Le clown   d. à la voix d'or.

5. La maire   e. aux chats.

6. Le cuisinier   f. aux piercings sur le visage.

7. Le cycliste   g. au nez rouge.

8. Les punks   h. à la casaque verte.

2. Complétez ces phrases par la préposition *à* ou *de*.

1. Pour son anniversaire, on lui a offert des couverts .... poisson en inox.

2. Prendrez-vous une tasse .... café ou une tasse .... thé après le repas ?

3. Cette robe .... volants est bien démodée.

4. Ce n'est pas ton étui .... lunettes, c'est celui de Lise !

5. Un ou deux verres .... vin rouge par jour, c'est bon pour la santé, paraît-il !

6. La glace a fondu avant que nous ayons eu le temps de chausser nos patins .... glace.

7. Il n'est pas difficile de se fabriquer des vêtements quand on a une machine .... coudre.

8. Vous trouverez toutes les bouteilles .... vin que vous voulez dans la cave .... vins, sous la maison.

3. Choisissez la bonne préposition.

1. Il est rare [de] [à] voir des cigognes en Alsace en cette saison.

2. Le parc des Cévennes est agréable [de] [à] visiter au printemps.

3. Il est agréable [de] [à] visiter le parc des Cévennes au printemps.

4. Ce n'est pas obligatoire [de] [à] savoir conduire pour faire ce travail.

5. Il est utile [de] [à] connaître plusieurs langues aujourd'hui.

6. C'est une information utile [de] [à] savoir avant de voyager dans ce pays.

7. Voilà un gâteau facile [de] [à] faire pour les enfants.

8. Il n'est pas facile [de] [à] réussir ce gâteau du premier coup.

4. Même consigne.

1. Quand irez-vous $\boxed{\text{de}}\ \boxed{\text{à}}$ Marseille ?

2. À quelle heure vas-tu $\boxed{\text{de}}\ \boxed{\text{à}}$ la bibliothèque ?

3. Qui est resté $\boxed{\text{de}}\ \boxed{\text{à}}$ la maison aujourd'hui ?

4. L'avion qui vient de se poser à Roissy arrive $\boxed{\text{de}}\ \boxed{\text{à}}$ Montréal.

5. Dans combien de temps retournerez-vous $\boxed{\text{de}}\ \boxed{\text{à}}$ Oslo voir vos amis ?

6. Les enfants reviennent $\boxed{\text{de}}\ \boxed{\text{à}}$ l'école à 11 h 30 pour déjeuner à la maison.

7. Ils retournent $\boxed{\text{de}}\ \boxed{\text{à}}$ l'école à 13 h 30 pour les activités de l'après-midi.

8. En tout, ils restent $\boxed{\text{de}}\ \boxed{\text{à}}$ l'école six heures par jour.

5. Complétez par les prépositions *à* ou *en*. Attention à la contraction avec l'article.

Nous ne sommes jamais retournés (1) .... Italie car toute notre famille vit aujourd'hui (2) .... Brésil. Comme nous avons seulement des vacances (3) .... été, nous préférons aller à la montagne où le climat est plus tempéré. Si un jour, nous avons des congés (4) .... hiver ou (5) .... automne, nous envisagerons de faire le voyage jusqu'à Naples. Nous aimerions aussi aller (6) .... Portugal puisque maintenant, nous parlons le portugais. Peut-être (7) .... printemps prochain, si nous pouvons avancer la date de nos vacances. Il paraît qu'(8) .... mai, toutes les maisons sont fleuries.

6. Barrez la mauvaise réponse. Attention à la contraction avec l'article.

1. N'oublie pas de passer $\boxed{\text{chez}}\ \boxed{\text{à}}$ le boulanger après ton travail.

2. J'ai rendez-vous $\boxed{\text{chez}}\ \boxed{\text{à}}$ le médecin à 17 heures.

3. Où peut-on trouver des journaux étrangers à Paris ? $\boxed{\text{Chez}}\ \boxed{\text{À}}$ la gare St-Lazare.

4. $\boxed{\text{Chez}}\ \boxed{\text{À}}$ qui habitez-vous en province ?

5. Zut ! J'ai laissé mes affaires de sport $\boxed{\text{chez}}\ \boxed{\text{à}}$ moi !

6. Nous allons $\boxed{\text{chez}}\ \boxed{\text{à}}$ le restaurant tous les dimanches, $\boxed{\text{chez}}\ \boxed{\text{à}}$ Jean-Guy, le cuisinier basque de la rue Volta.

7. – Avant d'aller $\boxed{\text{chez}}\ \boxed{\text{à}}$ la poste, peux-tu porter mes affaires $\boxed{\text{chez}}\ \boxed{\text{à}}$ le teinturier ?
   – Tu veux dire $\boxed{\text{chez}}\ \boxed{\text{à}}$ le pressing du carrefour ? – Oui, c'est cela.

8. Ma copine est convoquée $\boxed{\text{chez}}\ \boxed{\text{à}}$ la directrice ; j'espère qu'elle n'a rien fait de grave.

7. Complétez les phrases suivantes avec la préposition *à*, *dans* ou *en*.

1. Vous êtes venus .... voiture ou .... train ?

2. Dès qu'il fait beau, je vais au travail .... bicyclette.

3. Il a peur .... avion, c'est pourquoi il ne prend jamais de vacances .... un pays lointain.

4. Moi j'habite .... le centre-ville mais la plupart de mes amis habitent .... banlieue.

5. .... France, il n'y a presque plus de police .... cheval, mais elle existe encore .... les pays anglo-saxons.

6. Nous allons .... Irlande cet automne. On trouve .... ce pays beaucoup de coins superbes.

7. .... Paris, ... le quartier Montparnasse, vous trouverez de nombreux cinémas.

8. Elle a oublié son parapluie .... ma voiture. Or, il pleut à verse et elle doit rentrer chez elle .... pied !

8. Choisissez entre *en* et *dans*, pour exprimer le temps.

1. Il est presque minuit, ... une minute, la nouvelle année commence !

2. Patientez quelques instants, le musée ouvre ses portes .... cinq minutes.

3. Vous avez fait toute la vaisselle .... un quart d'heure, vous êtes rapide !

4. .... un mois, ils seront de retour, ne pleurez pas !

5. Avec le TGV, on fait le voyage Paris-Montpellier .... un peu plus de trois heures.

6. Avec les réformes prévues, il risque d'y avoir de grandes manifestations .... les mois à venir.

7. Soyez à la maison .... une heure, je vous attends pour préparer les gâteaux d'anniversaire.

8. .... combien de temps a-t-il parcouru les 100 mètres ? .... 10 secondes ! C'est un champion !

9. Choisissez entre *en*, *dans* et *pour*, pour exprimer le temps.

– Tu pars (1) .... trois jours seulement ?

– Oui, je pars demain matin, vendredi, et je serai de retour lundi matin.

– Ce sera suffisant pour visiter toutes les maisons que tu as repérées ?

– Je l'espère ; je prends un TGV direct qui fait le trajet (2) .... deux heures et demie et qui part très tôt le matin. Je serai sur place de bonne heure. On peut faire beaucoup de choses (3) .... peu de temps lorsqu'on est bien organisé.

– Si tu ne trouves pas tout de suite ce que tu veux, tu seras obligé d'y retourner ?

– Oui, c'est possible, (4) .... un mois, si je peux m'absenter un autre vendredi.

– Et (5) .... combien de jours cette fois-là ?

– Je ne sais pas encore. Je vais voir ce que je peux faire (6) .... un week-end. Si c'est vraiment trop court, je repartirai un peu plus tard, (7) .... une semaine complète. Il faut absolument que je trouve avant que toute ma famille arrive.

– Elle arrive quand ?

– (8) .... trois mois.

10. Reliez les deux parties de la phrase qui vont ensemble.

1. Elle a rangé son foulard   a. sur la table de la cuisine.

2. Il a mis les poubelles   b. dans la classe.

3. Les élèves sont entrés   c. dans le frigidaire, s'il te plaît ?

4. J'aime marcher seule   d. sur le trottoir.

5. J'ai laissé les courses   e. dans l'escalier.

6. Tu pourras ranger les courses   f. sur le quai.

7. Sur l'affiche, il est écrit : La concierge est   g. dans un tiroir de la commode.

8. Mon train arrive à 7 h, attendez-moi   h. sur la plage.

11. Voici la carte de l'Europe et l'itinéraire suivi par Yao-Su, étudiant chinois, entre le 15 mai et le 30 juin. Le point 1 est son point de départ, le point 8, son point d'arrivée. Résumez son voyage en quelques phrases, en utilisant des verbes comme : *partir, arriver, passer, traverser, séjourner, s'arrêter,* etc.

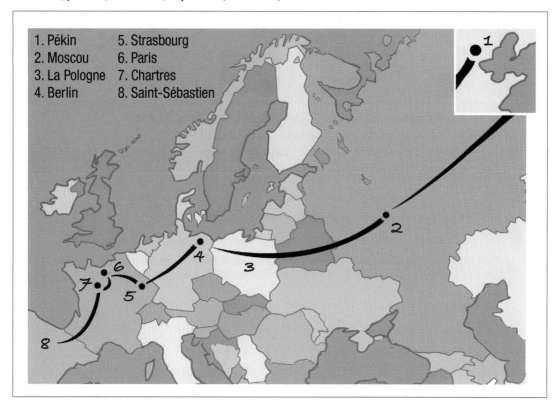

1. Pékin   5. Strasbourg
2. Moscou   6. Paris
3. La Pologne   7. Chartres
4. Berlin   8. Saint-Sébastien

Yao-Su est parti ....

....

....

....

....

12. Trouvez la préposition qui correspond au dessin.

1. Elle s'est allongée .... la plage pour lire.

2. L'enfant s'est allongé .... la table pour jouer.

3. La mère a allongé son bébé .... la table pour le changer.

4. Il est souple, il est passé .... la grille pour entrer dans le jardin.

5. Beaucoup d'avions volent .... nous en ce moment.

6. Un sous-marin est un bateau qui va .... l'eau.

7. Avec ses cubes, le bébé construit une tour : il les met l'un .... l'autre.

8. L'oiseau qui chante sur la branche est juste .... moi.

13. Sans changer leur sens, réécrivez les phrases suivantes en remplaçant la préposition *POUR* par une expression de la liste : *à - à cause de - dans le but de - en faveur de - envers - malgré - pendant - vers.*

1. On redoute Clara pour son ironie et ses moqueries.

....

2. Les skieurs ont pris le téléphérique pour le sommet tôt ce matin.

....

3. Les manifestants défilent pour l'égalité salariale entre les hommes et les femmes.

....

4. Peux-tu garder mon chien s'il te plaît, je m'absente pour une heure, maximum.

....

5. On travaille en général pour gagner de l'argent et faire vivre sa famille.

....

6. J'ai beaucoup d'admiration pour ces jeunes femmes engagées.

....

7. Pour son âge avancé, ce monsieur est remarquablement vif d'esprit et agile.

....

8. Mes voisins sont partis pour le Chili hier matin.

....

14. Choisissez entre *par* et *pour*, pour compléter les phrases suivantes.

1. Elle ne passe jamais .... le parc Mistral à la nuit tombée.

2. Ils sont arrivés .... le train de nuit.

3. Prenez un cachet trois fois .... jour pendant une semaine. C'est très efficace contre le mal de gorge.

4. C'est un collègue que j'apprécie beaucoup, j'ai de l'estime et du respect .... lui.

5. Elles sont parties .... l'Italie en passant .... le tunnel du Mont-Blanc.

6. Elles ont une grande affection .... leurs grands-parents.

15. Reliez les deux parties de la phrase qui vont ensemble.

1. Il est malhonnête de partir   a. sans protection.

2. Les radis se mangent   b. sans sucre.

3. Vous habitez encore   c. sans énergie.

4. Les ouvriers ne doivent pas travailler   d. avec du beurre.

5. Je prends mon café   e. avec vos parents !

6. Il y a du verglas, conduis   f. sans payer l'addition.

7. Ce matin, je suis fatiguée,   g. avec prudence.

8. Tu serais plus jolie   h. avec un peu de rouge à lèvres.

16. Choisissez la préposition qui convient.

1. Ce n'est pas vers / envers ses collègues qu'il ressent de la colère mais vers / envers la direction qui l'a licencié.

2. Si vous continuez votre chemin vers / envers la rivière, vous trouverez le château.

3. On a le temps de faire les lits, ils n'arriveront que vers / envers vingt heures.

4. Il s'est battu vers / envers et contre tous pour faire accepter sa proposition.

5. Ils habitent vers / envers Nantes, je crois.

6. Attendez-moi pour déjeuner, je serai de retour vers / envers midi.

7. En partant sans prévenir, ce baby-sitter a mal agi vers / envers nous.

8. Le torero se tient immobile alors que le taureau se dirige vers / envers lui en soufflant.

17. Complétez par la préposition qui convient : *entre* ou *parmi* ? Attention à la phrase 7.

1. Victor ? Arthur ? .... les deux, mon cœur balance.

2. Si vous souhaitez me rencontrer, je suis au bureau .... 14 et 18 heures, tous les jours.

3. Il est difficile de choisir .... tous ces livres celui qui plaira le plus à notre ami.

4. .... toutes les propositions de travail qui te sont faites, laquelle te semble la plus intéressante ?

5. Regarde, le chat dort .... les deux coussins sur le canapé.

6. .... nous, dis-moi la vérité : c'est toi qui as eu l'idée de les inviter ?

7. La course était très difficile. Tous les bateaux n'ont pas continué. Trois .... eux ont regagné leur port de départ.

8. .... tous les bateaux, un seul n'est pas sponsorisé. Il appartient à un magnat du pétrole.

18. Même consigne avec *dès* et *depuis*.

1. Elle s'est inscrite dans un club de basket-ball .... son arrivée à Paris.

2. Je n'ai pas de nouvelles d'eux .... leur retour du Maroc.

3. Elle sort le mobilier de jardin .... les premiers beaux jours.

4. Cet enfant m'inquiète, il ne mange plus .... quelques jours. Il couve quelque chose.

5. Pierre ? Je ne l'ai pas vu .... une éternité. Que devient-il ?

6. Comme beaucoup de mes camarades, je l'ai perdu de vue .... des années.

7. C'est décidé, elle quittera la maison .... sa majorité pour vivre indépendante.

8. Nous partirons .... le lever du soleil pour être au refuge avant la canicule.

19. Reliez les deux parties de la phrase qui vont ensemble.

1. Merci infiniment, j'ai retrouvé un emploi   a. à cause du verglas.

2. Le jeune homme l'a reconnue   b. à cause des embouteillages.

3. Il a fait ses études dans différents pays   c. grâce à votre soutien.

4. Ils se sont rencontrés   d. à cause de ses mensonges.

5. L'autoroute est fermée   e. grâce à ses longs cheveux roux.

6. Les voitures klaxonnent   f. grâce à des amis communs.

7. Elle a fini par le quitter   g. à cause de l'épidémie.

8. Tous les enfants seront vaccinés   h. grâce à des programmes d'échange.

20. Reformulez ces phrases dans un registre plus soutenu, en utilisant :
en raison de – il y a longtemps – entre - étant donné - en dépit de - parmi - à l'égard de.

Exemple : *Ça fait un temps fou que je ne suis pas allée au théâtre !*
⇨ *Il y a très longtemps que je suis pas allée au théâtre.*

1. Il n'a aucun respect pour les gens âgés.

....

2. On a été inondés. Résultat : on a dû déménager !

....

3. Tu as vu tous ces embouteillages ? On n'arrivera jamais à l'heure !

....

4. Il y a trop de bons films à voir cette semaine. Comment choisir ?

....

5. De toi à moi, il y a quelque chose de bizarre dans cette histoire !

....

6. Tu as un drôle de caractère mais je t'aime bien quand même !

....

• BILAN •

1. Complétez le texte suivant par les prépositions *à, avec, dans, de, dès, en, grâce à, jusqu'à, par, pour, sans* et *sur*, en tenant compte de la syntaxe et du sens des phrases.

Aujourd'hui, (1) .... le TGV, vous pouvez aller (2) .... Paris (3) .... Grenoble (4) .... trois heures. Le train passe (5) .... Lyon mais certains TGV sont (6) .... arrêt (7) .... Grenoble. Tout de suite en sortant de la gare, vous découvrez les montagnes, quand le temps est clair. (8) .... les bords de l'Isère, la rivière qui traverse la ville, de nombreuses boutiques et quelques restaurants se sont ouverts. Le tramway circule (9) .... les rues du centre de la ville mais beaucoup de Grenoblois se déplacent (10) .... vélo. La population est jeune, (11) .... une moyenne d'âge inférieure à la moyenne nationale car Grenoble attire de nombreux étudiants. (12) .... ses trois universités, ses laboratoires de recherche, ses écoles spécialisées et surtout (13) .... sa situation, au cœur de trois massifs montagneux, ils peuvent travailler (14) .... un bel environnement et être (15) .... les pistes de ski (16) .... une heure (17) .... le mois de novembre et (18) .... Pâques. Cette proximité leur permet de partir (19) .... le week-end seulement. Quand la saison du ski est finie, vient le temps des randonnées et des escalades. Donc, (20) .... ou (21) .... neige, il fait bon vivre (22) .... Grenoble.

2. Trouvez la préposition qui convient. Attention aux articles contractés.

Les deux jeunes gens étaient très différents l'un (1) .... l'autre. Lui, ne s'intéressait que (2) .... le sport ; elle, ne pensait que (3) .... la musique et (4) .... le théâtre. Lui, se prenait (5) .... un champion de tennis ; elle, se passionnait (6) .... l'opéra. Elle était abonnée (7) .... toutes les revues musicales et elle passait ses soirées (8) .... son piano.

Ils s'étaient connus (9) .... un avion qui partait (10) .... la Chine. (11) .... le premier regard, lui, était tombé amoureux (12) .... la jeune fille. Et (13)

.... ce moment, il s'était mis (14) .... la suivre partout. Il faut dire que c'était un jeune homme qui savait ce qu'il voulait. Et en cela, il tenait (15) .... son père. (16) .... elle, au début, elle n'avait éprouvé qu'une affectueuse curiosité (17) .... lui. Par moments même, agacée (18) .... cette présence obsédante, elle s'éloignait (19) .... son amoureux, mais alors, elle se sentait malheureuse, et elle était forcée (20) .... constater que le jeune homme lui manquait. Elle se décidait alors (21) .... reprendre contact (22) .... lui et la paix revenait (23) .... eux.

Un soir, ils roulaient sur une route de campagne. Cela faisait un an jour (24) .... jour qu'ils s'étaient rencontrés. Ils avaient décidé (25) .... fêter cet anniversaire en se rendant (26) .... un petit village proche (27) .... la forêt de Rambouillet. Ils avaient pris la route, heureux (28) .... se retrouver seuls. (29) .... l'ami le plus proche, personne n'était au courant (30) .... ce départ secret. Ils roulaient donc (31) .... une heure environ (32) .... la forêt, quand la voiture s'arrêta brusquement. Panne d'essence ? Impossible, ils avaient fait le plein (33) .... leur départ ! Panne de moteur ? Impossible, la voiture était neuve. Alors ? Ils descendirent, firent quelques pas et butèrent (34) .... un arbre qui était tombé (35) .... la chaussée. Ils eurent un petit frisson en pensant (36) .... ce qui serait arrivé si la voiture ne s'était pas arrêtée. Que faire ? (37) .... quelques minutes de réflexion, ils remontèrent dans la voiture, et miraculeusement, celle-ci se remit (38) .... marche ; alors, contournant avec précaution le tronc d'arbre, ils reprirent la route, pensifs et étonnés. Tout en roulant (39) .... le village, ils crurent apercevoir (40) .... les arbres une ombre blanche et légère qui s'enfuyait.

3. Utilisez chacune de ces expressions de temps dans une phrase.

1. À deux heures.
5. Depuis deux heures.

2. Pendant deux heures.
6. En deux heures.

3. Pour deux heures.
7. Avant deux heures.

4. Vers deux heures.
8. Jusqu'à deux heures.

....

....

....

4. Quel contexte peut-on donner à ces expressions ?

Exemple : – S'il vous plaît, Madame, j'aimerais essayer ce pantalon.
– Bien sûr. En quelle taille ?
– En 40, s'il vous plaît.

1. Sur 40 (notation)
5. En 40 (date)

2. Au 40 (adresse)
6. En 40 (taille)

3. Avant 40 (date)
7. Jusqu'à 40 (énumération)

4. À 40 (quantité)
8. Pour 40 (quantité prévue)

2 Les adverbes

1. Dans les phrases suivantes, soulignez les adverbes. Répondez ensuite par « Vrai » ou « Faux » aux trois questions qui suivent ; donnez des exemples en utilisant les phrases de l'exercice.

1. J'aime énormément les films japonais, spécialement ceux des années 50.

2. Savez-vous que fumer nuit gravement à la santé ?

3. J'ai appelé Manuel mais en vain : il est toujours absent.

4. Évidemment, tu es en retard ! Assieds-toi, on en reparlera tout à l'heure.

5. Il parle tellement vite qu'on comprend mal ce qu'il veut dire.

6. Même si nous ne nous voyons pas très souvent, nous nous écrivons assez régulièrement et nous nous téléphonons quelquefois.

7. Elle chante merveilleusement bien, elle peint remarquablement, elle s'habille à merveille, bref, elle a tout pour elle.

8. Elle est très intelligente, assez jolie mais très peu aimable.

    a. L'adverbe peut modifier un verbe.   VRAI FAUX

    b. L'adverbe peut modifier un adjectif.   VRAI FAUX

    c. L'adverbe peut modifier un autre adverbe.   VRAI FAUX

2. L'adjectif modifie le nom ; l'adverbe modifie le verbe. Transformez la phrase comme dans l'exemple.

Exemple : *Elle est toujours très aimable. (répondre)*
         ⇨ *Elle répond toujours très **aimablement**.*

1. Elle est très gentille avec tout le monde. (*se comporter*)

....

2. Il a été grossier avec ses camarades. (*agir*)

....

3. Ce médecin est très patient avec ses malades. (*écouter*)

....

4. Sois poli avec ta grand-mère. (*répondre*)

....

5. Il est un peu lent. (*travailler*)

....

6. Elle est un peu bizarre, non ? (*agir*)

....

7. Il a toujours été très courtois. (*se conduire*)

....

8. Ce lycéen est très assidu. (*suivre les cours*)

....

3. Transformez en remplaçant le segment souligné par un adverbe, comme dans l'exemple.

Exemple : *Elle réussit tous ses examens avec facilité.*
⇨ *Elle réussit tous ses examens **facilement**.*

1. Cet enfant a répondu <u>avec beaucoup d'intelligence</u> pour son âge.

....

2. Ils ont travaillé jour et nuit et <u>de manière intense</u> pour résoudre le problème.

....

3. Comme nous avons marché <u>d'un pas rapide,</u> nous sommes arrivés avec une demi-heure d'avance.

....

4. Si un touriste vous demande son chemin, répondez-lui <u>avec gentillesse</u>.

....

5. Cet instituteur répond aux questions des enfants <u>avec une très grande patience</u>.

....

6. Elles bavardent <u>avec gaieté</u>.

....

7. Ils se sont tous approchés <u>en silence</u>.

....

8. Ne réagis pas <u>de manière aussi négative</u>.

....

4. Dans les phrases suivantes, l'adjectif souligné a-t-il une valeur d'adverbe ? Cochez les phrases où c'est le cas.

1. Mm... Ça sent <u>bon</u> ! Qu'est-ce qu'on mange ? ❑

2. Ce manteau est un peu <u>cher</u> mais vraiment joli. Je l'achète. ❑

3. Pour réussir, il faudra travailler <u>dur</u>. ❑

4. Comme elle est un peu sourde, elle parle <u>fort</u>. ❑

5. C'est difficile de trouver un appartement à Paris, et en plus, ça coûte <u>cher</u>. ❑

6. Si tu as mal à la gorge, il faut bien te couvrir et boire <u>chaud</u>. ❑

7. Un bon petit chocolat bien <u>chaud</u>, ça ne te dit rien ? Ça te ferait du bien. ❑

8. C'est toi qui avais vu <u>juste</u>. Tu as entièrement raison. ❑

5. Mettez ces phrases au passé composé.

1. Il prend souvent l'avion.

....

2. Vous habitez toujours à Lyon ?

....

3. Il pleut beaucoup dans l'ouest de la France.

....

4. Il mange trop : il est malade.

....

5. Je comprends bien ce que tu veux dire.

....

6. Elle danse trop, elle est fatiguée.

....

7. Tu ne travailles guère ce semestre !

....

8. Je ne comprends rien à tes histoires !

....

6. Place de l'adverbe. Mettez l'adverbe entre parenthèses à la place qui convient, comme dans l'exemple. Attention, l'adverbe n'est pas toujours entre l'auxiliaire et le participe passé ! (Parfois plusieurs possibilités.)

Exemple : *Il a travaillé pendant toute l'année. (bien)*
  ⇨ *Il a **bien** travaillé pendant toute l'année.*

1. J'ai rencontré Alexandra dans le métro. (*hier*)

....

2. Il a fini son exercice. (*presque*)

....

3. Nous nous sommes rendu compte de notre erreur. (*vite*)

....

4. Maintenant, j'habite à Londres mais j'ai vécu. (*longtemps*) (*ailleurs*)

....

5. Vous avez fini de dîner ? (*déjà*)

....

6. Je l'ai connue au Canada. (*autrefois*)

....

7. Quand je les ai interrogés, ils ont répondu. (*n'importe comment*)

....

8. J'ai compris (*tout*) : vous vous êtes moqués de moi !

....

7. Barrez le mot incorrect.

1. Allez, courage, encore un petit effort, on est | bien tôt | | bientôt | arrivés.

2. – Vous voulez du poisson, il est tout frais? – Non, je prendrai | plus tôt | | plutôt | une omelette.

3. L'Himalaya est | très | | trop | haut.

4. J'aime bien les vacances à la mer mais j'aime | aussi | | même | la campagne.

5. J'ai rencontré un homme | si | | aussi | étrange que je ne peux pas l'oublier.

6. Il est | très | | trop | fatigué pour nous accompagner, il préfère rester à la maison.

7. Tout a été volé : les bijoux, les tableaux, les meubles, les vêtements et | aussi | | même | les ustensiles de cuisine !

8. Elles se ressemblent beaucoup mais Inès n'est pas | si | | aussi | jolie que sa sœur.

8. Dans les phrases suivantes, placez les adverbes : *bien, en vain, toujours, très, plutôt, ensemble, de temps en temps, énormément, récemment, aussitôt.*

1. Dès que j'ai été prévenu, j'ai .... appelé la police.

2. – Comment allez-vous ? – Pas très .... Je suis fatiguée en ce moment.

3. Depuis dix jours, il a plu .... , les quais sont inondés.

4. Elle est .... sage, elle est vraiment sage comme une image.

5. Maintenant, ils vivent chacun de son côté mais ils ont longtemps habité
   ....

6. J'aime bien aller au café, pas tous les jours, bien sûr, mais ....

7. – Tu vois toujours Émilie ? – Oui, je l'ai vue .... Elle travaille toujours rue Saint-Dominique.

8. Comme on le dit dans la fable, on a .... besoin d'un plus petit que soi.

9. Je lui ai expliqué dix fois ce problème mais .... : il a vraiment la tête dure !

10. – On peut se voir demain ? – Non, ... dimanche, si ça ne t'ennuie pas. Je préfère.

V. SE SITUER DANS L'ESPACE ET LE TEMPS

1 Se situer dans l'espace

1. Regardez le plan et proposez un itinéraire plus court.

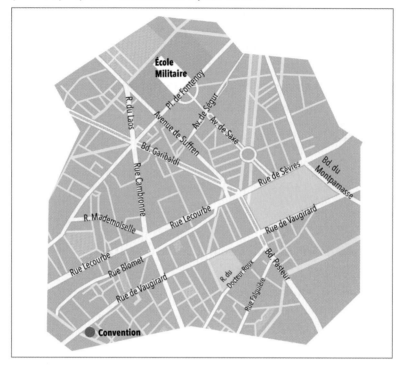

Pour aller du métro Convention à l'École militaire, vous prenez la rue de Vaugirard à gauche jusqu'au boulevard du Montparnasse puis, à gauche, la rue de Sèvres. Vous allez tomber sur l'avenue de Saxe. Vous continuez toujours tout droit : vous arrivez place de Fontenoy. L'École militaire est là !

....

....

....

....

....

2. Regardez la photo et complétez cette description avec la préposition ou l'adverbe qui convient.

Le clown se trouve (1) .... de la photo. Il est souriant. (2) .... la tête, il porte une perruque multicolore et (3) .... son cou une collerette jaune. (4) .... ses bras, il tient deux petites filles. (5) .... gauche, la petite fille porte un chapeau (6) .... la tête et elle a de la crème (7) .... le nez. La petite fille de droite tourne la tête (8) .... elle. (9) .... eux, il y a trois assiettes et (10) .... les assiettes, il y a de grosses parts de gâteau d'anniversaire !

3. Lisez la description de l'appartement, regardez le plan et corrigez les erreurs dans le texte.

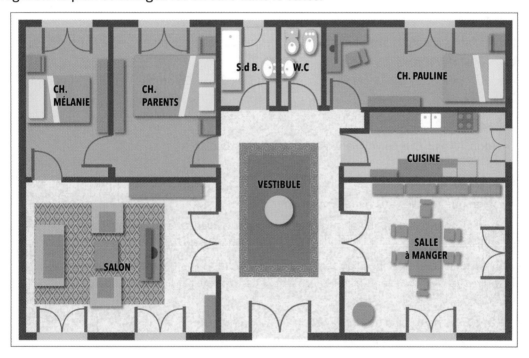

En face de la porte, un vestibule. À droite, le salon. À gauche, la salle à manger qui communique avec la salle de bains. En face de la cuisine, de l'autre côté du couloir, la salle de bains. Au fond, trois chambres : à gauche, celle de Mélanie qui communique avec la salle de bains et avec la chambre de Pauline. Au fond du couloir, à droite, la chambre des parents. Entre les chambres des deux filles, il y a une petite salle d'eau avec une douche et des toilettes qu'elles se partagent.

....

....

....

....

....

4. Complétez avec la préposition qui convient.

1. – Cet été, je vais passer quelques semaines .... Sardaigne. Après, je rentre .... Marseille pour préparer les examens de septembre. Et toi ?

– Moi, j'aimerais beaucoup aller .... Équateur mais le billet coûte trop cher. Finalement, je crois que je vais aller .... Portugal voir mes cousins. Toi, Karen, je suppose que tu vas .... les Alpes, comme d'habitude.

– Eh non ! Cette année, je vais .... Auvergne avec Théo. On va voir les volcans.

2. – Tu sais, mon voisin, le reporter, il est tout le temps parti ! Il revient juste .... Irlande et il repart demain ....Argentine et .... Chili.

– Et sa femme, elle y va aussi ou elle reste .... France ?

– Non, elle déteste voyager. Elle reste .... Paris ou elle va .... Bourgogne, dans leur maison de campagne.

3. – Pardon Madame, j'ai oublié mes lunettes et je ne vois pas à quelle heure arrive le vol AF 354 qui vient .... La Havane.

– Vous êtes sûr ? Je vois un vol AF qui vient .... Medellin, ... Colombie. Pas .... Cuba.

Oui, oui, AF 334. Arrivée .... Medellin à 18 h 34.

– Non, pas 334, 354.

– Ah oui, pardon. AF 354. Oui, ce vol vient .... Cuba. Arrivée à 20 h 55.

5. Entourez le verbe qui convient.

1. J'aimerais bien que *tu ailles* / *tu viennes* dîner chez moi mercredi.

2. Avec tous ces embouteillages, tu sais à quelle heure *je suis allée* / *je suis arrivée* chez moi hier soir ? À minuit passé !

3. – Mais où es-tu en ce moment ? D'où téléphones-tu ? Je t'attends depuis une heure !
   – *Je me trouve* / *Je me situe* exactement en bas de chez toi mais j'ai oublié le code de la porte d'entrée.

4. Je pars le 15 et *je reviens* / *je retourne* ici le 28.

5. *Tu vas* / *Tu viens* chez tes amis Lauret pour le réveillon ?

6. *Tu n'es jamais arrivé* / *Tu n'es jamais venu* chez moi, n'est-ce pas ?

7. Si vous ne vous sentez pas mieux, n'hésitez pas *à retourner* / *à revenir* me voir.

8. Presque tous les étudiants *sont revenus* / *sont retournés* chez eux pour les fêtes de Noël.

6. Sur cette carte, figurent les principales villes françaises et les 13 nouvelles régions créées en 2016.

a. Relevez les 4 villes les plus importantes et donnez leur position géographique en les comparant.

Exemple : *Strasbourg **est situé plus à l'est** que Bordeaux.*

b. Observez la seconde carte, qui date d'avant 2016, quelles sont les régions qui n'ont pas changé de nom ? Situez-les.

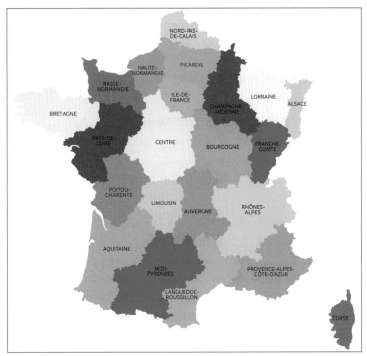

2 Se situer dans le temps

1. Complétez le texte par des expressions de temps.

Exemple : *Il est six heures **du matin**. Je viens de me lever et j'ai encore sommeil.*

(1) .... , nous sommes le 21 février 2019. (2) .... 8 heures (3) .... Allez, debout ! Il fait encore froid, mais on sent déjà le printemps qui est seulement (4) .... un mois. Il faut encore attendre. Brrr, je me rappelle, (5) .... janvier, (6) .... un an exactement, il neigeait. L'hiver était très dur. Toujours dans des manteaux épais, emmitouflés des pieds à la tête. (7) .... encore, je portais ma doudoune et des gants. J'espère que le radoucissement actuel de la température durera. Mais le temps n'est pas fiable, il change toujours.

2. Complétez le texte suivant par des expressions de temps.

Exemple : *Nous étions **en** octobre, exactement le 10 octobre, l'automne était là ;*
*__ce jour-là__, la nature était resplendissante ; **la veille**, 9 octobre, un vent froid*
*avait fait tomber les feuilles rousses qu'on ramasserait quelques jours **plus tard**.*

C'était l'été, le 21 juin : .... , une foule joyeuse avait envahi les boulevards et les rues. Les gens respiraient enfin cet air tiède et doux que l'on désirait tant quelques mois .... , quand tout le monde grelottait. Le mois .... , en mai, la ville était encore traversée par de grandes rafales d'un vent froid. .... année- .... , l'hiver avait été long et chacun attendait avec impatience, les jours, les semaines, les mois ....

3. Choisissez la préposition : *pendant, pour, en, dans.*

Exemple : *Je partirai **dans** quelques jours.*

1. Allô ? Angelika ? Je t'annonce que je serai chez toi, à Athènes, ... quatre jours. Comment ? Non, je viens seulement .... une semaine, je ne peux pas rester davantage. Qu'est-ce que je ferai .... cette semaine ? Tu sais, j'aimerais bien faire quelques excursions. Il paraît qu'on peut visiter Délos et Mykonos .... deux ou trois jours.

2. .... mon adolescence, je rêvais toujours à ce que je ferais plus tard. Je me disais avec émerveillement, ... cinq ans, j'aurai 20 ans, je serai grande, je pourrai faire ce que je veux. .... des soirées entières, j'imaginais cette vie magique de grande personne, cette vie de liberté où tout est possible. Je me voyais partant .... des semaines, des mois même, vers des régions inconnues, étranges où tout serait différent. Les études, les examens ? Je croyais que .... trois ou quatre ans, tout serait réglé. Et après le monde serait à moi. Eh oui, rêves de jeunesse !

4. Quel temps avec *depuis*, *il y a... que*, *ça fait... que* ?

Exemple : *S'il vous plaît, une petite pièce, monsieur, madame, je (ne pas manger)*
n'ai pas mangé *depuis trois jours.*

1. Il avait quitté la ville et il (*marcher*) .... depuis deux heures.

2. Il y a vingt ans qu'il (*enseigner*) .... et il aime toujours son métier.

3. Ça faisait trois nuits qu'il (*ne pas dormir*) ....

4. Elle (*jouer*) .... du clavecin depuis l'âge de 10 ans.
C'est une très bonne claveciniste.

5. Elle (*rajeunir*) .... depuis la mort de son mari, vous ne trouvez pas ?

6. Il y avait déjà deux heures que l'avion (*se poser*) ....

7. Faut-il la déranger, frapper à sa porte ? Elle (*travailler*) ....
depuis ce matin et il est déjà midi !

8. Voilà deux jours qu'il (*s'enfermer*) .... dans sa chambre et
qu'il (*ne parler*) .... à personne.

5. Dans les phrases suivantes, dites si l'action est continue dans le présent
ou si elle est terminée dans le passé plus ou moins proche.
Entourez la bonne réponse.

Exemple : *Il y a deux jours qu'il a de la fièvre. (**continue dans le présent** / terminée
dans le passé) Il y a deux jours, il a eu de la fièvre. (continue dans le présent /*
***terminée dans le passé**)*

1. a. Il y a deux heures, j'ai vu un spectacle idiot à la télévision.
(*continue dans le présent / terminée dans le passé*)

   b. Ça fait deux heures que je regarde un spectacle idiot à la télévision.
(*continue dans le présent / terminée dans le passé*)

2. a. Ça fait une heure que je te cherche partout.
(*continue dans le présent / terminée dans le passé*)

   b. Il y a une heure, je t'ai cherché partout.
(*continue dans le présent / terminée dans le passé*)

3. a. Il y a plusieurs années, j'ai étudié le chant.
(*continue dans le présent / terminée dans le passé*)

   b. J'étudie le chant depuis plusieurs années.
(*continue dans le présent / terminée dans le passé*)

4. a. Il y a deux jours qu'il pleut. (*continue dans le présent / terminée dans le passé*)

   b. Il a plu, il y a deux jours. (*continue dans le présent / terminée dans le passé*)

6. Choisissez *dès* ou *depuis*. Attention aux articles contractés !

Exemple : *Elle ne mange plus de viande **depuis** trois mois.*

1. Chaque année, ... le 21 mars, le train Paris-Deauville est direct et on n'a plus
besoin de changer à Lisieux.

2. .... ce soir, je me mets au lit à 11 heures et non plus à 2 ou 3 heures du matin, comme d'habitude.

3. Je suis insomniaque .... plusieurs années.

4. .... demain, je commence un régime, je te le promets.

5. .... plusieurs jours, les navigateurs étaient bloqués par manque de vent.

6. .... le 20 janvier, la station de métro « Varenne » sera fermée au public, en raison de travaux de rénovation.

7. On la voit s'activer dans la maison .... 7 heures du matin. Elle est épuisante.

8. .... sa retraite, elle vit seule et enfermée chez elle.

7. *Soir* ou *soirée*, *matin* ou *matinée*, *jour* ou *journée*, *an* ou *année* ?
   Barrez la mauvaise réponse.

Exemple : *Il a été malade pendant* ~~tout l'an~~ | toute l'année .

1. Je resterai | *tout le matin* | *toute la matinée* | chez mes amis. Je reviendrai à midi.

2. Chaque | *an* | *année* | nous faisons le tour de Corse en bateau.

3. Je vais | *tous les soirs* | *toutes les soirées* | chez mes amis.

4. Elle travaille | *jour* | *journée* | et nuit !

5. Je vous souhaite | *un bon an* | *une bonne année* | !

6. Je vous souhaite de passer | *un an* | *une année* | magnifique.

7. Je vois le médecin | *ce matin* | *cette matinée* | .

8. Il va chez sa mère | *tous les jours* | *toutes les journées* | et parfois même il y passe | *tout le jour* | *toute la journée* | .

8. Reliez correctement.

1. Elle fait une cure à Vittel	a. ce soir.
2. Elle est rentrée tard, hier soir, elle a dormi	b. tous les jours.
3. Je resterai à la bibliothèque jusqu'à 20 heures	c. chaque année.
4. Merci, nous avons passé	d. toute la matinée.
5. Elle fait une pause à 5 heures	e. une merveilleuse journée.

VI. LES DIFFÉRENTS TYPES DE PHRASES

1 La phrase interrogative

1. Les différentes formes de l'interrogation. Les questions suivantes sont-elles d'un niveau de langue familier (F), courant (C) ou soutenu (S) ? Lorsqu'elles sont en français familier, réécrivez-les en français courant.

1. Le métier de Fabrice, c'est quoi, exactement ? ....

2. Pour aller chez toi, je fais comment ? ....

3. Qui avez-vous rencontré ? ....

4. Qu'est-ce qui s'est passé ? ....

5. Quelle boisson désirez-vous ? ....

6. Quand est-ce que tu passes ton examen ? ....

7. Comme auteurs français, vous aimez qui ? ....

8. Que s'est-il passé ? ....

9. Qu'est-ce que tu as acheté pour dîner ? ....

10. Ce garçon sur la photo, qui est-ce ? ....

11. On peut s'adresser où pour avoir des renseignements ? ....

12. Ton pull, il vient d'où ? ....

13. Vous pourrez passer me voir demain après 17 heures ? ....

14. Je peux vous aider ? ....

15. Ils se sont levés à quelle heure ? ....

2. Réécrivez ces phrases en style soutenu (inversion sujet/verbe).

1. Qui vous avez rencontré ?

....

2. Qu'est-ce qui s'est passé ?

....

3. Qu'est-ce que vous ferez plus tard ?

....

4. Vous pouvez passer à mon bureau demain ?

....

5. Je pourrais vous aider ?

....

6. On peut s'adresser où pour avoir un renseignement ?

....

7. À quelle heure ils se sont levés ce matin ?

....

8. Pour avoir une place pour ce match, qu'est-ce qu'il faut faire ?

....

3. Complétez avec *oui*, *si* ou *non*.

1. – Tu peux venir à l'anniversaire de Sophie, finalement ? – .... mais j'arriverai un peu tard, vers 8 heures.

2. – Ce n'est pas l'heure de partir à la gare ? – .... , on a encore le temps, le train part dans plus d'une heure.

3. – Tu ne prends pas ton manteau ? – .... , je vais le chercher.

4. – Tu ne manges rien ! Tu n'as pas faim ? – .... , j'ai pris mon petit déjeuner trop tard.

5. – Tu n'as pas compris ? – .... , j'ai compris.

6. – Tu penseras à poster cette lettre ? – .... , j'y penserai. Ne t'inquiète pas.

7. – Vous pouvez m'aider s'il vous plaît ? – ...., désolé, pas le temps !

8. – Tu n'as pas oublié l'anniversaire de Thomas, j'espère ? – Zut ! .... ! Complètement !

4. Un entretien d'embauche. Formulez la question correspondant à la réponse.

1. – ....
   – Élise Dalloy.

2. – ....
   – Vingt-trois ans.

3. – ....
   – À Versailles.

4. – ....
   – Oui. C'est le 06 47 77 84 25.

5. – ....
   – Un BTS de gestion des entreprises. Et un diplôme d'anglais de la chambre de commerce.

6. – ....
   – Oui, j'ai fait un stage de trois mois à Monoprix et j'ai travaillé dix-huit mois dans une entreprise en Écosse.

7. – ....
   – Anglais très couramment et espagnol assez bien.

8. – ....
   – Dès la semaine prochaine si vous voulez.

5. Reliez.

1. Je vous dois combien ?	a. En voiture.
2. Qu'est-ce que c'est ?	b. Parce que je suis tombé.
3. À quelle heure il arrive ?	c. Il est géomètre.
4. Comment vous allez à Rome ?	d. Celui-là, le bleu.
5. Qui est-ce ?	e. Dans trois semaines.
6. Pourquoi tu pleures ?	f. Dans le placard, à sa place.
7. Où as-tu mis l'aspirateur ?	g. Mon frère Charles.
8. Lequel tu veux ?	h. Un petit cadeau pour toi.
9. Quand rentre-t-il du Japon ?	i. Treize euros vingt.
10. Quelle est sa profession, exactement ?	j. À 12 h 40.

6. Posez une question pouvant correspondre aux mots soulignés, comme dans l'exemple. Il y a parfois deux ou trois possibilités.

Exemple : *Je suis arrivé <u>à midi</u>.* ⇨ ***À quelle heure es-tu arrivé ?***

1. Il est <u>dans la cuisine</u>.

....

2. J'ai pris *<u>Madame Bovary</u>*, je ne l'ai jamais lu.

....

3. Je fais <u>la vaisselle</u>.

....

4. Nous viendrons <u>en train</u>, c'est plus rapide.

....

5. <u>Plus de 500 euros</u>, c'était cher !

....

6. Je ne sais pas. Quand j'ai décroché, <u>il n'y avait personne au bout du fil</u>.

....

7. <u>Air-France</u>. Le vol est direct jusqu'à Tokyo.

....

8. <u>Dans les Landes</u>, comme chaque année au mois d'août.

....

7. *Qui est-ce qui... ; Qui est-ce que... ; Qu'est-ce que... ; Qu'est-ce qui...* Complétez.

1. .... a téléphoné ce matin ?

2. .... tu dis ? Répète, je n'ai pas entendu.

3. .... vous avez fait dimanche ?

4. .... s'est passé ? Vous avez vu quelque chose ?

5. .... est petit, vert, rond et délicieux ? Je vous aide : c'est un légume.

6. .... vous cherchez ? Karen ? Elle est sortie.

7. .... veut bien m'aider à mettre la table ?

8. .... tu as rencontré en allant au marché ? Je suis sûr que tu t'es arrêté pour bavarder.

2 La phrase négative

1. Mettez ces phrases à la forme négative. Attention, pour les phrases 2, 7 et 8, il y a deux réponses possibles.

1. J'ai trouvé une erreur dans les comptes.

....

2. Tout le monde a applaudi.

....

3. Quelqu'un est venu vous voir.

....

4. Cette robe vaut plus de deux cents euros.

....

5. Ses trois enfants vivent encore avec elle.

....

6. J'ai déjà déjeuné.

....

7. Il connaît tout le monde.

....

8. Il a toujours habité ici.

....

2. Même consigne. Attention, parfois, il y a deux réponses possibles, et il y en a trois pour la phrase 8.

1. Il y a des lettres pour moi ?

....

2. Il veut dire quelque chose.

....

3. À 90 ans, il conduit encore sa voiture.

....

4. J'ai mangé de la viande et des légumes.

....

5. J'aime le vert et le bleu.

....

6. J'ai vu tous les films de ce metteur en scène finlandais.

....

7. Il dit toujours bonjour à tout le monde.

....

8. C'est un livre qu'on trouve partout.

....

3. Reliez.

1. Combien de livres as-tu vendus ?	**a.** Rien du tout, c'est gratuit.
2. Quand irez-vous le voir ?	**b.** Non, plus rien du tout.
3. Je vous dois combien ?	**c.** Aucun !
4. Qui as-tu rencontré ?	**d.** Nulle part. On reste à la maison.
5. Tu as écrit à ton oncle ?	**e.** Jamais !
6. Il y a encore quelqu'un ?	**f.** Non, pas encore.
7. Il reste quelque chose à manger ?	**g.** Personne.
8. Où allez-vous en vacances cette année ?	**h.** Non, plus personne.

4. Répondez par la négative aux questions suivantes.
   Attention, pour la phrase 7, il y a deux réponses possibles.

1. Vous voyez quelque chose ? ....

2. Tu te souviens de quelque chose ?..

3. Il travaille toujours chez Renault ? ....

4. Il y a un cinéma dans le quartier ? ....

5. Tu as déjà fini ton travail ? ....

6. Quelqu'un a appelé pour moi ce matin ?..

7. Tout le monde a compris ? ....

8. Tu as faim ? ....

9. Tu as déjà faim ?..

10. Tu as encore faim ? ....

5. Mettez ces phrases à la forme affirmative. Attention, parfois, il y a deux réponses possibles.

1. Je n'ai rencontré personne quand je suis allé faire les courses.

....

2. Personne n'a rien bu.

....

3. Rien de grave n'est arrivé.

....

4. Dans le menu à 15 euros, il n'y a ni fromage ni dessert.

....

5. La nouvelle n'a suscité aucun étonnement.

....

6. Je n'ai rien entendu.

....

7. Il ne prend jamais sa voiture pour aller à l'université.

....

8. Il ne travaille plus dans cette entreprise.

....

6. Transformez les phrases comme dans l'exemple. Attention à la phrase 3.

Exemple : *Il ne sait pas nager. Il en a honte.* ⇨ *Il a honte **de ne pas savoir nager.***

1. Je ne connais pas son adresse. J'en ai bien peur.

....

2. Je ne donnerai pas suite à cette correspondance. J'en ai bien envie.

....

3. Je ne veux plus recevoir de publicité dans ma boîte aux lettres.
   Je le souhaite vivement.

....

4. Ne fumez pas. Pour guérir votre toux, ce serait mieux.

....

5. Ne faisons pas de bruit en rentrant. Les voisins nous l'ont demandé.

....

6. Nous ne pouvons pas répondre favorablement à votre demande.
   Nous nous en excusons.

....

7. Ne rions pas quand elle arrivera. Enfin, essayons !

....

8. Ne sois pas aussi méchant avec ta sœur. Tu pourrais essayer !

....

7. Remettez ces phrases dans l'ordre. Attention, pour les phrases 3 et 4, il y a deux possibilités.

1. Je n'ai / ni / rien / depuis / rien / ce matin / mangé / bu / .

....

2. Personne / . / à ce sujet / jamais / plus / rien / dit / n'a

....

3. Ils ne vont / nulle part / plus / . / ensemble / jamais

....

4. Rien / comme / plus / avant / ne / sera / . / jamais

....

8. Dans trois phrases, l'adverbe *jamais* est réellement négatif. Lesquelles ?

1. Jamais personne n'a rien vu d'aussi étrange.

2. Si jamais tu vois Paul, dis-lui qu'il me passe un coup de fil.

3. Je n'ai jamais dit le contraire.

4. Je n'ai plus jamais rien dit à personne.

5. As-tu jamais rêvé de partir loin, bien loin ?

9. Parmi les phrases suivantes, lesquelles ont une valeur réellement négative ?

1. Le directeur ne peut vous recevoir pour l'instant.

2. Je me suis acheté un tout petit rien.

3. Je ne l'ai vu que deux fois.

4. J'ai très peur qu'il ne soit malade.

5. Elle n'a cessé de rire pendant tout le cours.

6. Si jamais tu recommences, c'est l'exclusion définitive !

7. Jamais je n'ai été aussi malheureux qu'à cette époque-là.

8. Il n'a jamais manqué de rien.

10. Cochez les phrases où le *ne* est explétif, c'est-à-dire sans réelle valeur négative.

1. Il faut absolument éviter qu'une telle situation ne se reproduise. ❑

2. Il est moins intelligent qu'il ne le pense. ❑

3. Je ne sais que vous dire. Votre demande me laisse perplexe. ❑

4. Je crains fort qu'on ne parte pas en vacances cette année. ❑

5. Rentrons vite les fauteuils avant qu'il ne pleuve. ❑

6. J'ai peur que ma fille n'ait pris froid en allant à l'école. ❑

7. On peut manger chez moi, à moins que tu ne préfères dîner au restaurant. ❑

8. Elle n'a connu que des aventures sans lendemain. ❑

11. *Ne* a-t-il une valeur négative ou non ?

1. Je n'ose penser aux conséquences qu'aurait pu avoir votre action.

2. Il est beaucoup plus intelligent qu'il n'en a l'air.

3. Ils ne cessent de se plaindre de tout, c'est exaspérant.

4. On ne saurait penser à tout !

5. J'ai bien peur que mon frère ne puisse venir pour mon anniversaire.

6. Comment empêcher qu'il ne fasse des bêtises ?

7. Malheureusement, je ne peux vous renseigner, je ne suis pas d'ici.

8. Quand on lui fait des compliments, elle ne sait comment réagir.

12. Transformez les phrases en utilisant l'un des verbes suivants : *démentir, désapprouver, nier, refuser, ignorer, douter, contester, manquer de.* Attention aux modifications parfois nécessaires.

1. Il ne savait pas qui avait pu lui écrire cette lettre.

....

2. Il n'a aucun savoir-vivre, c'est vraiment un homme sans éducation.

....

3. Il n'a pas voulu que sa fille sorte ce soir.

....

4. Je ne crois pas vraiment à sa sincérité.

....

5. Le public n'était pas d'accord avec les arguments de l'orateur.

....

6. L'accusé a déclaré qu'il n'avait pas participé à cette action.

....

7. Le ministre a dit que la nouvelle de son retrait de la vie politique était parfaitement fausse.

....

8. Je ne suis pas d'accord avec ton attitude dans cette affaire.

....

13. Donnez le contraire des adjectifs suivants.

1. Ce fait est discutable. ....

2. Vos projets sont <u>réalistes</u>. ....

3. C'est quelqu'un de très <u>agréable</u>. ....

4. Ils étaient tous très <u>contents</u>. ....

5. C'est quelqu'un d'<u>heureux</u>. ....

6. Il a toujours été plutôt <u>conformiste</u>. ....

7. Leurs opinions sont souvent <u>semblables</u>. ....

8. Votre demande me paraît tout à fait <u>normale</u>. ....

• BILAN •

1. Donnez la forme négative ou le contraire des expressions soulignées.

C'était un homme <u>heureux</u>, <u>satisfait</u>, <u>content</u> de tout. <u>Il était encore</u> jeune. <u>Il travaillait</u>, <u>il avait des amis</u> : <u>il avait toujours quelqu'un</u> à voir. <u>Parfois</u>, <u>il sortait</u> de chez lui. <u>Il allait</u> <u>quelque part</u> : <u>dans une boîte</u>, <u>dans un bar</u>, <u>dans un cinéma</u>. <u>Il aimait</u> les lumières et l'agitation des lieux publics. <u>Partout</u>, dans cette ville, <u>il se sentait</u> chez lui. <u>Il appréciait</u> et <u>recherchait</u> la compagnie des gens. Lui-même <u>avait toujours quelque chose</u> à dire. <u>Quelque chose</u> d'intéressant, <u>quelque chose</u> de profond. <u>Quelque chose</u> qui pouvait amuser, passionner. Les gens le quittaient <u>à regret</u>.

....

....

....

2. Pourrait-on mettre un *ne* explétif dans les phrases suivantes ?

1. Elle était aussi stupide qu'on .... me l'avait dit, mais lui, était plus amusant que je .... l'aurais cru d'abord.

2. Il a marché jusqu'à ce qu'il .... soit épuisé.

3. Il hurle pour que tout le monde .... l'entende.

4. Il parle à voix basse de peur que le malade .... l'entende.

5. La mère a fait de nombreuses recommandations à son fils avant que celui-ci .... prenne son nouvel emploi.

6. Il réussira à condition qu'on .... l'aide.

7. Il échouera à moins qu'on .... l'aide.

8. Son intervention a évité que je .... commette une grave erreur.

3. *Ne... (pas)* ou *ne... pas* ? Ajoutez *pas* quand il est obligatoire.

1. Je n'ose .... imaginer ce qui serait arrivé si tu n'avais .... été là !

2. Je ne veux .... partir.

3. Ils ne savent .... où aller.

4. C'est terrible ! Depuis ce matin, la petite n'a .... cessé de pleurer.

5. Cela fait des années que nous ne nous parlons ....

6. Machin ? Non, je ne l'ai .... vu. De toute façon, il ne m'aurait rien dit
   que je ne sache .... déjà !

7. Si tu n'as .... le temps de faire ce travail, dis-le-moi franchement.

8. C'est bien toi qui as fait ce travail, si je ne me trompe ....

3 La phrase exclamative

1. Imaginez dans quelles circonstances on pourrait dire ces phrases.

Exemple : *Ah, ça y est, le voilà enfin !*
⇨ ***En voyant quelqu'un qui arrive avec une demi-heure de retard.***

1. Mais non, pas du tout ! Quelle idée absurde !

2. Quelle odeur épouvantable !

3. Range-moi ça tout de suite !

4. Allez, courage ! Quel peureux tu fais !

5. C'est un moyen étrange de draguer les gens !

6. Oh là là ! Quel voyage ! Plus jamais ça !

2. À votre avis, quel sens ont les interjections suivantes : appel, approbation,
arrêt, dégoût, douleur, incrédulité, soulagement, surprise ?

1. Beurk ! Ça se mange ?

2. Tiens ! Te voilà, toi ! Tu étais où ?

3. Mon œil ! Raconte ça à d'autres !

4. Extra ! Vraiment super !

5. Hep ! Psst ! Viens voir là !

6. Minute ! Je n'ai pas fini ce que j'ai à dire.

7. Aïe ! Ouille, ouille, ouille !

8. Ouf ! J'ai fini.

3. Regardez ces quatre photos. Quelle phrase de l'exercice 2 chacune illustre-t-elle ?

④ Mise en relief

1. Mettez en relief, comme dans les exemples, les phrases proposées.
Il y a parfois deux possibilités.

Exemples : *J'ai appelé ce matin.* ⇨ ***C'est moi qui ai appelé ce matin.***

J'ai demandé un prêt de 10 000 euros pour changer de voiture.

⇨ ***C'est moi qui ai demandé un prêt de 10 000 euros pour acheter une voiture.***

⇨ ***C'est pour acheter une voiture que j'ai demandé un prêt de 10 000 euros.***

1. Pierre habite à Limoges et non à Périgueux.

....

2. Pierre habite à Limoges et pas François.

....

3. Vous venez pour le docteur Véry ?

....

4. Nous avons pris cette décision pour ton bien.

....

5. Attention ! Ils arrivent mardi et non mercredi.

....

6. Je ne fais pas ça pour moi mais pour vous.

....

7. Vous parlez bien de Vanessa Higel, n'est-ce pas ?

....

8. Tu viens chez moi ou je vais chez toi ?

....

2. Retrouvez la phrase de départ, comme dans l'exemple.

Exemple : *C'est à elle que tu t'es adressé pour l'inscription ?*
⇨ ***Tu t'es adressé à elle pour l'inscription.***

1. C'est seulement avant-hier qu'elle nous a prévenus de son arrivée.

....

2. C'est lui qui avait raison, pour une fois !

....

3. C'est bien de votre fils aîné qu'il s'agit, n'est-ce pas ?

....

4. Ce n'est pas de sermons ou de conseils que j'ai besoin, c'est d'une aide immédiate.

....

5. C'est à vous que je parle.

....

6. Ce n'est pas moi qui ai invité Martine, elle s'est invitée toute seule.

....

7. C'est quand il a éclaté de rire que nous avons compris qu'il plaisantait.

....

8. C'est vers Dijon qu'ils pensent aller passer leurs prochaines vacances.

....

3. Passage du code oral au code écrit. Reprenez les phrases suivantes en français écrit, comme dans l'exemple. Vous devrez supprimer tout ce qui est propre au code oral.

Exemple : *Moi, mon père, tu sais, il a travaillé jusqu'à soixante-dix ans.*
⇨ ***Mon père a travaillé jusqu'à soixante-dix ans.***

1. Ils sont toujours en retard, tes amis.

....

2. Toi, c'est le lundi que tu détestes. Moi, c'est le vendredi.

....

3. De la bière, vous en voulez un peu ? Vous aimez ça ?

....

4. Les Vernant, ça fait un bon petit moment qu'on les a pas vus, non ?

....

5. Ton amie Louise, elle va aller où cet été, tu le sais ?

....

6. Il a appelé quand, mon frère, exactement ?

....

7. Ma sœur, c'est simple, je l'adore, surtout quand c'est elle qui s'occupe du ménage !

....

8. Marion, son frère, il me semble qu'il joue dans un groupe de rock, vers Bordeaux.

....

VII. DE LA PHRASE SIMPLE À LA PHRASE COMPLEXE

La proposition subordonnée relative

↳ (Voir aussi « Pronoms relatifs », p. 52)

1. Complétez avec *qui, que (qu') dont* ou *où*.

1. – Regarde cette fille, la brune .... est devant le distributeur. C'est celle ....
je t'ai parlé hier, tu sais, celle................. promène ses quatre chiens à deux heures du matin.

– En parlant de chien, ma mère a trouvé ce matin un caniche .... était perdu. Elle l'a
ramené à la maison. Avec mon père, ... déteste les chiens et ma sœur .... est
allergique, tu imagines ! Mais j'y pense : cette fille .... adore les chiens, on pourrait
lui proposer d'adopter ce chien perdu. Quatre ou cinq, ça ne change pas grand-chose !

2. – Ça, c'est le meuble .... je range tous mes papiers et .... les enfants n'ont
pas le droit d'ouvrir.

– Et ce petit coffre, là ?

– C'est un coffre .... j'ai rapporté d'Inde et .... est très ancien, paraît-il. Et
cette malle, ... la clé a disparu depuis longtemps, est très ancienne aussi. C'est mon
grand-père .... l'avait achetée quand il est parti de Russie.

3. – Tu connais le nouveau copain de Sophie, celui .... elle a rencontré au ski en
mars ?

– C'est celui .... fait des études de chinois ? Ou celui .... le père est banquier ?

– Ni l'un ni l'autre. Celui-là est moniteur de ski l'hiver et l'été, il vit aux Canaries il
est animateur dans un club de vacances.

– Cette Sophie ! C'est vraiment une fille .... a un cœur d'artichaut.

2. À partir des deux phrases proposées, faites une seule phrase en utilisant
un pronom relatif, comme dans l'exemple.

Exemple : *Je vais aller passer mes vacances dans un village de Provence.*
J'y suis déjà allé l'année dernière.
⇒ *Je vais aller passer mes vacances dans un village de Provence*
*où (**dans lequel**) je suis déjà allé l'année dernière.*

1. Si on allait voir ce film ? Tout le monde en parle.

....

2. Il a découvert par hasard des secrets de famille. Personne ne lui en avait jamais soufflé mot.

....

3. J'ai enfin trouvé l'appartement idéal. Je le cherchais depuis des mois.

....

4. Ils ont acheté une nouvelle voiture. Elle leur a coûté une fortune !

....

5. On peut se rencontrer demain au café Voltaire. Il se trouve rue de Berlin.

....

6. Je n'ai pas encore lu le dernier livre de Houellebecq. On me l'a offert pour Noël.

....

7. Ils aimeraient revoir cette maison de Bretagne. Ils y ont passé leur lune de miel.

....

8. Tu peux me rapporter ces documents ? J'en ai vraiment besoin.

....

3. Complétez le texte avec les propositions relatives suivantes.

1. où s'entassaient dans un désordre indescriptible
2. qu'il tira de sa serviette avec maladresse
3. dont elle tira quelques bouffées
4. qui lui parut très peu cordiale
5. qui craqua légèrement sous son poids
6. qui n'augurait rien de bon
7. dont tout le monde parlait avec crainte et admiration
8. qu'il s'efforça de rendre calme et assurée

Un peu intimidé, Julien frappa d'une manière .... et une voix .... lui cria d'entrer. Derrière un bureau .... des livres et des papiers, une femme corpulente l'observait. C'était donc elle, Georgina Dorsel, cette femme .... ! Il lui tendit un peu nerveusement la lettre de recommandation .... ; elle la posa sur la table d'un geste négligent .... puis lui tendit une boîte de cigares. Il refusa et elle-même alluma un havane .... , longuement, sans le regarder. Visiblement, elle cherchait à mettre ses nerfs à l'épreuve. Enfin, elle releva les yeux, se carra dans son fauteuil .... et l'interrogatoire commença.

4. Attention à l'orthographe. Complétez avec *qu'il, qui il, qui le, qui l'*.

1. Je n'ai pas cru un seul mot de ce .... nous a raconté.

2. Où est mon portable ? C'est toi .... as pris ?

3. Tu connais l'étudiante irlandaise avec .... correspond ?

4. Il refuse de dire à .... pense mais on a tous deviné !

5. Il a un petit chien .... suit partout et .... emmène même au bureau !

6. Je ne savais pas .... avait été malade.

7. Magali, l'amie de mon fils. Vous savez, la jeune fille allemande .... a rencontrée cet été. Elle va venir en France à Noël et je pense .... veut nous la présenter.

8. Toi .... connais bien, tu sais ce .... aimerait pour son anniversaire ?

5. Lisez ces deux phrases puis répondez à la question.

Phrase A : Les spectateurs, qui avaient réservé leurs places, ont pu entrer dans la salle de concert.

Phrase B : Les spectateurs qui avaient réservé leurs places ont pu entrer dans la salle de concert.

Dans l'une de ces deux phrases, <u>seuls</u> les spectateurs ayant réservé ont pu entrer. Les autres sont restés à la porte. S'agit-il de la phrase A ou de la phrase B ?

6. Dans les six phrases suivantes, la proposition relative est-elle « explicative » : on peut la supprimer sans changer le sens de la proposition principale ; ou « déterminative » : si on la supprime, le sens de la proposition principale change ?

1. Tous les élèves <u>qui auront oublié leur cahier lundi</u> seront punis.

2. Les deux enfants, <u>qui étaient un peu craintifs</u>, changèrent de trottoir pour éviter le chien.

3. Ce livre, <u>qui est très utile pour votre examen</u>, se trouve dans toutes les librairies.

4. Les élèves <u>dont le nom commence par la lettre A, B et C</u> sont convoqués le 12 avril à 8 h.

5. L'appartement <u>où le feu s'est déclaré</u> se trouve au 6ᵉ étage de ce bâtiment.

6. La fille des voisins, <u>que j'ai rencontrée ce matin dans l'ascenseur</u>, m'a annoncé qu'elle partait vivre à l'étranger.

7. Le mode du verbe dans la relative. Entourez la forme correcte.

1. J'ai trouvé un studio où je *peux / puisse* travailler tranquillement.

2. Pardon, monsieur, c'est bien le bus 43 qui *va / aille* à la gare du Nord ?

3. J'aimerais bien trouver un autre travail qui me *laissera / laisserait* plus de temps libre.

4. Nous recherchons Minouchette, une chatte noir et blanc avec un collier bleu, qui *a disparu / ait disparu* dimanche après-midi dans le quartier.

5. À votre avis, existe-t-il un chemin qui *va / aille* à la gare en passant par la forêt ?

6. C'est une ville que je *connais / connaisse* bien car j'y ai passé deux ans.

7. Je crois que c'est le plus beau film que *j'ai jamais vu / j'aie jamais vu*.

8. C'est un film que je *n'ai jamais vu / n'aie jamais vu*.

8. Mettez le verbe au temps et au mode qui conviennent. Entourez la forme correcte.

1. – Pardon, savez-vous s'il existe un bus qui *va / aille* directement au château de Vincennes ?
– Oui, vous avez le 56 qui *est / soit* direct. Ou bien prenez le tram, qui *est / soit* un peu plus rapide que le bus mais il faudra changer à Porte d'Orléans.

2. – J'aimerais trouver un studio qui *est / soit* grand, lumineux, tout équipé, bien situé et surtout pas cher.
– Un studio qui *a / ait* tout ça à la fois, ça n'existe pas ! Mais je peux vous proposer un petit studio où vous *serez / soyez* bien et qui vous *conviendra / convienne*, je pense. C'est un 20 m² qui *est / soit* clair, dans un bon quartier et dont le prix *est / soit* très raisonnable.

3. – Je cherche quelqu'un qui *veut / veuille* bien s'occuper d'une personne âgée trois jours par semaine.
– Quel genre de personne cherchez-vous ? Un homme, une femme ? Jeune ? Plutôt vieux ?
– Peu importe. Homme ou femme. Je souhaiterais quelqu'un qui ne *est / soit* pas trop jeune, qui *a / ait* le sens des responsabilités. Et qui *est / soit* patient, bien sûr. Ma mère est une dame qui *est / soit* un peu difficile quelquefois.
– Attendez, je cherche. Ah ! Monsieur Natier ! C'est un homme qui a soixante ans et dont le dossier *est / soit* excellent : un ancien infirmier, qui *est / soit* compétent et très doux avec les personnes âgées. Toutes les personnes dont il *s'est / se soit* occupé l'ont trouvé parfait.

9. Remplacez la proposition relative soulignée par l'adjectif correspondant, comme dans l'exemple.

Exemple : *C'est un texte <u>qu'on ne peut pas comprendre</u>.* ⇨ *C'est un texte incompréhensible.*

1. Ce médecin a une écriture <u>qu'on ne peut pas lire</u>.

....

2. Mon fils est très désordonné : c'est un enfant <u>qu'on ne peut pas corriger</u> !

....

3. C'est un comportement <u>qu'on ne peut admettre</u>.

....

4. Quand elle est de bonne humeur, elle est d'une drôlerie <u>à laquelle personne ne peut résister</u>.

....

5. C'était un spectacle <u>qu'on ne pouvait pas décrire</u>.

....

6. Il a été d'une impolitesse <u>que l'on ne saurait tolérer</u> !

....

7. C'est un problème <u>que personne, apparemment, n'arrive à résoudre</u>.

....

8. Il fut saisi d'une colère <u>qu'il ne pouvait pas contrôler</u>.

....

10. Reformulez ces phrases de manière à supprimer la proposition relative.
Choisissez l'un des adjectifs suivants : *lunatique, hebdomadaire, hexagonal, insomniaque, illégal, ambigu, quotidien, expérimental.*

1. Il a eu une réponse <u>qui pouvait être interprétée de diverses manières</u>.
⇨ Il a eu une réponse ....

2. Montmartre-Pigalle, voilà la promenade <u>qu'il a faite tous les jours</u> pendant trente ans.
⇨ Voilà sa promenade ....

3. Cette femme est plutôt intéressante mais c'est quelqu'un <u>qui change d'humeur d'un moment à l'autre</u>. ⇨ C'est quelqu'un de ....

4. Ce médecin a la réputation de bien soigner les gens <u>qui n'arrivent pas à dormir</u>.
⇨ Ce médecin soigne les gens ....

5. La France est un pays <u>qui a six côtés</u>.
⇨ Un pays................................... .

6. Le vendredi était sacré : c'était le jour de la visite <u>qu'il faisait chaque semaine</u> à sa tante Félicité. ⇨ Le jour de sa visite ....

7. Il ne croit qu'aux résultats <u>qui sont strictement fondés sur l'expérience</u>.
⇨ Il ne croit qu'aux résultats ....

8. Faites bien attention ! Ce que vous faites en ce moment, c'est quelque chose <u>qui va à l'encontre de la loi</u>. ⇨ C'est quelque chose de ....

2 La proposition subordonnée complétive

•2.1. LE MODE DU VERBE DANS LA COMPLÉTIVE•

1. Remplacez le verbe à l'infinitif par le temps de l'indicatif qui convient.

a. – Je trouve que généralement vous *(être)* .... très aimable, souriant. Mais hier, il m'a semblé que vous *(ne pas être)* .... dans votre assiette, vous *(avoir l'air)* .... nerveux. Qu'est-ce qui se passe ?
– J'ai eu des problèmes au bureau. Mon chef estime que je *(se tromper)* .... dans les comptes et moi, j'estime qu'il *(avoir tort)* .... de me faire des remarques devant les collègues. Et en plus, j'avais raison !
– Je suppose que vos collègues vous *(soutenir)* .... hier ?
– Oui. Tout le monde sait que le patron *(être)* .... lunatique. Mais je trouve que son attitude, à ce moment-là, *(être)* .... odieuse.

b. Il rêve ! Il s'imagine toujours que tout *(être)* .... facile dans la vie, il est sûr qu'il *(réussir)* .... ses examens en juin et qu'il *(pouvoir)* .... intégrer l'université de son choix. Moi, je pense qu'il *(se faire)* .... des illusions, mais je crois qu'il ne les *(garder)* .... pas longtemps, hélas.

2. Retrouvez la proposition principale parmi les propositions suivantes (le verbe principal est un verbe de déclaration) : *le jeune ingénieur affirmait, les employés ont appris, une femme criait, le professeur a dit, on vient de nous informer, mon ami a juré, je prétends, le délégué syndical a promis.*

1. .... que l'avion avait du retard.

2. .... que l'entreprise pourrait fermer ses portes.

3. .... qu'il n'avait pas commis d'erreur dans ses calculs.

4. .... qu'on lui avait volé son téléphone portable.

5. .... que nous devions revoir nos conjugaisons.

6. .... qu'il faut toujours dire la vérité.

7. .... qu'il transmettrait nos revendications à la direction de l'usine.

8. .... qu'il m'aimerait toujours.

3. Remplacez le verbe à l'infinitif par le temps de l'indicatif qui convient (le verbe principal est un verbe de constatation). Attention à la phrase 3 !

1. Le professeur nous a expliqué que l'œuvre de ce philosophe *(influencer)* .... la pensée de son temps.

2. L'avocat a prouvé que son client *(ne pas commettre)* .... de délit.

3. Le témoin certifie qu'il *(tout voir)* ....

4. Mon amie avait promis qu'elle nous *(rejoindre)* .... dans la soirée.

5. Nous avons remarqué que le ciel *(s'obscurcir)* .... brusquement

6. Je constate que vous *(acquérir)* .... une certaine expérience.

7. Nous nous sommes rendu compte trop tard que le temps *(changer)* ....

8. Je me suis souvenu que nous *(déjeuner)* .... une fois ou deux dans ce restaurant, il y a quelques années.

4. Remplacez le verbe à l'infinitif par le mode et le temps qui conviennent.

1. Je trouve que tu *(ne pas dormir assez)* .... en ce moment

2. Trouvez-vous qu'il *(être)* .... utile d'apprendre l'imparfait du subjonctif ?

3. Je ne crois pas qu'on *(pouvoir)* .... tout régler par la violence.

4. Je trouve déraisonnable que vous *(étudier)* .... si peu pour votre examen.

5. Ils étaient sûrs que leur équipe *(gagner)* ....

6. Je ne suis pas certain que les voyages *(être)* ....
la solution à toutes nos difficultés.

7. Crois-tu vraiment que nous *(pouvoir)* ....
ou que nous *(vouloir)* .... te faire du mal ?

8. Je ne peux pas croire qu'il *(mentir)* ....
quand il nous a dit ça.

5. Remplacez le verbe à l'infinitif par le mode et le temps qui conviennent.

a. Le ministre de l'écologie a déclaré qu'à son avis, les jeunes *(avoir)* .... raison de manifester et que la société *(n'en faire jamais assez)* .... en ce domaine. Il a ajouté qu'il *(comprendre)* .... leur impatience et qu'il *(souhaiter)* .... qu'on *(pouvoir)* .... appeler à une mobilisation de tous. Il a cependant rappelé qu'il *(ne pas suffire)* .... de voter des lois, qu'il *(falloir)* .... convaincre les Français, encore trop souvent climato – sceptiques, de l'urgence de la situation.

b. J'ai lu hier un article de journal sur la disparition de M.D. de L. Plus personne n'espère que la lumière *(être faite)* .... un jour sur ce mystère. La journaliste estimait dans son papier que cet homme, accusé d'avoir tué sa femme et ses enfants *(se suicider)* .... Je crois qu'elle *(avoir raison)* ...., je pense, moi aussi, que cette hypothèse *(être)* .... la plus probable ; mais faute d'avoir retrouvé le corps, je doute fort que l'on *(apprendre)* .... un jour ce qui est arrivé. Seule chose certaine : on sait maintenant que cet homme *(avoir)* .... de graves difficultés financières et il semble bien qu'il *(décider)* .... d'en finir.

6. Remplacez le verbe à l'infinitif par le mode et le temps qui conviennent (le verbe principal est un verbe à double sens).

1. Je suppose que vous *(comprendre)* .... , donc, je n'insiste pas.

2. Supposons que vous *(avoir)* .... le pouvoir de changer le monde, par quoi commenceriez-vous ?

3. Tout le monde admet que tu *(avoir)* .... raison de t'engager dans cette affaire.

4. J'admets que tu *(vouloir)* .... agir seul.

5. À son air triste, j'ai compris qu'il *(échouer)* ....

6. Tu comprends, tout de même, que je *(vouloir)* .... décider seul de mon avenir !

7. Dis à Pierre qu'il *(pleuvoir)* .... et dis-lui qu'il *(prendre)* .... son parapluie.

8. Le violoniste avait décidé qu'il ne *(jouer)* .... que deux sonates.

7. Soulignez les verbes introducteurs de la subordonnée complétive. Justifiez les modes et les temps de cette subordonnée.

Exemple : <u>Je pense</u> que ce livre **connaîtra** un grand succès.
⇨ **« penser » verbe d'opinion + indicatif, ici au futur.**

Tout le monde reconnaît que l'intelligence artificielle prend de plus en plus d'importance dans le monde d'aujourd'hui. Il paraît qu'elle bat les humains aux échecs. On dit qu'elle peut conduire des voitures. On nous annonce qu'un jour elle remplacera des médecins, des ingénieurs. Certains pensent que c'est une formidable avancée de la science. Pourtant, il semble qu'il soit encore trop tôt pour crier victoire ; beaucoup ne croient pas qu'on doive renoncer à la science actuelle pour se jeter dans l'inconnu. En effet, on découvre que parfois l'intelligence artificielle peut être bête. Par exemple, faut-il trouver amusant ou au contraire inquiétant qu'un algorithme ait pris un éléphant pour une chaise ou qu'il ait confondu une banane avec un grille-pain ? Il est donc normal qu'on suive avec intérêt tout ce qui se passe dans ce domaine, mais il est nécessaire aussi qu'on agisse avec prudence.

8. Reliez les propositions de manière à obtenir une proposition principale et une proposition subordonnée complétive, et faites les transformations nécessaires (notez la disparition du pronom neutre).

Exemples : *Viendra-t-il ? Je ne <u>le</u> crois pas.* ⇨ *Je ne crois pas **qu'il vienne.***
Elle est malade ; ils s'<u>en</u> sont rendu compte. ⇨ ***Ils se sont rendu compte qu'elle était malade.***

1. Avez-vous compris ? J'en doute.

....

2. Il avait fait une grossière erreur, je m'en étais aperçu.

....

3. Mon ami vient de rentrer de voyage ; je l'ai su hier.

....

4. Est-il rentré de voyage ? Je ne le sais pas.

....

5. Faites des efforts, travaillez, c'est le moment ou jamais.

....

6. Une femme comme elle pourra être à la fois mère de famille et ministre ; je m'en doute bien.

....

7. Ce chanteur a perdu sa voix en vieillissant ; c'est évident.

....

8. Le gouvernement veut modifier la loi de 1905 ; la majorité des députés s'y oppose.

....

9. Reliez les propositions de manière à obtenir une proposition principale et une proposition subordonnée complétive, et faites les transformations nécessaires.

1. Vous nous quittez déjà ? Je le regrette.

....

2. Faisons quelque chose pour cette jeune fille, elle le mérite.

....

3. Prends au sérieux ce que tu fais ! Ah comme j'aimerais cela !

....

4. Réponds-moi quand je te parle, je l'exige.

....

5. Nous travaillons avec un dictionnaire ; le professeur y tient.

....

6. N'interviens pas dans la discussion, c'est préférable.

....

7. Asseyez-vous, j'attends, avant de commencer.

....

8. Nous ne voyons ni la scène ni les acteurs ; c'est dommage.

....

10. Complétez les dialogues suivants par un de ces verbes introducteurs à la forme impersonnelle : *il est désolant - il paraît - c'est drôlement bien - c'est génial - c'est important - c'est vrai - c'est absurde - il semble.*

a. – Alors ma chère cousine, ... que tu as peur de te faire vacciner contre la grippe ?

– Très peur, ... qu'il y ait beaucoup d'effets secondaires et même des accidents graves !

– Mais pas du tout, ... que de telles rumeurs puissent remettre en cause une vaccination qui sauve des milliers de gens. Réfléchis bien ! C'est un non sens !

b. – Tu as regardé le débat hier soir à la télévision ?

– Pas jusqu'à la fin, ... que des gens supposés intelligents tiennent des propos aussi médiocres.

– D'accord avec toi, mais en démocratie, ... aussi que toutes les opinions puissent s'exprimer.

c. – Salut Quentin, ... que tu pars en Suède finir tes études ?

– Oui, c'est vrai. J'ai eu une bourse Erasmus. .... qu'on puisse aller ailleurs pour étudier. Je suis trop content, tu ne peux pas savoir.

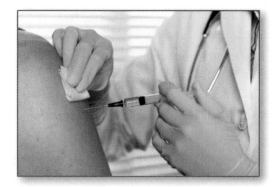

– Tu as raison, ça ouvre l'esprit et .... que les jeunes Européens fassent mieux connaissance.

11. Reliez.

1. Je suis très heureux que	a. tu refuserais finalement notre offre.
2. Nous savions qu'	b. on résolve un jour ce mystère.
3. Il est peu probable qu'	c. il ne changerait pas d'avis, il est trop têtu.
4. Je me suis aperçu qu'	d. chacun se mette au travail.
5. Il semble que	e. tu fasses enfin le voyage dont tu rêvais.
6. En te voyant hésiter, nous avons compris que	f. vous avez acquis de l'expérience.
7. Je constate avec plaisir que	g. elle ne comprenait pas ce que je lui expliquais.
8. Il est temps que	h. la situation sociale ait empiré.

12. Reliez.

1. Nous étions convaincus qu'	a. elle soit intelligente, mais parfois elle a du mal à suivre.
2. Il est très myope, je t'assure qu'	b. il réussirait.
3. Il vaudrait mieux que	c. tu pourrais faire de grandes choses si tu t'en donnais la peine.
4. Ce professeur déteste qu'	d. elle tienne compte de nos remarques.
5. Il est peu vraisemblable qu'	e. il ne nous a pas vus.
6. Le directeur est tout étonné que	f. tu reviennes, nous avons besoin de toi.
7. Ne sois pas pessimiste, je pense que	g. vous ayez résolu cette difficulté sans aucune aide.
8. Je ne doute pas qu'	h. on soit en retard.

•2.2. LA TRANSFORMATION : COMPLÉTIVE ⇨ INFINITIF•

1. Remplacez la proposition soulignée par un infinitif précédé ou non d'une préposition.

*Exemple : Tu estimes <u>que tu as raison</u>. ⇨ Tu estimes **avoir raison**.*

1. Je crois <u>que je vous ai donné toutes les informations</u>.

....

2. La jeune employée espérait <u>qu'elle s'acquitterait de sa tâche à la satisfaction</u>

<u>de tous</u> ....

3. L'étudiant s'imaginait <u>qu'il pourrait réussir sans travailler</u>.

....

4. Je me souviens <u>que j'ai passé mon bac le jour de mon dix-septième</u>

<u>anniversaire</u>...

5. Elle a reconnu <u>qu'elle avait menti</u>.

....

6. Il s'est soudain rappelé <u>qu'il avait déjà lu ce roman policier</u>.

....

7. Il me semble <u>que je n'ai pas saisi l'essentiel de ce texte</u>.

....

8. Le client prétend <u>qu'il vous a payé et qu'il ne vous doit plus rien</u>.

....

2. Remplacez la proposition soulignée par un infinitif précédé ou non
d'une préposition. Attention aux phrases 7 et 8 !

1. Ça y est ! Je pense <u>que j'ai enfin compris</u>.

....

2. L'étudiante qu'on voulait exclure de la salle d'examen affirmait <u>qu'elle n'avait pas triché</u>.

....

3. L'automobiliste complètement ivre jurait <u>qu'il n'avait rien bu</u>. *(jurer = dire)*

....

4. Puis, il a juré <u>qu'il ne boirait plus</u>. *(jurer = promettre)*

....

5. Le lycéen embarrassé disait <u>qu'il avait besoin d'aide pour faire ses devoirs</u>.

....

6. Son père a promis <u>qu'il l'aiderait</u>.

....

7. Les professeurs en grève ont demandé <u>que le ministre de l'Éducation nationale</u>

<u>les reçoive au plus tôt</u>...

8. Les ouvriers s'attendent <u>à ce que la direction les licencie tous</u>.
On a délocalisé leur entreprise.

....

3. Remplacez la proposition soulignée par un infinitif précédé ou non d'une préposition.

Exemples : *Les habitants terrorisés ont senti <u>que la terre tremblait</u>.*
⇨ *Les habitants terrorisés ont senti **la terre trembler**.*
Je n'aime pas la foule ; je crains toujours <u>qu'on (ne) me bouscule</u>.
⇨ *Je crains toujours **d'être bousculé(e)**.*

1. Le vieil homme sentait <u>que sa mémoire lui faisait défaut</u>.

....

2. J'ai vu <u>que la voiture prenait le virage trop vite</u>.

....

3. J'entends <u>qu'on frappe à la porte</u>.

....

4. Il semble <u>qu'il se soit trompé</u>.

....

5. Le client mécontent voulait <u>qu'on le rembourse</u>.

....

6. Elle se plaignait <u>qu'on l'ait mal informée</u>.

....

7. Je désire <u>qu'on m'écoute en silence</u>.

....

8. Elle avait peur <u>qu'on (ne) la licencie</u>.

....

4. Même consigne.

Exemples : *Il sera nécessaire <u>que tu travailles</u> davantage si tu veux réussir.*
⇨ *Il **te sera nécessaire de travailler** davantage si tu veux réussir.*
Je suggère <u>que vous visitiez</u> d'autres appartements avant de prendre une décision.
⇨ *Je **vous suggère de visiter** d'autres appartements avant de prendre une décision.*

1. Il suffit <u>que tu sois</u> là et tout le monde est heureux.

....

2. Je souhaite <u>que vous soyez</u> heureux.

....

3. Il est impossible <u>que je réponde</u> immédiatement à cette question difficile.

....

4. Il serait utile <u>qu'on vérifie</u> l'information.

....

5. Il faut <u>que tu repartes</u> tout de suite.

....

6. J'ai proposé <u>qu'ils fassent</u> le trajet en train et non pas en voiture.

....

7. Cette mère est très autoritaire avec ses enfants : elle ne permet pas <u>qu'ils sortent</u> le soir.

....

8. Je conseille <u>que tu réfléchisses</u> un peu avant de prendre cette décision.

....

5. Reliez les deux propositions indépendantes, soit en utilisant une proposition subordonnée complétive, soit en utilisant un infinitif, soit parfois les deux.

Exemples : *J'ai enfin compris ce problème. / J'en suis étonné.*
⇨ ***Je suis étonné d'avoir enfin compris ce problème.***
Il a enfin compris ce problème. / J'en suis étonné.
⇨ ***Je suis étonné qu'il ait enfin compris ce problème.***

1. Mon amie part aux États-Unis. / j'en suis ravie.

....

2. Je pars aussi. / J'en suis heureuse.

....

3. Il a fait une erreur. / Je l'admets ; le problème était particulièrement difficile.

....

4. Ma cousine s'occupera de mon bébé pendant que je ferai mes courses. / Elle me l'a promis.

....

5. Vous n'avez pas voulu m'écouter. / Je le regrette.

....

6. Vous ne m'avez pas écouté. / Et maintenant vous le regrettez.

....

7. Nous n'avons rien vu de suspect. / C'est ce que les policiers ont déclaré après leur ronde.

....

8. À son âge, elle ne pourra pas supporter ces fortes chaleurs. / Je le crains.

....

2.3. LA TRANSFORMATION : COMPLÉTIVE ⇨ PARTICIPE PASSÉ OU ADJECTIF

1. Remplacez la proposition subordonnée par un participe passé ou un adjectif. Faites les transformations nécessaires.

Exemples : *Elle croit <u>qu'elle est très belle</u>.* ⇨ *Elle **se croit très belle**.*
Tu as montré <u>que tu étais capable</u> de grandes choses.
⇨ *Tu **t'es montré capable** de grandes choses.*

1. Elle croyait <u>qu'elle était responsable</u> de l'accident

....

2. Vous estimez <u>que vous avez été trahis</u> dans cette affaire.

....

3. Je crois <u>qu'il est innocent</u>.

....

4. Nous sentions <u>que nous étions très fatigués</u> après cette randonnée dans les bois.

....

5. Quand elle se regarde dans une glace, elle trouve <u>qu'elle est laide</u>.

....

6. Nous savions <u>que ma grand-mère était très malade</u>.

....

7. Il jugeait <u>que nous étions incapables de le comprendre</u>.

....

8. Elle a montré <u>qu'elle était digne de la confiance</u> qu'on avait mise en elle.

....

2. Trouvez des tournures équivalentes. Remplacer ce qui est souligné par un adjectif.

Exemple : *Je trouve <u>qu'on ne peut résister aux enfants</u>.* ⇨ *Je trouve les enfants **irrésistibles**.*

1. Elle trouve <u>que sa patronne est vraiment difficile à supporter</u>.

....

2. Le critique gastronomique a estimé <u>que le plat proposé était absolument impossible à manger</u>.

....

3. Le tribunal a jugé <u>que le prévenu n'était pas responsable</u>.

....

4. Elle trouve <u>que mon aventure est impossible à imaginer</u>.

....

5. J'estime <u>qu'on ne peut pas croire à cette histoire</u>.

....

6. Les architectes croient <u>que la rénovation du bâtiment ne pourra être faite dans des délais aussi courts.</u>

....

7. À cause de ton fort accent français, j'estime <u>qu'on n'a pas pu comprendre ton intervention en anglais.</u>

....

• 2.4. LA TRANSFORMATION : COMPLÉTIVE ⇨ NOM •

1. Remplacez la proposition subordonnée soulignée par un nom.
Attention aux phrases 4 et 5.

Exemple : *Je doute <u>qu'il soit loyal</u>.* ⇨ *Je doute **de sa loyauté**.*

1. Je ne suis pas sûre <u>qu'il soit fidèle.</u>

....

2. Je regrette <u>que mes amis soient partis.</u>

....

3. Nous étions désolés <u>qu'il ait échoué.</u>

....

4. Les supporters étaient furieux <u>que leur équipe ait été vaincue.</u>

....

5. En revanche, les adversaires étaient ravis <u>que leur équipe ait gagné.</u>

....

6. Je suis indigné <u>que certaines personnes soient cruelles envers les animaux.</u>

....

7. Nous nous réjouissons <u>que vous ayez réussi.</u>

....

8. J'ai appris <u>qu'on avait arrêté l'automobiliste responsable de l'accident.</u>

....

2. Même consigne.

Exemple : *Il est regrettable <u>que tu aies été absent</u>.* ⇨ ***Ton absence** est regrettable.*

1. Il faut choisir, mais avant, il est indispensable <u>que l'on étudie sérieusement les projets.</u>

....

2. Il serait utile <u>que vous révisiez attentivement les verbes.</u>

....

3. Il est déplorable <u>que les mers soient polluées.</u>

....

4. Il est interdit <u>que des démarcheurs entrent dans l'immeuble</u>.

....

5. Il est impossible <u>que nous décidions quoi que ce soit</u> en ce moment.

....

6. Il est vraiment nécessaire <u>que tu reviennes</u>.

....

7. Il est certain <u>qu'il est coupable</u>.

....

8. Il est évident <u>qu'il est pessimiste</u>.

....

• BILAN •

1. Proposez des verbes introducteurs. Variez ces verbes.

Exemple : *Il désire / souhaite / voudrait **qu'on le comprenne**.*

1. .... qu'il a compris.

2. .... qu'il ait compris.

3. .... que nous finissions rapidement.

4. .... qu'il va neiger.

5. .... que tu sois amoureuse.

6. .... qu'il n'aille pas voir un médecin alors qu'il est malade.

7. .... que tu comprennes qu'il faut voter.

8. .... qu'on est en plein été.

2. Est-il possible de remplacer la subordonnée par un infinitif ou est-il obligatoire de garder la proposition subordonnée ?

Exemples : *J'estime <u>que j'ai bien fait</u> d'agir comme je l'ai fait.*
  ⇨ *J'estime **avoir bien fait** d'agir comme je l'ai fait. (Ici les deux structures sont possibles.)*
  *Je veux <u>que **tu** m'obéisses</u>. (Ici l'infinitif n'est pas possible.)*

1. Je pense <u>qu'il a dit la vérité</u>.

....

2. Il croit <u>qu'il a tous les droits</u>.

....

3. Je veux <u>que tu sois prêt</u> à l'heure dite.

....

4. J'exige <u>que tu viennes</u> immédiatement.

....

5. Nous espérons <u>que nous trouverons</u> un coin tranquille pour les vacances.

....

6. Elle adore <u>qu'on lui fasse</u> des compliments.

....

7. Nous désirons <u>que vous vous chargiez</u> de cette affaire.

....

8. Elle affirme <u>qu'elle n'a pas aimé</u> ce roman dont tout le monde parle.

....

3. A. Nous n'avons pas le même sujet dans les deux propositions, mais l'infinitif est malgré tout possible avec certains verbes.

Exemple : *Vraiment fâchée contre lui, je lui ai dit <u>qu'il aille</u> au diable !*
⇨ *Vraiment fâchée contre lui, je lui ai dit **d'aller** au diable !*

1. Le contrôleur a demandé <u>que le voyageur</u> montre son billet.

....

2. J'ai suggéré à mes amis <u>qu'ils abattent</u> une cloison dans leur nouvel appartement.

....

3. Je conseille <u>que vous preniez</u> vos vacances en juin, vous serez plus tranquilles.

....

4. J'ordonne <u>que tu finisses</u> ce que tu as commencé.

....

B. L'infinitif semble impossible dans les phrases suivantes : mais n'est-il pas possible malgré tout de trouver un moyen pour utiliser l'infinitif ?

Exemple : *Je désire <u>que la banque m'accorde</u> un prêt.*
⇨ *Je désire **obtenir** un prêt de la banque.*

5. Je voudrais <u>qu'on me décharge</u> de cette affaire.

....

6. Qui ne désire pas <u>qu'on l'aime</u> ?

....

7. J'aimerais <u>que tu me prêtes</u> ta bicyclette pour faire une randonnée.

....

8. Je souhaite <u>que vous me vendiez</u> votre voiture.

....

4. Reliez correctement.

1. Est-ce que tu aimerais	a. d'aller voir un médecin ; tu as l'air fatigué.
2. Je lui ai dit	b. avoir un renseignement.
3. Il est certain	c. revoir ce film ?
4. Je désire	d. de fermer son livre et de passer à table.
5. Elle voulait	e. de réussir.
6. J'ai promis à mes amis	f. se changer avant de sortir.
7. Je te conseille	g. être embauchée dans l'entreprise.
8. Elle espérait	h. de leur montrer les photos de mon voyage.

5. Remplacez le groupe nominal par une proposition subordonnée complétive, en faisant les transformations nécessaires.

Exemple : *Je me réjouis de sa présence à ma fête demain.*
⇨ *Je me réjouis **qu'il soit présent à ma fête demain**.*

1. On s'attend à <u>une forte hausse des températures</u> dans les années à venir.

....

2. Les habitants de la ville regrettent <u>la fermeture définitive de la maternité</u>.

....

3. Les scientifiques ont constaté avec satisfaction <u>une reconstitution de la couche d'ozone</u>.

....

4. Les supporters très déçus ont dû reconnaître <u>la défaite de leur équipe</u>.

....

5. Les manifestants ont exigé <u>la suppression immédiate de cette nouvelle taxe</u>.

....

6. L'antiquaire a certifié <u>l'authenticité de sa commode Louis XV</u>.

....

6. Reliez correctement les éléments suivants en faisant attention à la présence ou non des prépositions *à* ou *de*.

A

1. Le petit garçon a reconnu	a. rester seul
2. Le client mécontent a demandé	b. négocier avec les syndicats.
3. Le gouvernement s'est engagé	c. avoir participé au cambriolage.
4. Il est peu sociable, il aime bien	d. voir la paix s'installer dans le pays.
5. Tout le monde espère	e. baisser les taxes sur l'essence.
6. Les supporters se réjouissaient bruyamment	f. avoir menti à ses parents.
7. L'accusé a démenti	g. être remboursé.
8. Le patronat a refusé	h. voir leur équipe victorieuse.

B

1. Le petit garçon a reconnu	a. la solitude.
2. Le client mécontent a demandé	b. toute négociation avec les syndicats.
3. Le gouvernement s'est engagé	c. sa participation au cambriolage.
4. Il est peu sociable, il aime bien	d. la paix.
5. Tout le monde espère	e. une baisse des taxes.
6. Les supporters se réjouissaient bruyamment	f. son mensonge.
7. L'accusé a démenti	g. un remboursement.
8. Le patronat a refusé	h. la victoire de leur équipe.

3 Le discours rapporté

1. Transformez le discours direct en discours rapporté. Les verbes introducteurs restent au présent. Attention à la suppression du pronom neutre dans certaines phrases.

Exemple : *Toutes les observations scientifiques <u>le</u> prouvent : la Terre se réchauffe.*
⇨ *Toutes les observations scientifiques **prouvent que la Terre se réchauffe.***

1. Le bulletin météorologique de ce matin annonce : « Il y aura du vent et de la pluie sur tout le pays. »

....

2. Mon amie est fâchée, elle crie : « Tu m'as menti ».

....

3. J'ai encore perdu au Loto. Le buraliste me dit : « Vous aurez plus de chance la prochaine fois. »

....

4. Tout le monde le pense : « Les joueurs brésiliens ont bien joué et ils ont mérité leur victoire. »

....

5. Avant le départ de la course, ses amis le préviennent : « La traversée sera très dure, tu dois faire attention à toi. »

....

6. On le répète toujours aux enfants : « Vous devez être polis. »

....

7. Le directeur déclare aux ouvriers : « Je suis obligé de fermer l'usine. »

....

8. À chacune de ses visites, son père affirme : « Je vais très bien et je ne manque de rien. »

....

2. Mettez les verbes introducteurs à un temps du passé et transformez le discours direct en discours rapporté.

Exemple : *L'adolescente jure à sa mère : « Ce n'est pas moi qui ai pris ton mascara. »*
⇨ *L'adolescente **a juré** à sa mère **que ce n'était pas elle qui avait pris son mascara**.*

1. Il précise : « Je serai là dans deux heures. »

....

2. Le vieux marin nous dit : « Vous pouvez faire de la voile, il va faire beau toute la journée. »

....

3. Le témoin explique : « J'ai fermé le magasin à 20 heures et je suis parti. Je n'ai rien vu. »

....

4. Le cinéaste annonce : « Je viens de terminer un court métrage. »

....

5. ...et il ajoute : « Je commence bientôt les repérages de mon prochain film. »

....

6. Très heureux, le nouveau papa déclare : « Ma fille me ressemble. »

....

7. Léa répond : « J'en ai assez de toutes ces soirées où tout le monde boit, fume et s'ennuie. »

....

3. Complétez ces phrases au discours rapporté en faisant les transformations nécessaires. Attention à la phrase 3.

Exemple : *Nous avons dit à Yann : « Maud est arrivée <u>hier</u> par le train de 15 h 24. »*
⇨ *Nous avons dit à Yann que Maud était arrivée <u>**la veille**</u> par le train de 15 h 24.*

1. Les étudiants lui affirment : « Vous avez fait un cours très intéressant <u>aujourd'hui</u>. » Longtemps après, ses anciens étudiants lui ont rappelé qu'il avait fait un cours très intéressant ....

2. Fiévreuse, elle nous avait prévenus : « Je n'irai pas au travail <u>demain</u>. » Fiévreuse, elle nous avait prévenus qu'elle n'irait pas au travail ....

3. Le voyagiste nous le rappelle : « Vous partez à la Martinique <u>la semaine prochaine</u>. » Le voyagiste nous rappelle que nous partons à la Martinique ....

4. En sortant, il a annoncé : « Je ne rentrerai pas <u>ce soir</u>. » Il avait annoncé qu'il ne rentrerait pas ....

5. « C'est promis : je reviens vous voir la <u>semaine prochaine</u>. » Elle avait promis de revenir nous voir ...., on l'attend toujours.

6. Les voisins l'ont déclaré à la police : « La lumière était encore allumée <u>ce matin</u>. » Les voisins avaient déclaré à la police que la lumière était encore allumée ....

7. Elle lui a dit : « Je suis libre <u>en ce moment</u>, je peux t'aider pour la peinture. »
Elle lui avait dit qu'elle était libre ....

8. Les vignerons sont formels : « Le vin sera excellent <u>cette année</u>. » En 2018,
les vignerons étaient contents. Ils avaient prévu que le vin serait excellent

....

4. Complétez le questionnaire du médecin : Ce nouveau médecin est très sérieux.
Il m'a posé mille questions. Il voulait savoir...

1. Depuis quand souffrez-vous ? ....

2. Est-ce que vous avez de la fièvre ? ....

3. Qu'avez-vous mangé hier ? ....

4. Avez-vous mal à l'estomac ? ....

5. Êtes-vous contrarié(e) en ce moment ? ....

6. Quelles maladies avez-vous eues dans l'enfance ?...............................

7. Supportez-vous les antibiotiques ?..

8. Combien pesez-vous ? ....

5. Voici des verbes introducteurs du discours rapporté : *conseiller, crier, demander, dissuader, murmurer, ordonner, proposer, rappeler, recommander.* Utilisez chacun d'eux dans le contexte qui convient, pour mettre les phrases suivantes au discours rapporté.

Exemple : *Éteins tout de suite la lumière et dors !*
⇨ *Sa mère lui **a ordonné** d'éteindre la lumière et de dormir.*

1. S'il vous plaît, ne fumez pas dans la maison.

....

2. Appelle Jimmy aujourd'hui pour son anniversaire, n'oublie pas !

....

3. Sortez tout de suite. Vite !

....

4. Allons dîner chez Marion et sa sœur samedi soir.

....

5. Va voir ce film, il est super !

....

6. Chut ! Ne parle pas trop fort, le bébé dort.

....

7. Gardez votre ceinture attachée pendant toute la durée du vol, c'est préférable.

....

8. Ne prenez pas l'autoroute A1, c'est toujours embouteillé.

....

6. Un dimanche matin, un père et une mère bavardent. La mère s'inquiète de l'attitude de leur fils unique, Joël. Son mari la rassure et lui raconte la conversation qu'il a eue avec leur fils. Récrivez le dialogue (style direct) entre le père et le fils en ajoutant toutes les formes d'expressivité de l'oral.

Je lui ai dit que son attitude nous surprenait beaucoup et nous inquiétait. Il m'a demandé pourquoi. Je lui ai expliqué que nous savions qu'il passait un examen dans trois semaines et que nous nous étonnions qu'il sorte presque tous les soirs avec ses amis. Il m'a dit qu'on faisait des histoires pour rien et qu'il avait besoin de se détendre après une journée de travail. Je lui ai reproché de partir en Angleterre la semaine prochaine. Il était énervé, il m'a répondu que cela ne me regardait pas. Pour calmer les choses, j'ai admis qu'il n'était plus un enfant mais j'ai insisté sur le fait que nous étions inquiets pour son avenir. Il m'a promis d'être raisonnable. Je lui ai conseillé de partir voir son amie Jenny seulement après l'examen. Il a accepté mais il a proposé qu'on pouvait l'inviter à passer quelques jours à la maison. J'ai dit que c'était une idée et que je t'en parlerais.

....
....
....
....
....
....
....
....

VIII. LES RELATIONS LOGICO-TEMPORELLES

1 Grammaire du texte

1.1 LES TERMES DE REPRISE

1. Reprise du verbe avec un article ou un adjectif démonstratif et le nom correspondant. Attention aux trois dernières phrases : le nom ne correspond pas exactement au verbe.

Exemple : *Ils se sont décidés à divorcer.* **Cette décision** *n'a pas été facile à prendre.*

1. Elles <u>ont choisi</u> d'aller passer leurs vacances d'hiver aux Antilles. Je pense que ce .... est tout à fait judicieux : c'est la meilleure saison là-bas.

2. L'accusé <u>a expliqué</u> son geste en invoquant « un coup de folie passagère » mais ses .... n'ont pas vraiment convaincu les jurés.

3. Une bombe de faible puissance <u>a explosé</u> dans les faubourgs de Toulouse. Jusqu'à présent, personne n'a revendiqué cette ....

4. Les insurgés <u>résistent</u> depuis maintenant dix jours. Les pouvoirs publics ne s'attendaient pas à cette ....

5. Le prix du Pass Navigo <u>sera relevé</u> en janvier. Cette .... pourrait être de 3 %.

6. Hier, cinq personnes <u>ont été arrêtées</u> à Lille en possession de 2,5 kilos d'héroïne pure. Cette .... est la troisième en un mois dans cette région frontalière.

7. Les deux ministres indien et pakistanais <u>se sont</u> longuement <u>entretenus</u> hier matin. On suppose que les .... ont porté sur la situation au Cachemire.

8. Les coureurs devaient <u>partir</u> à 8 h 30 mais, en raison des très mauvaises conditions météo, le .... a été reporté à 13 h.

9. La tempête <u>est revenue</u> alors qu'on ne l'attendait pas. Le .... imprévu du mauvais temps a provoqué beaucoup de dégâts, surtout dans les cultures maraîchères.

10. Le champion slovaque a glissé et <u>est tombé</u> au 44e kilomètre mais cette .... ne l'a pas empêché de remporter brillamment l'épreuve.

2. Dans deux de ces phrases, le pronom souligné est ambigu parce qu'on ne peut pas savoir qui il représente. Dans ces deux cas, comment pourrait-on supprimer cette ambiguïté ?

1. La jeune fille et sa mère allèrent faire des courses avec leur vieille cousine Julia. <u>Elle</u> acheta des gants et un chapeau assortis d'un mauve très pâle.

2. Henriette va tous les samedis à la piscine de Saint-Ouen. <u>Elle</u> est spacieuse, propre et peu chère.

3. Elsa et Sébastien ont rencontré dans le métro de très vieux amis. <u>Ils</u> ne <u>les</u> avaient pas reconnus.

4. Jenny est allée aux Galeries Lafayette avec son amie Florence. <u>Elle</u> voulait acheter des chaussures blanches mais n'en a pas trouvé à son goût.

5. Le libraire a proposé un livre ancien et très rare à Xavier mais <u>il</u> ne l'a pas acheté car <u>son</u> prix était excessif.

6. Les élèves français ont très bien accueilli leurs camarades italiens. <u>Ils</u> avaient préparé un buffet et <u>ils</u> ont fait un petit discours de bienvenue.

3. Complétez avec l'un des mots suivants : *bâtiment(s), vêtement(s), outil(s), meuble(s), ouvrage(s), moyen(s) de locomotio*n, *ustensile(s) de cuisine, œuvre(s)*.

1. Deux pièces de théâtre, trois romans, plusieurs essais, un journal intime… ; tous ces .... ont été rédigés par Denis Farrel entre 1950 et 1957.

2. Dans le célèbre roman, *Le Tour du monde en 80 jours*, le héros de Jules Verne, Phileas Fogg, utilise beaucoup le train. Ce .... est, au 19ᵉ siècle, un personnage à part entière dans la littérature française.

3. Je veux bien acheter un canapé-lit et un fauteuil. Et même une table basse si tu veux. Mais où va-t-on mettre ces .... ? Tu oublies que l'on vit dans 15 m² !

4. Devant vous se trouve la Bourse, appelée aussi le palais Brongniart. La première pierre a été posée en 1808 mais le .... ne sera ouvert qu'en 1827.

5. Pulls, pantalons, jupes, manteaux, tous les .... sont soldés jusqu'au 8 février. Profitez-en !

6. J'ai acheté chez vous un marteau la semaine dernière. Mais il ne convient pas. Auriez-vous un .... qui servirait à la fois de marteau et de pince ?

7. Lorsque *L'Origine du monde*, un tableau célèbre de Courbet, fit son entrée au musée d'Orsay, certains protestèrent, disant que cette .... était scandaleuse, voire pornographique.

8. Mon fils s'installe. Je dois lui acheter pas mal de choses, poêles, marmites, casseroles, passoires, enfin quelques .... , même si je suis sûre qu'il va manger au restaurant presque tous les jours.

4. Dans les phrases suivantes, le verbe *faire* remplace quel verbe ?

1. Tu as pensé à écrire à Éric pour son anniversaire ? Tu sais qu'il est très susceptible et qu'il sera mécontent si tu ne le <u>fais</u> pas. ....

2. Il est beaucoup moins timide que moi, moins renfermé. Il parle plus que je ne le <u>faisais</u> à son âge. ....

3. Si tu m'avais demandé de t'accompagner à l'aéroport, tu sais bien que je l'<u>aurais fait</u> volontiers. ....

4. Je te défends d'insulter ta sœur comme tu viens de le <u>faire</u> ! ....

5. On aurait dû lui proposer de venir avec nous au concert. Il n'a rien dit quand nous sommes partis mais j'ai bien vu qu'il aurait aimé qu'on le <u>fasse</u>. ....

5. Parmi ces dix mots, trouvez celui qui peut convenir à chacun de ces contextes :
une décision – une épidémie – un mystère – un acte – un désaveu – une qualité –
un problème – une exagération – une catastrophe – une situation.

1. Le Président n'a pas pu cacher sa déception devant les résultats très médiocres dans les principales villes du pays. Il était loin de s'attendre à un tel .... de la part des électeurs.

2. Enseigner est bien plus qu'un métier. C'est une profession exigeante qui demande de multiples .... Il faut avoir des connaissances et savoir les transmettre mais aussi être innovant, créatif, bienveillant envers les élèves, flexible pour s'adapter à des classes souvent très hétérogènes.

3. On pense parfois à tort que le VIH est derrière nous. Erreur ! En 2017, 37 millions de personnes étaient porteuses du virus et près d'un million (940 000) en sont mortes. Pour SIDACTION, il ne faut pas relâcher notre vigilance si l'on veut que cette .... régresse enfin.

6. Reprise avec un adjectif possessif ou un adjectif démonstratif et un nom.
Il y a plusieurs possibilités.
Attention :
– dans cet exercice, le nom ne correspond pas au verbe.
– dernière phrase : le nom que vous devez trouver doit englober les trois autres.

Exemple : *En dix ans (2009-2019), le prix moyen des appartements à Paris est passé de 6 000 à 9 500 € le m². **Cette augmentation (cette hausse, ce renchérissement)** rend presque impossible l'achat d'un appartement pour les classes moyennes.*

1. Le pauvre, il a été collé à son examen. ...., auquel il ne s'attendait pas, l'a profondément affecté.

2. La voiture, qui roulait à plus de 130 km/h a percuté de plein fouet le camion qui venait en sens inverse. .... a été, comme on le devine, d'une extrême violence.

3. Au printemps 2019, le gouvernement avait catégoriquement refusé, tout d'abord, de revenir sur sa décision. « Nous ne céderons pas », avait déclaré le Premier ministre. Il a payé très cher .... et il a dû faire marche arrière.

4. Vous pensez vraiment abandonner votre métier ? .... paraît un peu précipité(e). Vous devriez vous donner un temps de réflexion.

5. Traumatisés par le séisme, les habitants de ce village ont passé la nuit dehors par crainte de nouvelles ....

6. Le cours du dollar a légèrement dépassé celui de l'euro. .... du dollar est un avantage pour l'économie européenne, qui devient, par là même, plus compétitive.

7. Le tribunal a condamné les deux hommes à quinze ans de prison. .... qui a été jugé(e) très sévère, a été accueilli(e) par des protestations dans le public.

8. La Juventus a battu l'OM par cinq buts à zéro. Les Italiens ont fêté .... pendant toute la nuit.

9. SIDA : les chercheurs et les médecins lancent un cri d'alarme. Depuis la trithérapie, on pense trop souvent que .... est éradiquée alors qu'elle continue à se propager, y compris en Europe.

10. Sécheresse, inondations, ouragans, tremblements de terre, incendies..., ce pays a subi beaucoup de .... depuis quelques années.

•1.2 LES CONNECTEURS TEMPORELS•

1. Complétez ce texte avec : *il y a une trentaine d'années, quelques minutes plus tard, le 1er juin, à l'époque, dans les jours qui ont suivi, à midi, à six heures précises, la veille au soir, ce matin-là, le soir à 20 h, vers la mi-juin, un jour.*

(1) *Un jour*, (2) .... , il s'est passé une drôle de chose dans un petit village du centre de la France. Plus personne ne s'en souvient aujourd'hui mais, (3) .... , tous les journaux en ont parlé. C'était exactement (4) .... Bref, (5) .... , (6) .... , toutes les cloches de l'église de Montlorrain-sur-Tinne se sont mises à sonner, à sonner, à sonner à toute volée ! Le curé de la ville voisine, qui avait célébré une messe (7) .... , était resté dormir au presbytère qui se trouvait juste à côté de l'église. Il sauta du lit et, (8) .... , il montait dans le clocher pour voir ce qui se passait. Personne ! Le sacristain habituellement chargé de la sonnerie n'était pas là. Pas d'enfant de chœur cherchant à faire une blague non plus. Rien ! Le curé retourna se coucher, perplexe. La plupart des habitants du village qui avaient entendu ce vacarme s'en vinrent aux nouvelles dès le matin. Mais personne ne put leur donner une explication plausible. (9) .... , juste avant l'heure du déjeuner, les cloches recommencèrent à s'agiter frénétiquement. Et une fois encore, (10) .... Le pauvre sacristain en perdait la tête. Les journaux, la radio et même la télévision parlèrent du phénomène. (11) .... , trois fois par jour, les cloches ont sonné ainsi, follement, comme si quelque diable était dans le clocher. Et puis un beau jour, (12) .... , plus rien ! Les cloches ont cessé de sonner à tort et à travers.

Et tout le monde a oublié cette histoire restée mystérieuse à jamais.

2. Mettez en ordre les phrases de ce texte en les numérotant de 1 à 6.

a. Dès la semaine suivante, le 14 avril exactement, le Premier ministre Michel Debré, qui n'était guère favorable à ces accords, démissionna.

b. Le 3 juillet 1962, l'indépendance de l'Algérie était proclamée.

c. Et c'est Georges Pompidou qui le remplaça à ce poste.

d. Trois mois plus tôt, le 8 avril, les accords d'Évian avaient été ratifiés à une écrasante majorité.

e. C'est donc lui qui fut chargé d'organiser le référendum d'octobre sur l'élection du président de la République au suffrage universel.

f. mettant fin à huit ans d'un conflit particulièrement meurtrier.

....

3. Voici un bref curriculum vitae de Victor Hugo.

a. Relevez toutes les indications temporelles.

b. Présentez la biographie de Victor Hugo de manière schématique en utilisant (quand c'est possible) des substantifs.

Exemple : *1802 : naissance à Besançon.*

En 1822, Victor Hugo était déjà considéré par ses amis comme un poète plein d'avenir. Ils l'avaient même sacré « prince des poètes ». Victor Hugo était né exactement vingt ans plus tôt à Besançon où son père, le général Hugo, commandait une garnison. Ce n'est cependant qu'en 1831 qu'il connut la grande célébrité avec son roman ***Notre-Dame de Paris***. Écrivain désormais reconnu, aimé des femmes, père comblé, tout semblait lui sourire. Hélas, en 1843, la mort de sa fille Léopoldine l'affecta si profondément

Léopoldine Hugo

qu'il cessa d'écrire pendant huit ans. Le coup d'État de Louis-Napoléon Bonaparte en 1851 le contraignit à l'exil dans les îles Anglo-Normandes : il ne devait revoir la France que dix-neuf ans plus tard, après l'abdication de celui qu'il nommait par dérision Napoléon le Petit. Douloureuses, ses années d'exil furent néanmoins très fructueuses. C'est à cette époque qu'il rédigea en effet ses plus beaux textes, dont ***Les Misérables***, publié en 1862. Il mourut à Paris, en 1885. Il avait alors 83 ans. L'État lui fit des funérailles nationales. et le peuple de Paris, dont il était l'idole, l'accompagna en foule au Panthéon.

....
....
....
....
....
....
....

4. Sous forme rédigée, proposez un résumé de la vie de Molière en six paragraphes reliés entre eux, en prenant comme points de repère les dates : 1643. 1646/1658, 1659, 1662/1665, 1666/1672, 1673.

MOLIÈRE (Jean-Baptiste Poquelin)

1622 : Naissance à Paris, quartier des Halles, milieu bourgeois (père « tapissier du Roi »)

1632 : Sa mère meurt.

1643 : Solides études chez les jésuites, il abandonne l'idée de devenir avocat et renonce à tout pour le théâtre. Rencontre la famille Béjart et fonde avec Madeleine Béjart et ses frères l'Illustre Théâtre. Prend le nom de Molière. Débuts de la troupe catastrophiques : Molière se retrouve en prison pour dettes (**1645**). La troupe quitte Paris (**1646**) et se lance sur les routes. Molière restera douze ans hors de Paris.

1658 : Retour à Paris. Molière et sa troupe jouent *Nicomède* devant le roi. La troupe devient la Troupe de Monsieur (frère du roi).

1659 : Triomphe avec *les Précieuses ridicules*. Louis XIV protège désormais la troupe qui s'installe au Palais-Royal.

1662 : Il épouse Armande, la fille (ou la sœur ?) de Madeleine Béjart.

1662 : *L'École des femmes* (grand succès). Molière obtient une pension du roi mais l'auteur est accusé d'immoralité. Il va à plusieurs reprises s'attirer les foudres de la censure.

1664 : Avec *Tartuffe*, représenté aux grandes fêtes de Versailles, Molière se met à dos les « dévots », à commencer par la reine mère, qui l'accusent d'impiété. Pièce interdite (on ne la jouera qu'en 1669).

1665 : *Dom Juan* déchaîne contre lui la censure : pièce interdite après quinze jours. La Troupe de Monsieur devient cependant la Troupe du Roi et Molière obtient une pension de Louis XIV.

1666 : *Le Misanthrope.*

1668 : *L'Avare.*

1670 : *Le Bourgeois gentilhomme.*

1672 : *Les Femmes savantes.*

1672/1673 : Molière perd la faveur du roi à la suite des cabales menées par Lulli.

1673 : *Le Malade imaginaire.*

Au cours de la quatrième représentation de cette pièce, Molière est pris d'un malaise et meurt. Il faut l'intervention personnelle du roi pour qu'il soit enterré religieusement le **21 février** (mais quasi clandestinement, de nuit !).

....
....
....
....
....
....
....
....

• 1.3 LES CONNECTEURS LOGIQUES •

1. Lisez ce texte une première fois pour en saisir le sens global puis complétez le avec :
enfin, néanmoins, en outre, certes, tout d'abord, bref, d'autre part, or.

Je ne signerai pas la pétition que vous faites actuellement circuler et je voudrais vous en exposer brièvement les raisons. (1) .... , d'une manière générale, je réprouve toute « chasse aux sorcières », quelle qu'elle soit. (2) .... , il semble bien que l'on puisse appeler ainsi votre démarche. (3) .... , je ne saurais approuver que l'on s'attaque à deux des employés les plus anciens de l'entreprise. (4) .... , en ce qui concerne Mme D.H., je reconnais que les apparences peuvent jouer en sa défaveur en raison de ses sautes d'humeur fréquentes. (5) .... , vous pourriez prendre en considération les difficultés qu'elle doit affronter dans sa vie privée et admettre qu'elle a quelques circonstances atténuantes. (6) .... , le surcroît de travail qui lui a été imposé depuis janvier peut également fort bien expliquer sa nervosité actuelle. (7) .... , vos allégations concernant M. G. me paraissent tout à fait excessives et demanderaient, à mon avis, plus de retenue. (8) .... , non seulement, je me refuse à signer cette pétition, mais je la désapprouve formellement.

2. Complétez avec : *ailleurs, d'ailleurs* ou *par ailleurs.*

1. J'ai beaucoup aimé cette pièce de théâtre. .... , dans ce théâtre, les spectacles sont toujours excellents.

2. On pense bien souvent que, si l'on vivait .... , la vie serait plus facile.

3. Pas question de te donner encore de l'argent .... , justement, puisqu'on parle de ça, tu ne m'as toujours pas rendu ce que tu m'as emprunté le mois dernier.

4. Vous ferez les exercices 23, 24 et 25 .... , je voudrais que vous revoyiez vos verbes irréguliers et les règles d'accord du participe passé.

5. Votre conduite est absolument inqualifiable, scandaleuse ! .... , ça ne date pas d'aujourd'hui.

6. C'est un homme très cultivé, voire érudit, qui vit beaucoup dans les livres et connaît tout sur tout. Mais .... , il est également plein d'humour, il s'intéresse aux gens et fait montre d'une très grande subtilité dans les rapports humains.

3. Complétez avec : *en fait, de ce fait* ou *au fait.*

1. Tu me parles souvent de Pierre Bert. Mais .... , comment tu l'as connu ? Tu ne me l'as jamais raconté.

2. Il a longtemps fait croire à tout le monde qu'il était médecin. .... , il n'avait jamais passé ses examens. Il exerçait la médecine de manière tout à fait illégale.

3. Tiens, ... , en parlant de ta cousine, tu as eu des nouvelles de son frère Christian ?

4. La RATP annonce un arrêt de travail de certaines catégories de personnel. .... , on s'attend à quelques perturbations sur les lignes A, B et D du RER.

5. Je pensais qu'il était en mission au Japon mais, ... , il était en vacances en Provence.

6. L'entreprise a été mise en liquidation judiciaire. .... , les 250 salariés se sont retrouvés au chômage.

4. Lisez une première fois le texte suivant, sans chercher à remplir les vides. Lisez une deuxième fois et complétez en introduisant les termes suivants : *cependant, d'ailleurs, en effet, enfin, ensuite, par ailleurs, par exemple, tout d'abord.*

Qui étaient les Encyclopédistes français du XVIIIe siècle ? On pourrait les définir principalement par ces trois caractéristiques :

– ………………………………… , c'étaient des écrivains, auteurs de romans, de contes, de pièces de théâtre, de traités.

– …………………………………, c'étaient des gens amoureux des idées : idées d'égalité, de liberté, de fraternité.

– ………………………………… , c'étaient des êtres qui voulaient vulgariser le savoir, le partager avec le plus grand nombre.

– ………………………………… , ils aimaient aussi fréquenter les salons, salons aristocratiques, bourgeois où on parlait, où on s'affrontait, où on échangeait des idées ; et ………………………………… , c'est à cette époque qu'on a vu naître un peu partout dans Paris d'autres lieux de sociabilité, les cafés, où tout le monde pouvait se rencontrer, jouer aux échecs et discuter, comme ………………………………… le *Procope*, rue de l'Ancienne Comédie.

………………………………… ces Encyclopédistes ont vu rapidement se dresser contre eux de nombreux opposants ; ………………………………… , leurs idées nouvelles, révolutionnaires scandalisaient ceux qui s'accrochaient encore à un monde qui était en train de finir, le monde de la royauté, le monde des aristocrates.

Ah ! ………………………………… , savez-vous qui étaient ces Encyclopédistes ? Eh bien, ils s'appelaient Voltaire, Diderot, Rousseau, etc.

• BILAN – LOGIQUE DU TEXTE •

1. Mettez en ordre les phrases de ce texte en les numérotant de 1 à 5.

a. En pourcentage, au cours de la même période, le taux de pauvreté est passé de 7,3 % à 8 % de l'ensemble de la population.

b. Depuis dix ans, le nombre de personnes qui vivent sous le seuil de pauvreté en France augmente.

c. Conclusion : il s'agit d'un retournement historique de la tendance : pour la première fois depuis très longtemps, la pauvreté ne diminue plus en France.

d. C'est ce que révèle une analyse portant sur les années 2008-2018 : le nombre de personnes pauvres a augmenté de 600 000, passant de 4,4 millions à 5 millions.

e. Cette aggravation est l'un des phénomènes les plus marquants parmi les évolutions analysées par l'Observatoire des inégalités.

………

2. Mettez en ordre les phrases de ce texte en les numérotant de 1 à 6.

a. Il y a seulement six ans, cette proportion était de 30 %.

b. Mieux : cette génération dit aimer l'entreprise : 67 % d'entre eux en ont une vision positive et seulement 12 % un avis négatif.

c. Les jeunes aspirent moins à devenir fonctionnaires.

d. Lors de cette enquête sur les jeunes et l'entreprise, 16 % des jeunes de cette génération déclarent ainsi envisager leur avenir dans la fonction publique.

e. Cet univers, selon eux, serait à la fois dynamique (28 %) et intéressant (26 %).

f. C'est ce qui ressort de l'étude réalisée par l'institut Vivavoice pour l'organisation patronale Croissance Plus et BNP Paribas.

Challenges 24/11/2017

....

2 L'expression du temps

2.1 LA PROPOSITION SUBORDONNÉE : VALEURS ET EMPLOIS DES CONJONCTIONS DE TEMPS

1. Choisissez la conjonction de temps qui convient. N'utilisez pas toujours la même : *quand, lorsque, dès que, aussitôt que, chaque fois que, toutes les fois que.*
Il peut y avoir plusieurs choix possibles.

Exemple : *Dès qu'il* ouvre un livre, il oublie ce qui l'entoure.

1. .... il est sorti, le film a connu un succès immédiat.

2. .... le téléphone sonne, elle sursaute.

3. .... elle était adolescente, elle était un peu ronde.

4. .... je déménagerai, je regretterai peut-être cet appartement petit mais ensoleillé.

5. .... il rentre chez lui le soir, sans perdre une minute, il retire ses vêtements et va sous la douche.

6. Attention, ... tu feras une fausse note, je te taperai sur les doigts.

7. .... on regarde de près un tableau, on ne voit que des lignes et des taches de couleur.

8. .... le jour se lève, les lampadaires s'éteignent.

2. Choisissez la conjonction de temps qui convient : *(au fur et) à mesure que, pendant que, tandis que, alors que, au moment où, tant que, aussi longtemps que, depuis que.*

> **Exemple :** ***Tandis que*** *le journaliste donne des informations à la télé, elle se prépare un thé à la cuisine.*

1. .... ses difficultés financières augmentaient, le peintre devenait de plus en plus dépressif et ses tableaux étaient de plus en plus sombres.

2. .... les consommateurs buvaient, mangeaient et bavardaient, les garçons de café allaient, venaient et tournaient autour d'eux.

3. .... , tu laisseras ta tablette allumée, tu dormiras mal.

4. Exactement .... j'ai ouvert la fenêtre, deux oiseaux se sont envolés.

5. .... ils regardaient le ciel sombre, deux étoiles filantes ont traversé l'espace.

6. .... il avait renoncé à la cigarette, il se sentait beaucoup mieux.

7. .... vous n'aurez pas renoncé à la cigarette, vous continuerez à tousser.

8. .... le concert se déroulait, des spectateurs de plus en plus nombreux quittaient la salle, déçus.

3. Mettez le verbe au temps et au mode qui conviennent avec la conjonction *depuis que.* Faites les modifications orthographiques nécessaires.

> **Exemple :** *Depuis qu'il (aller)* ***va*** *régulièrement en Chine pour affaires, il s'est mis à apprendre le chinois.*

1. Depuis que le monde *(être)* .... monde, tout a changé, rien n'a changé.

2. Depuis qu'elle *(mettre au monde)* .... un enfant, elle ne voyait plus la vie de la même façon.

3. Depuis que je *(quitter)* .... ma ville, je n'ai pas encore repris contact avec mes amis.

4. Depuis qu'elle avait changé d'emploi, elle *(se sentir)* .... beaucoup mieux, elle *(être)* .... plus efficace.

5. Depuis que nous vivions à la campagne, nous *(recevoir)* .... chaque dimanche des dizaines d'amis.

6. Depuis que nous *(vivre)* .... à la campagne, nous avons pris d'autres habitudes.

7. Depuis qu'elle *(entendre)* .... cet air, elle ne cesse pas de le fredonner.

8. Depuis qu'elle faisait un régime, elle *(maigrir)* .... de 6 kilos.

4. Mettez le verbe au temps et au mode qui conviennent avec les conjonctions *tant que, aussi longtemps que.*

> **Exemple :** *Tant qu'il (rouler)* ***roulait*** *dans sa voiture, il ne pensait à rien et se sentait libéré des tracas de la vie quotidienne.*

1. Aussi longtemps que tu *(fumer)* .... , tu tousseras.

2. « Tant que je *(gagner)*........................, je continue », dit le concurrent du jeu télévisé.

3. Aussi longtemps qu'il *(faire)*........................ beau, on a mangé dehors.

4. Tant qu'il *(rester)*........................ chez lui, il se sentait à l'abri.

5. Aussi longtemps qu'il *(ne pas résoudre)*........................ une difficulté, il pouvait passer des heures sur le sujet.

6. Aussi longtemps que tu *(ne pas me dire)*........................ la vérité, je te poserai les mêmes questions.

7. « Tant que je *(ne pas lire)*........................ ce roman, je ne peux rien en dire.

8. Tant que son fils *(ne pas rentrer)*........................, sa mère reste éveillée.

5. Mettez le verbe au temps et au mode qui conviennent (attention aux phrases 7 et 8).

Exemple : *Une fois qu'elle (commencer)* **avait commencé** *à parler, on ne pouvait plus l'arrêter.*

1. Quand tu *(remplir)*........................ ta demande de passeport, tu la remettras à l'employé de mairie.

2. Une fois que tu *(assembler)*........................ les éléments du meuble, tu les visses.

3. Aussitôt qu'elle *(se doucher)*........................, elle prenait son petit déjeuner.

4. Lorsque les manifestants *(passer)*........................, les voitures balais commenceront à ramasser les tracts et à nettoyer la chaussée.

5. Il adorait lire ; aussitôt qu'il *(terminer)*........................ un livre, il en commençait un autre.

6. L'orateur ne s'assiéra que lorsqu'il *(achever)*........................ son discours.

7. Elle a commencé à rédiger son mémoire une fois qu'elle *(rassembler)*........................ tous les documents nécessaires.

8. Dès qu'elle *(traverser)*........................ la chaussée, le feu passa au vert et le flot des voitures recommença à s'écouler.

6. Remplacez la conjonction soulignée par : *à peine... que* ou *ne pas plus tôt... que*.

Exemple : <u>*Dès que*</u> *j'étais rentrée chez moi, le téléphone se mettait à sonner.*
⇨ **À peine** *étais-je rentrée chez moi* **que** *le téléphone se mettait à sonner.*
ou ⇨ *Je n'étais* **pas plus tôt** *rentrée chez moi* **que** *le téléphone se mettait à sonner.*

1. <u>Dès que</u> le métro est arrivé dans la station, les portes s'ouvrent et les passagers se précipitent sur les quais.

....

2. <u>Aussitôt qu</u>'il eut heurté le rocher, le bateau se brisa et une tache noire de pétrole s'élargit sur la mer.

....

3. <u>Dès que</u> la vague a touché le sable, le pétrole se dépose sur toute la largeur de la plage.

....

4. <u>Aussitôt que</u> l'avion avait reçu l'autorisation de décoller, il allait se ranger au bout de la piste.

....

7. A. Trouvez le temps et le mode qui conviennent.

Exemple : *Vous poursuivrez vos efforts jusqu'à ce que vous (trouver)* **trouviez** *la solution.*

1. Plusieurs députés font les cent pas dans les couloirs en attendant qu'on *(reprendre)* .... la séance.

2. Les clientes se dépêchent de faire leurs achats avant que la période des soldes *(finir)* ....

3. D'ici qu'on *(trouver)* .... enfin le moyen d'éviter la pollution des mers, il pourra se passer de nombreuses années.

4. Même si un film ne me plaît pas, je reste dans la salle jusqu'à ce que le mot « fin » *(apparaître)* .... sur l'écran.

B. Trouvez la conjonction convenable : *avant (même) que, d'ici (à ce) que, en attendant que, le temps que.*

Exemple : ***Le temps que*** *le dîner soit prêt, je prends une douche rapide.*

5. Je ne te conseille pas d'aller dîner dans ce restaurant : .... on te serve, tu auras le temps de mourir de faim.

6. Des passants, effrayés par la tempête, se sont abrités dans des couloirs d'immeubles .... il y ait une accalmie.

7. .... on envoie des hommes sur Mars, il se passera de nombreuses années.

8. Elle m'a immédiatement offert son aide .... , je (ne) le lui aie demandé.

8. Reliez correctement les phrases suivantes.

1. Les députés ont délibéré toute la nuit avant que

2. Le journaliste pose et repose des questions à l'homme politique jusqu'à ce que

3. Les voyageurs jouent aux cartes ou regardent la télévision en attendant que

4. De nombreux événements se produiront d'ici que

5. Profitons de cette température printanière avant que

6. Le jeune homme se présente régulièrement au bureau du chômage jusqu'à ce qu'

7. Il y a une erreur dans tes calculs ; reprends-les jusqu'à ce que

8. De nombreux passagers font les cent pas sur les quais en attendant que

a. on lui ait trouvé un emploi.

b. le train parte.

c. la loi soit mise au vote.

d. celui-ci veuille bien lui répondre.

e. la tempête se calme et qu'ils puissent reprendre la route.

f. tu aies trouvé cette erreur.

g. on parvienne à une société totalement égalitaire.

h. le mauvais temps ne revienne.

9. Reliez correctement les phrases suivantes.

1. Les intermittents du spectacle feront grève jusqu'à ce qu'	a. je vivrai.
2. La maman se dépêche de préparer le biberon avant que	b. il est rentré.
3. Il reprendra la route une fois qu'	c. nous ayons passé tous nos examens !
4. Que d'angoisses, que de soucis d'ici à ce que	d. le bébé ne se mette à pleurer.
5. L'acteur dit et redit son texte avant qu'	e. ils aient obtenu satisfaction.
6. Quand il eut trouvé une chaise libre	f. il aura changé le pneu crevé.
7. Il dort depuis qu'	g. on ne le fasse entrer en scène.
8. Je t'aimerai aussi longtemps que	h. il s'assit et commanda un café.

10. A. Remplacez la conjonction *jusqu'à ce que* par la conjonction *tant que* ou *aussi longtemps que* et faites les transformations nécessaires. (Attention, *jusqu'à ce que* = *tant que… ne… pa*s ou *tant que* + un verbe qui exprime le contraire du verbe qui suit *jusqu'à ce que*.)

Exemples : *Les cours resteront suspendus <u>jusqu'à ce que le ministre reçoive</u> les professeurs en colère.*
⇨ *Les cours resteront suspendus* **aussi longtemps que le ministre n'aura pas reçu** *les professeurs en colère.*
Je resterai dehors <u>jusqu'à ce qu'il fasse nuit</u>.
⇨ *Je resterai dehors* **tant qu'il <u>fait encore jour</u>**.

1. Le pétrolier restera au port <u>jusqu'à ce que les contrôleurs lui aient donné le feu vert pour prendre la mer.</u>

....

2. Il lit <u>jusqu'à ce qu'il ait sommeil</u>.

....

3. Je répétais mes explications <u>jusqu'à ce que les élèves aient compris</u>.

....

4. Attention, tu attendras au bord du trottoir <u>jusqu'à ce que le feu soit passé au rouge</u>.

....

B. Remplacez les conjonctions *tant que* et *aussi longtemps que* par la conjonction *jusqu'à ce que*.

5. Il continue à rouler <u>tant qu'il ne se sent pas fatigué</u>.

....

6. Travaillez, travaillez <u>tant que vous n'avez pas atteint votre but</u>.

....

7. Les manifestants annoncent qu'ils resteront devant le ministère <u>tant que la ministre ne les aura pas reçus</u>.

....

8. Il passait ses soirées sur Internet <u>aussi longtemps qu'il n'avait pas trouvé un internaute qui partage ses passions</u>.

....

• 2.2 AUTRES MANIÈRES D'EXPRIMER L'IDÉE DU TEMPS •

1. **Remplacez la proposition subordonnée par un infinitif, présent ou passé, actif ou passif.**

Exemple : *<u>Avant qu'on ne l'engage</u> pour son premier film, la jeune actrice était vendeuse dans un supermarché.*
⇨ ***Avant d'être engagée** pour son premier film, la jeune actrice était vendeuse dans un supermarché.*

1. L'automobiliste pourra repartir <u>après qu'il aura fait</u> le plein.

....

2. <u>Au moment où il entrait</u> dans la salle des mariages à la mairie, le témoin s'est rendu compte qu'il avait oublié les alliances.

....

3. Il fait toujours une petite sieste <u>lorsqu'il a déjeuné</u>.

....

4. <u>Au moment où il fermait la portière de sa voiture</u>, il a vu les clés sur le tableau de bord.

....

5. <u>Quand il eut fini le montage de son film</u>, le metteur en scène décida de reprendre le tournage de certaines scènes qui ne lui plaisaient plus.

....

6. Elle s'est donné un coup de peigne rapide <u>avant qu'on ne la prenne en photo</u>.

....

7. Dans la salle de renouvellement des passeports, les gens remplissaient des formulaires <u>en attendant qu'on les appelle</u>.

....

8. Baisse le volume de la radio <u>avant qu'on ne t'y oblige</u>.

....

2. **Remplacez la proposition subordonnée par :**
   A. un gérondif ou un participe présent

Exemple : *<u>Tandis qu'ils dînaient</u>, ils suivaient les résultats des élections à la télévision.*
⇨ ***Tout en dînant**, ils suivaient les résultats des élections à la télévision.*

1. Lorsqu'il découvrit qu'il s'était trompé, il revint sur ses pas.

   ....

2. Quand il jugea que le moment était venu, il raconta ce qu'il savait de cette affaire mystérieuse.

   ....

3. Pendant qu'il marchait, il regardait avec attention les arbres pour y découvrir les premiers bourgeons.

   ....

4. Ils ont éclaté de rire quand ils ont vu son air surpris.

   ....

B. un participe passé ou composé, ou par un nom

Exemple : *Aussitôt qu'il (Une fois qu'il) s'est couché, il s'endort.*
   ⇨ **Aussitôt (Une fois) couché**, *il s'endort.*

5. Une fois qu'il s'est assis, il ne peut plus se lever ; il vieillit.

   ....

6. Lorsqu'elle était enfant, elle rêvait de devenir danseuse.

   ....

7. Aussitôt qu'elle est rentrée chez elle, elle ouvre son courrier.

   ....

8. Quand il eut enfin compris ce qu'on lui demandait, il répondit à la question.

   ....

3. Remplacez la proposition subordonnée par une proposition participe ou par un participe passé.

Exemples : *Comme la pluie diminuait de violence, ils ont pu quitter leur abri.*
   ⇨ **La pluie diminuant de violenc**e, *ils ont pu quitter leur abri.*
   Dès qu'on a traversé cet espace désertique, on arrive à une région plus riche et plus pittoresque. (On a deux possibilités)
   ⇨ **Ayant traversé cet espace désertique**, *on arrive à une région plus riche et plus pittoresque.*
   ou
   ⇨ **Cet espace désertique traversé**, *on arrive à une région plus riche et plus pittoresque.*

1. Alors que la circulation reprenait, les derniers manifestants ont laissé la chaussée aux voitures.

   ....

2. Dans ces régions, une fois que la tornade est passée, le beau temps revient pour de longs mois.

   ....

3. Quand on aura planté les rosiers et les tulipes, le jardin prendra un autre aspect.

   ....

4. Aussitôt qu'il eut rempli sa déclaration d'impôts, il se sentit soulagé.

....

5. Tandis que les premières notes de la symphonie s'élevaient de l'orchestre, un grand silence s'est fait dans la salle.

....

6. Une fois qu'elle aura remboursé le prêt, mon amie pourra faire des travaux dans l'appartement qu'elle vient d'acheter.

....

7. Quand on eut gonflé les pneus, le petit groupe de cyclistes se mit en route.

....

8. On est arrivés au rendez-vous, comme neuf heures sonnaient.

....

4. Remplacez la proposition soulignée par un groupe : préposition + nom.

Exemple : *Depuis qu'il est parti, on n'a reçu aucune nouvelle de lui.*
⇨ ***Depuis son départ**, on n'a reçu aucune nouvelle de lui.*

1. Quand il a vu le défilé, l'enfant a poussé des cris de joie.

....

2. Après qu'il sera élu, le président mettra immédiatement en route les réformes annoncées.

....

3. Depuis qu'elle s'est fait opérer, elle a du mal à reprendre le dessus.

....

4. Pendant qu'elle était anesthésiée, elle a fait des rêves étranges.

....

5. Au fur et à mesure qu'il lisait, il se passionnait de plus en plus pour son sujet de thèse.

....

6. Quand il fait beau temps, il paraît qu'on peut voir le Mont-Blanc du haut de la tour Eiffel.

....

7. Dès que les premières feuilles apparaissent aux arbres, on se sent mieux, on se sent plus alerte.

....

8. Avant que l'avion ne décolle, les passagers attachent leur ceinture et éteignent leur cigarette.

....

5. Même consigne.

1. <u>Au moment où ils sont descendus de l'avion</u>, mes enfants ont été accueillis par des amis qu'ils n'avaient pas vus depuis longtemps.

   ....

2. <u>Avant que Pasteur ne découvre le vaccin contre la rage</u>, il avait déjà introduit dans la médecine les règles nécessaires de l'asepsie.

   ....

3. <u>Lorsqu'ils ont attaqué le fourgon postal</u>, les malfaiteurs ont tiré sur les convoyeurs qui ont riposté.

   ....

4. <u>En attendant que le professeur arrive</u>, les élèves bavardent.

   ....

5. <u>Depuis qu'il avait été arrêté et inculpé</u>, l'ancien ministre était plongé dans une profonde dépression.

   ....

6. Les voitures s'arrêtent derrière les barrières <u>jusqu'à ce que le train soit passé</u>.

   ....

7. Mes amis sont très amoureux mais célibataires dans l'âme ; <u>d'ici à ce qu'ils se marient</u>, beaucoup d'eau passera sous les ponts.

   ....

8. <u>Pendant qu'elle était à table</u>, elle faisait mille autres choses au lieu de manger.

   ....

6. Choisissez, parmi les expressions suivantes, un ou des synonymes des mots soulignés : *actuellement, à plusieurs reprises, aujourd'hui, à l'avenir, dorénavant, d'ores et déjà, jadis, longtemps, maintenant, parfois, souvent, de temps en temps.*

Exemple : *Je t'ai répété <u>à plusieurs reprises</u> qu'il fallait te laver les dents trois fois par jour.*
    ⇨ *Je t'ai répété **souvent** qu'il fallait te laver les dents trois fois par jour.*

Ma fille a grandi. (1) <u>Désormais</u>, elle fait attention à sa toilette, elle se regarde (2) <u>plusieurs fois</u> dans la glace, elle se maquille (3) <u>quelquefois</u> et (4) <u>dès maintenant</u> elle sait ce qu'elle fera dans la vie. Or elle n'a que 10 ans. (5) <u>Autrefois</u>, les petites filles restaient petites filles (6) <u>un bon moment</u> ; il y avait des étapes dans la vie. (7) <u>À présent</u>, tout est mélangé. Les petites filles se prennent pour des adolescentes, les adolescentes pour des femmes mûres, et les femmes mûres pour des petites filles. Comment tout cela va évoluer (8) <u>dans le futur</u> ?

   ....

   ....

1. Reliez les propositions indépendantes de manière à obtenir une phrase exprimant l'idée du temps (variez les structures : proposition subordonnée, gérondif, infinitif, participe, etc.).

Exemple: *Le jeune voleur a vu le policier, alors, il s'est enfui.*
⇨ *Le jeune voleur s'est enfui **quand il a vu** le policier.*
ou ⇨ *Le jeune voleur s'est enfui **en voyant** le policier.*
ou ⇨ *Le jeune voleur s'est enfui **à la vue** du policier.*

1. Il est tombé ; il s'est fait mal.

....

2. Assieds-toi, mais avant, je vais vérifier la solidité de ce vieux fauteuil.

....

3. Il traversait la rue, à ce moment-là, il a entendu quelqu'un crier son nom.

....

4. Termine ton entrecôte et après tu auras ton dessert au chocolat.

....

5. Je chercherai et je trouverai.

....

6. Il vieillissait, au fur et à mesure, il devenait plus sage.

....

7. Elle a écrit la chanson et après elle l'a enregistrée.

....

8. Tu trouveras un travail intéressant, en attendant, je te conseille d'étudier les langues étrangères.

....

2. Soulignez dans ce texte toutes les manières d'exprimer l'idée du temps.

<u>Quand</u> il est arrivé sur le quai, le jeune homme a vu le bateau s'éloigner. Tandis qu'il le suivait du regard, on a entendu encore une fois les sirènes avant que le grand navire ne gagne la haute mer.

Aussi longtemps qu'il a pu voir la fumée qui s'échappait des grandes cheminées, le garçon est resté immobile sur le quai, en attendant que le paquebot ne soit plus qu'un point à l'horizon. D'ici à ce qu'il revienne, des jours et des jours pourraient s'écouler. Mais lui aussi, un jour, il prendrait la mer.

Notre héros avait toujours rêvé de partir vers des pays lointains. Mais chaque fois qu'il parlait de ce départ, toutes les fois qu'il l'évoquait, il voyait les personnes qu'il aimait s'attrister. Alors, il abandonnait ses projets. Mais il retournait au port ; il restait les yeux fixés sur l'horizon jusqu'à ce qu'un bateau accoste. Et là, il interrogeait les marins. Comment étaient les îles sous le vent ? Il rêvait et de nouveau l'envie de partir le prenait. Mais tant qu'il n'aurait pas convaincu son père que sa vie était sur ces bateaux, il ne pourrait pas s'en aller le cœur tranquille.

Ce jour-là, donc, en revenant du port, il a rencontré un vieux marin qui lui a appris qu'on avait besoin d'un homme sur un bateau qui partait le lendemain. On désirait une réponse avant la fin du jour. Alors, il a dit « oui ». Mais il n'avait pas plus tôt donné sa réponse qu'il a pensé au chagrin de son père.

Tout en marchant, il imaginait la séparation. Avant d'arriver chez lui, il a pris une décision. Il ne dirait rien, il partirait pendant la nuit et, jusqu'à ce moment-là, il ferait comme si rien ne devait se passer.

Une fois rentré, il a accompli ses tâches habituelles puis il s'est retiré dans sa chambre après avoir tendrement embrassé son père. Comme ce dernier éteignait les lumières du petit café qu'ils tenaient ensemble, il est sorti par une fenêtre pour attendre l'homme qui devait le conduire au capitaine du bateau.

Lorsque le vieux marin est venu le chercher, le jeune homme s'est éloigné malheureux et heureux à la fois.

Au moment où le bateau sur lequel il s'était embarqué a quitté le port, le mot FIN est apparu sur l'écran.

Dès que le générique a eu fini de défiler, une fois l'émotion passée, les spectateurs ont quitté leur siège, quelques femmes se tamponnant les yeux, d'autres commençant déjà une discussion sur les mérites techniques du film, sur les qualités du metteur en scène, sur le jeu des acteurs...

L'expression de la cause

1. *Parce que* ou *puisque* ?

1. Je ne savais pas qu'il avait été jugé responsable de l'accident mais, ... tu me l'affirmes, je te crois.

2. Mais oui, mais oui, tu es très fort ! Alors, ... tu es si costaud, aide-moi à monter ces valises dans la chambre, s'il te plaît.

3. On vient d'apprendre qu'il n'a pas pu être qualifié pour les finales de handball .... son entraînement n'a pas été assez sérieux.

4. Elle arrivera certainement avant 20 h .... elle a demandé à tout le monde d'être là pour 19 h 30.

5. Si la plage est nettoyée par les bénévoles, c'est en partie .... la mairie n'a pas les moyens de payer des entreprises spécialisées.

6. Si elle n'a pas continué ces études, c'est .... elle a trouvé un travail intéressant et bien rémunéré cet été.

7. Ils ont décidé de quitter Paris et de s'installer en province .... la vie est trop chère et trop stressante dans la capitale.

8. .... tu savais que c'était dangereux de se baigner à cet endroit, pourquoi y as-tu emmené tes cousins ?

2. Choisissez parmi les conjonctions de cause suivantes celle qui convient le mieux à chaque phrase : *comme, puisque, parce que, sous prétexte que, étant donné que, d'autant moins... que*. Faites les modifications orthographiques nécessaires.

1. .... il est impossible de sortir en mer avec une telle tempête, les pêcheurs ont décidé de rester au port.

2. Les pêcheurs ont décidé de rester au port .... la météo annonce une forte tempête.

3. Et ils avaient .... envie de sortir en mer .... un froid glacial s'était ajouté à la tempête.

4. D'accord, je m'inquiète pour rien, mais .... tu le sais, pourquoi ne m'as-tu pas prévenue de ton retard ?

5. Comment aurais-je pu emprunter ta voiture .... je ne sais même pas conduire !

6. .... elle a deux heures de liberté avant de prendre le train, elle va essayer de trouver un cadeau pour ses amis dans les boutiques de la galerie marchande.

7. Elle a refusé de nous expliquer sa conduite .... nous étions trop vieux pour comprendre ses problèmes sentimentaux.

8. Allons ! Ce n'est pas .... tu es à la retraite qu'il faut interrompre toute activité physique et intellectuelle.

3. A. Trouvez les modes et les temps de la proposition subordonnée.

1. Nous ne partirons pas en vacances cet été, ce n'est pas que nous *(avoir)* .... des difficultés financières, mais nous devons déménager en août.

2. Allez voir ce film, non que ce *(être)* .... un chef d'œuvre, mais il est divertissant et les acteurs sont excellents.

3. Je n'ai pas reçu ma commande, soit que la poste *(égarer)* .... le colis, soit que les services de vente *(fonctionner)* .... mal.

B. Reliez les deux propositions indépendantes de manière à avoir une proposition principale et une proposition subordonnée de cause (introduites par « non que, ce n'est pas que » ou « soit que … soit que…).

Exemple : – *Pourquoi ne veux-tu pas venir au cinéma avec nous ? Tu es malade ?*
– *Je ne suis pas vraiment malade, mais je me sens bizarre. Je dois couver quelque chose.*
⇨ **Ce n'est pas / non que je sois** *vraiment malade, mais je me sens bizarre. Je dois couver quelque chose.*

1. – Pourquoi n'aimez-vous pas cet appartement a demandé l'agent immobilier ?
– Il n'est pas petit, mais il est trop sombre, a répondu l'acheteur.

   ....

2. – Tu ne trouves pas que Jean a l'air fatigué ? Mais pourquoi à son âge ?
– Oh, il peut y avoir plusieurs raisons : ou bien il a veillé pour préparer ses examens, ou bien il a passé ses nuits avec des amis, à fumer et à boire, ou bien il a regardé des séries jusqu'à une heure avancée.

   ....

4. Barrez la locution qui ne convient pas. Faites les modifications orthographiques nécessaires.

1. $\boxed{\text{Étant donné que}}$ $\boxed{\text{Étant donné}}$ les risques de verglas, l'autoroute sera fermée ce week-end.

2. Le suspect est relâché $\boxed{\text{sous prétexte que}}$ $\boxed{\text{sous prétexte de}}$ les enquêteurs n'ont pas respecté la procédure d'arrestation.

3. $\boxed{\text{Sous prétexte que}}$ $\boxed{\text{Sous prétexte de}}$ il avait autre chose à faire, il n'est pas venu me chercher à l'aéroport.

4. Il n'arrivait pas à monter cette armoire $\boxed{\text{vu que}}$ $\boxed{\text{vu}}$ il n'y avait pas de notice explicative dans l'emballage.

5. $\boxed{\text{Du fait que}}$ $\boxed{\text{Du fait de}}$ ses nombreuses absences, son stage n'a pas pu être validé.

6. $\boxed{\text{Étant donné que}}$ $\boxed{\text{Étant donné}}$ l'entrée du casino est interdite aux moins de 18 ans, tu ne peux pas nous accompagner.

7. $\boxed{\text{Vu que}}$ $\boxed{\text{Vu}}$ son niveau d'études, il devrait être tout à fait capable d'occuper ce poste.

8. $\boxed{\text{Étant donné que}}$ $\boxed{\text{Étant donné}}$ on ne se reverra pas de sitôt, je préfère qu'on s'échange nos numéros de téléphone et nos adresses, si tu veux bien.

5. Reliez les deux parties de la phrase.

1. Elle a fini par le convaincre   a. sous prétexte de maux de tête.

2. Ils ont pu acheter leur maison   b. par simple maladresse.

3. J'ai perdu mes données informatisées   c. pour la qualité de son pain.

4. Elle a refusé de nous recevoir   d. à la suite d'une panne d'électricité.

5. Ces rues sont interdites à la circulation   e. à force d'exemples et d'arguments.

6. Nous sommes coincés sur le périphérique   f. grâce à un don de leur grand-mère.

7. Le verre de vin a été renversé   g. en raison d'une manifestation.

8. C'est une boulangerie réputée   h. à cause des embouteillages.

6. Reliez ces phrases en utilisant un nom ou un pronom précédé de la locution de cause qui convient le mieux.

1. Il m'a bien aidée. On a pu tout nettoyer en une heure.

....

2. Il y a eu un incident technique sur le RER D. Le trafic est fortement perturbé.

....

3. Il se fâche avec tout le monde. Avec son mauvais caractère, c'est normal !

....

4. Il ne peut pas partir en vacances. Il n'a pas d'argent.

....

5. Vos résultats médicaux ne sont pas parfaits. Il faut vous mettre au régime.

....

6. Il a trop travaillé, Il est tombé malade.

....

7. Choisissez l'expression de cause qui convient au contexte.
Faites les modifications orthographiques nécessaires.

1. Bravo, tu as réussi ton examen. Tu peux être fier de toi, c'est vraiment *grâce à / à cause de* ton travail que cela a marché.

2. Ce n'est pas *grâce à / à cause de* toi que nous avons retrouvé notre chemin, tu ne te souvenais même plus de la route qu'il fallait prendre !

3. *En raison de / À force de* un incident technique sur la ligne 13 du métro, le trafic est perturbé.

4. Le projet a échoué *à cause de / à force de* la mauvaise préparation des différents partenaires.

5. Il a refusé de partir en voyage *sous prétexte de / grâce à* un manque de temps.

6. *Étant donné / À la suite de* son caractère, il faut toujours user de mille précautions avec lui.

7. La rentrée des cours est reportée *vu / en raison de* la fermeture de l'université pour travaux.

8. L'itinéraire de l'autocar a été modifié *à la suite de / faute de* un éboulement de terrain sur la chaussée.

8. Même consigne.

1. Elle arrivera un jour à interpréter ce morceau sans faute *à force de / grâce à* le répéter.

2. Elle arrivera un jour à interpréter ce morceau *à force de / par* ténacité.

3. La voleuse a été reconnue *pour / grâce à* un voisin observateur.

4. Il a été décoré par le président *pour / en raison de* avoir sauvé ces enfants de la noyade.

5. Elle a été félicitée *pour / grâce à* son courage.

6. Ils ont interrompu les négociations *à / en raison de* l'heure tardive.

7. Ils ont fait appel à un dépanneur *à cause de / faute de* savoir faire repartir la voiture.

8. Ils ont dû se contenter de conserves pour le dîner *à cause de / faute de* légumes frais.

9. Quelle préposition ? *Par* ou *pour* ? Ces deux prépositions expriment la cause. Mais attention.

Exemple : *Il a agi parce qu'il est bon.* ⇨ *Il a agi **par** bonté*
On l'aime (ou il est aimé) parce qu'il est très bon. ⇨ *On l'aime **pour** sa grande bonté.*

1. a. Il a agi .... méchanceté.

   b. Il a été puni .... sa méchanceté envers sa sœur.

2. a. Il l'a épousée .... amour.

   b. Il l'a épousée .... son immense fortune.

3. a. Il a été condamné .... mauvais traitements envers son chien.

   b. Il a laissé passer cette occasion .... négligence.

4. a. Il a toujours agi .... intérêt.

   b. Il a été libéré .... bonne conduite.

10. Choisissez : *par* ou *pour* ?

1. Le député a convaincu l'Assemblée parce qu'il avait été sincère, éloquent et combatif.

⇨ ....

2. Son entourage le déteste parce qu'il est très avare.

⇨ ....

3. Notre camarade, qui avait été licencié, s'est mis à boire parce qu'il était désœuvré.

⇨ ....

4. Ma cousine éloigne les personnes qui veulent l'aider parce qu'elle se montre très froide.

⇨ ....

5. Nous aimons tous Marguerite parce qu'elle est bonne et généreuse.

⇨ ....

6. Les pouvoirs publics ont poursuivi en justice un homme politique important parce qu'il avait fraudé le fisc.

⇨ ....

7. Le maire de la petite ville a abandonné son projet de grand stade parce qu'il n'avait pas les moyens financiers.

⇨ ....

8. Après le dîner, nous avons remercié nos amis parce qu'ils nous avaient chaleureusement accueillis.

⇨ ....

11. Complétez ce texte par une conjonction (de subordination ou de coordination) de cause : *car, comme, d'autant plus que, en effet, parce que, puisque*. Faites les modifications orthographiques nécessaires.

Il est difficile de sculpter la pierre (1) .... c'est un matériau qui ne permet pas l'erreur. (2) .... on le sait, on fait très attention et on progresse petit à petit, enlevant millimètre par millimètre les épaisseurs superflues. (3) .... la terre est un matériau plus souple, c'est généralement par ce matériau que commencent les débutants, (4) .... , très souvent, il est nécessaire de l'utiliser pour faire une maquette avant de sculpter la pierre. Toutes les pierres n'offrent pas la même résistance ; (5) .... , certaines variétés, crayeuses et friables, sont préférables au granit ou au marbre, pour s'exercer. C'est (6) .... elle permet de développer sa créativité tout en demandant certaines connaissances techniques que la sculpture est une activité manuelle exigeante mais très enrichissante.

12. Dans ce texte, soulignez huit manières d'exprimer la cause.

D'après le cinéaste François Truffaut, c'est parce qu'on a fait un certain nombre de bêtises, dans sa jeunesse, qu'on devient adulte. Il n'a sans doute pas tort puisque chacun sait que certaines expériences ne sont pas transmissibles et qu'il faut donc se brûler les doigts pour apprendre ce qu'est le feu. Son personnage fétiche, car plus ou moins son double, s'appelle Antoine Doisnel. C'est un jeune homme insouciant, voire irresponsable. C'est le héros de *Baisers volés*. Étant donné qu'il a annulé son engagement volontaire dans l'armée, Antoine se retrouve libéré de toute obligation. Il a une amie, Christine, dont les parents ont de la sympathie pour lui. Le voyant désœuvré, M. Darbon, le père de Christine, lui trouve une place de gardien de nuit. Il accepte. Mais à cause de négligences de sa part, il perdra sa place. Il en retrouvera une autre dans une agence de détectives privés ; il négligera Christine sous prétexte d'une passion folle (et éphémère) pour la femme d'un de ses clients. Finalement, ils se retrouveront, non pas qu'il soit devenu plus sage mais Antoine, de nouveau seul, a besoin d'amour.

Avec l'aimable autorisation de l'auteur et de Flammarion

4 L'expression de la conséquence et du but

4.1 LA PROPOSITION SUBORDONNÉE : VALEURS ET EMPLOIS DES CONJONCTIONS DE CONSÉQUENCE ET DE BUT

1. Conjuguez les verbes entre parenthèses au temps qui convient.

Exemple : *Une tempête est annoncée, si bien que les habitants (inviter)* **sont invités** *par la météo à prendre des précautions.*

1. Nous avons du travail en retard si bien que nous *(ne pas sortir)* .... ce soir.

2. Elle a mélangé beaucoup de médicaments de sorte qu'elle *(se rendre)* ....
malade.

3. Le gouvernement a pris des dispositions radicales de manière que le chômage *(être)*
.... maintenant stabilisé.

4. Les citoyens ont protesté, crié, manifesté tant et tant que le gouvernement *(finir)*
.... par accepter leurs revendications.

5. Les conditions climatiques ont changé de telle sorte que les écologistes du monde
entier *(commencer)* .... à s'en inquiéter.

6. Tout le monde possède des téléphones portables si bien que les cabines téléphoniques
(disparaître) .... depuis quelques années.

7. La police de la route est devenue très sévère avec les automobilistes de telle sorte que
la moindre infraction *(être)* .... sévèrement sanctionnée.

8. Le skieur est tombé dans la descente si bien qu'il *(ne plus pouvoir)* ....
participer aux épreuves suivantes.

2. Conjuguez les verbes entre parenthèses au mode et au temps qui conviennent.

Exemple : *J'ai préparé le repas bien à l'avance pour que mes invités et moi (bavarder)* **bavardions** *tranquillement avant le dîner.*

1. La vitesse des trains a considérablement augmenté si bien qu'on *(faire)*
.... aujourd'hui Paris-Marseille en trois heures.

2. Viens que je te *(dire)* .... quelque chose.

3. Le succès du clip a été immense de telle sorte qu'on *(vendre)* ....
des milliers d'exemplaires de la chanson en quelques semaines.

4. En voiture, elle recommande toujours aux autres passagers d'attacher leur ceinture
de sécurité de peur qu'un obstacle ne *(survenir)* ....

5. Elle chante afin que l'enfant *(s'endormir)* .... plus vite.

6. De nombreux citadins ont conduit leurs enfants au Salon de l'agriculture pour que ceux-ci *(faire)* .... connaissance avec les animaux de la ferme.

7. La mission d'un psychologue est de faire en sorte qu'une personne en difficulté *(se sentir)* .... mieux après l'avoir consulté.

8. On a multiplié les mesures de sécurité dans les aéroports de telle façon qu'il *(falloir)* .... parfois arriver plusieurs heures avant l'embarquement.

3. Conséquence ou but ? Trouvez la conjonction, le mode et le temps qui conviennent.

Exemples : *Ils ont meublé une pièce ; elle sert de chambre à coucher et de salon.*
⇨ *Ils ont meublé une pièce **de telle sorte qu'elle sert** de chambre à coucher et de salon.*
(C'est le résultat pur et simple.)
Mais on peut dire :
⇨ *Ils ont meublé une pièce **de telle sorte qu'elle serve** de chambre à coucher et de salon.*
(C'est le résultat voulu, c'est le but.)

1. Il a déplacé légèrement son siège ; ainsi elle voyait parfaitement la scène.

....

2. Il a déplacé légèrement son siège ; ainsi elle verrait parfaitement la scène.

....

3. Il n'a pas bu au cours de la soirée ; ainsi il a pu conduire pour rentrer chez lui.

....

4. On lui a demandé de ne pas boire au cours de la soirée ; ainsi il pourrait conduire pour rentrer chez lui.

....

5. Le journaliste a enquêté soigneusement ; ainsi les lecteurs savent tout de cette affaire mystérieuse.

....

6. Le journaliste a enquêté soigneusement ; ainsi les lecteurs sauraient tout de cette affaire mystérieuse.

....

7. Elle parle devant un micro ; ainsi on l'entend du fond de la salle.

....

8. Elle parle devant un micro ; ainsi on l'entendrait du fond de la salle.

....

4. Choisissez la conjonction : *pour que, afin que* ou *de peur que, de crainte que.* Faites les modifications orthographiques nécessaires.

Exemple : *Il parle dans le micro **pour qu'**on l'entende même du fond de la salle.*
*Il parle dans le micro **de crainte qu'**on ne l'entende pas du fond de la salle.*

1. Il faut faire les choses soi-même .... elles soient bien faites.

2. Il faut faire les choses soi-même .... elles ne soient pas faites comme on veut.

3. On a mis une muselière au chien .... il ne morde personne.

4. On a mis une muselière au chien .... il ne morde quelqu'un.

5. Ne faites pas de ski hors piste .... une avalanche ne se déclenche.

6. Ne faites pas de ski hors piste .... aucune avalanche ne se déclenche.

7. Des gens manifestent .... la guerre n'ait pas lieu.

8. Des gens manifestent .... la guerre (n') ait lieu.

5. Reliez les deux propositions en remplaçant les expressions soulignées par une des conjonctions suivantes : *si... que, tant... que, tellement... que, tant de... que, tellement de... que, tel(le)(s)... que, au point que, à tel point que.*

Exemple : *Il avait __beaucoup__ plu ; les rivières ont débordé.*
⇨ *Il avait **tant / tellement** plu **que** les rivières ont débordé.*

1. Le brouillard était <u>très</u> épais ; on ne voyait plus la tour Eiffel.

....

2. La pièce avait <u>beaucoup de</u> succès ; il fallait prendre ses places plusieurs semaines à l'avance.

....

3. Cette vedette est <u>très</u> célèbre ; elle ne peut pas faire un pas dans la rue sans être arrêtée par des admirateurs.

....

4. Certaines personnes vivent aujourd'hui dans une <u>grande</u> pauvreté, ils connaissent de grandes difficultés financières ; on a créé les Restos du cœur pour leur venir en aide.

....

5. Nous étions <u>très</u> pressés ; nous n'avons même pas pu nous arrêter pour saluer nos voisins.

....

6. L'enfant a mangé <u>beaucoup de</u> sucreries ; il a maintenant envie de vomir.

....

7. L'élève a répondu avec une <u>grande</u> impolitesse ; le professeur a dû l'expulser de la classe.

....

8. Il aime <u>beaucoup</u> la musique ; il en écoute toute la journée.

....

6. Reliez les deux propositions à l'aide d'une des conjonctions suivantes : *trop... pour que, trop de... pour que, assez... pour que, assez de... pour que, suffisamment... pour que, suffisamment de... pour que.* **(Attention,** *trop... pour que, trop peu... pour que, trop de... pour que,* **ont une valeur négative.)**

Exemple : *Il fait trop sombre ; on ne voit pas le chemin.*
⇨ *Il fait **trop** sombre **pour qu**'on voie le chemin.*

1. Il est trop sensible ; on ne lui dira pas la vérité.

....

2. Il fait assez beau ; les touristes feront une promenade en mer.

....

3. Les plages sont trop polluées ; on ne s'y baignera pas cet été.

....

4. Il a montré suffisamment de compétences ; vous lui confierez ce poste.

....

5. Le texte est assez clair ; nous le publierons tel quel.

....

6. Les événements que rapporte ce livre sont trop horribles ; je ne le lirai pas.

....

7. Il y a suffisamment de neige ; nous pourrons skier.

....

8. Il y a trop peu d'émissions intéressantes à la télévision ; elle ne m'attire pas.

....

7. Dans quelle phrase *pour* n'est pas obligatoire.

Exemples : *Elle est venue pour nous voir.* = « pour » n'est pas obligatoire (on peut le supprimer).
Elle se dépêche pour arriver à l'heure. = « pour » est obligatoire (on ne peut pas le supprimer).

1. Ils sont sortis pour prendre l'air.

2. Elle a pris un taxi pour être sûre d'être à l'aéroport à l'heure.

3. On est allés à Montmartre pour voir le feu d'artifice.

4. S'il te plaît, tu peux descendre à la cave pour prendre une bouteille de plus ?

5. Tu es passée pour prendre ton dossier ?

6. Monte pour voir si les enfants dorment.

7. Il a passé deux heures pour comprendre le problème et trouver une solution.

8. Il insiste toujours pour payer, c'est gênant à la fin !

4.1 AUTRES MANIÈRES D'EXPRIMER L'IDÉE DE CONSÉQUENCE ET DE BUT

Préposition + infinitif

1. Récrivez les phrases suivantes de manière à obtenir un infinitif précédé d'une préposition : *jusqu'à, au point de, pour*. (Faites des modifications, si c'est nécessaire.)

Exemple : *Le professeur était très intéressant ; il attirait un public de plus en plus nombreux.*
⇨ *Le professeur était intéressant **au point d'attirer** un public de plus en plus nombreux.*

1. Au cours du match, il a beaucoup crié ; il a une extinction de voix.

   ....

2. Les vagues étaient très hautes ; elles faisaient trembler les surfers les plus expérimentés.

   ....

3. Cette affaire criminelle est trop embrouillée ; on ne la résoudra pas en quelques semaines.

   ....

4. J'étais vraiment passionné par le monde imaginaire de cet auteur ; j'en oubliais le monde réel.

   ....

5. Mes jeunes neveux ont vu très souvent *Le Magicien d'Oz* ; ils connaissent toutes les chansons de ce film.

   ....

6. L'avocat se bat avec courage ; il veut obtenir la révision du procès de son client.

   ....

7. Le bruit des conversations dans le café était insupportable ; il nous a fait fuir.

   ....

8. Le journaliste était trop partial ; on ne le croyait pas.

   ....

Préposition + nom

1. **À partir du verbe souligné trouvez un nom précédé d'une préposition (*pour, en vue de, de peur de*) et complétez les phrases suivantes. (Faites les transformations nécessaires.)**

   Exemple : *Elle va voir le médecin .... (renouveler une ordonnance)*
   ⇨ *Elle va voir le médecin **pour un renouvellement d'ordonnance**.*

   1. Elle lit beaucoup la presse .... (mieux <u>connaître</u> le monde)

   2. Les gens manifestent .... (<u>licencier</u>)

   3. On a voté des crédits .... (<u>rénover</u> un bâtiment public)

   4. Il faut repenser le droit maritime .... (<u>protéger</u> nos côtes)

   5. On a signé une pétition .... (<u>soutenir</u> nos camarades)

   6. Ils ont choisi de ne pas prendre l'autoroute .... (<u>embouteiller</u>)

   7. La direction a réuni les employés .... (<u>régler</u> rapidement le conflit social)

   8. Il n'a pas osé donner son avis .... (<u>critiquer</u>)

Adverbes et conjonctions de coordination

1. Lisez une première fois le texte ci-dessous, puis introduisez correctement, dans ce texte, les expressions suivantes : (attention, une seule expression chaque fois) : *alors, ainsi, aussi, c'est pourquoi, donc, par conséquent.*

Je viens de réussir au bac et je vais commencer des études supérieures que je poursuivrai soit dans une grande école soit à l'université ! (1) J'ai .... décidé d'acheter un ordinateur portable. (2) .... je me suis rendue dans un magasin spécialisé pour me renseigner. Est-ce qu'il valait mieux acheter un MacBook pro ou un simple MacBook ? Et quelle dimension d'écran ? 11, 13 ou 15 pouces ? Et quel stockage ? Et surtout quel prix ? Mais les vendeurs, vu la foule des acheteurs, n'avaient pas beaucoup de temps à me consacrer, (3) .... leurs renseignements étaient-ils incomplets, et parfois contradictoires. (4) .... je suis allée dans un autre magasin. Même scénario ! Puis dans un troisième. Ce jour-là, il était fermé. Que faire ? Malgré mon ignorance, je me suis plongée dans des sites Internet ; j'ai lu, étudié, comparé et j'ai choisi et commandé toute seule mon ordinateur portable ; (5) .... je peux dire que l'ordinateur que j'ai acheté est vraiment mon ordinateur et que je le connais par cœur ! (6) .... grâce à des vendeurs indisponibles ou désagréables, j'ai enrichi ma connaissance et mon expérience dans un domaine dont j'ignorais tout !!!

• BILAN •

Cause ou conséquence ? Reliez les deux propositions indépendantes de manière à obtenir deux phrases : une phrase exprimant la cause, une phrase exprimant la conséquence. (Variez les conjonctions.)

Exemple : *Elle a dû interrompre ses recherches ; son ordinateur est tombé en panne.*
(1. = résultat, conséquence) (2. = cause)
⇨ *Elle a dû interrompre ses recherches **parce que son ordinateur est tombé en panne.***
ou ⇨ *Son ordinateur est tombé en panne **de sorte qu'elle a dû interrompre ses recherches.***

1. Elle a hurlé ; elle a eu très peur en voyant le pitbull s'approcher d'elle.

....

2. Elle est tombée malade ; elle travaille beaucoup.

....

3. Il a lu et relu le poème : il le connaît maintenant par cœur.

....

4. Je n'ai pas pu retrouver la maison de mon amie ; j'avais perdu l'adresse.

....

5. Le professeur a une extinction de voix ; il a beaucoup parlé pendant le cours.

....

6. Elle rougit dès qu'on lui parle ; elle très timide.

....

7. Tout le monde l'admire ; elle s'habille avec une grande élégance.

....

8. Les routes sont coupées jusqu'à nouvel ordre ; l'eau de la rivière est montée et a envahi la chaussée.

....

5 L'expression de l'opposition et de la concession

1. Choisissez la phrase équivalente à la phrase de départ.

1. Quand bien même vous insisteriez, je ne peux pas accepter votre proposition.
   a. Même si vous insistez, je ne peux pas accepter votre proposition.
   b. Vous avez tout à fait raison d'insister, mais je ne peux pas accepter votre proposition.

2. Je le retrouverai, où qu'il aille.
   a. Je le retrouverai de toute façon.
   b. Je le retrouverai quand il sera parti.

3. Quoi que tu aies pu imaginer, il ne s'est rien passé entre elle et lui.
   a. Quelles que soient les idées que tu aies pu avoir à leur sujet, il ne s'est rien passé entre elle et lui.
   b. Tu t'es trompée à leur sujet, il ne s'est rien passé entre eux.

4. Il aura beau raconter ce qu'il veut, plus personne ne croira à ses histoires désormais.
   a. Il essaie de persuader les gens mais personne ne croit à ses histoires.
   b. Même s'il essayait de raconter des histoires, personne ne le croirait.

5. Même en nous dépêchant, nous n'arriverons jamais à attraper le train.
   a. De toute façon, on va rater le train.
   b. Nous n'arriverons jamais à attraper le train sauf si on se dépêche.

6. Il a décidé d'arrêter de fumer, quitte à prendre quelques kilos.
   a. Il a décidé d'arrêter de fumer, il a pris quelques kilos.
   b. Il a décidé d'arrêter de fumer au risque de prendre quelques kilos.

2. Complétez en mettant le verbe entre parenthèses à l'infinitif, à l'indicatif ou au subjonctif. Attention au temps !

1. Je veux que tu viennes avec nous même si cela te *(déplaire)* ....

2. C'est lui qui a pris cette décision catastrophique, bien qu'il *(prétendre)* .... le contraire.

3. Tu ferais mieux de m'aider au lieu de *(rester)* .... là à ne rien faire.

4. Même si vous *(insister)* ...., il n'acceptera jamais, j'en suis sûr !

5. Quoi qu'on *(faire)* ...., il trouve toujours que c'est insuffisant, que ça ne va pas, que c'est mal.

6. Il a eu beau *(faire)* .... l'innocent, tout le monde a très bien compris qu'il était responsable.

7. Il est parti sans un mot, sans *(se retourner)* ....

8. Il a disparu sans que personne *(s'en apercevoir)* ....

3. Avec ces deux phrases, faites une seule phrase en utilisant le mot ou l'expression entre parenthèses. Faites les transformations nécessaires.

Exemple : *Il a plu sans arrêt. / Les vacances se sont bien passées. (malgré)*
⇨ ***Malgré une pluie continue, les vacances se sont bien passées.***

1. Il fait régime sur régime. / Il n'arrive pas à maigrir. *(avoir beau)*

....

2. Le voyage a été très agréable. / Il n'a pas fait beau. *(même si)*

....

3. Je t'avais prévenu. / Tu as fait cette sottise. *(quand même)*

....

4. Il prend toujours de bonnes résolutions. / Il n'arrive jamais à se lever tôt. *(en dépit de)*

....

5. Tu es fatigué, tu devrais laisser ce travail. / Tu le reprendras plus tard, à tête reposée. *(quitte à)*

....

6. Il est déjà assez âgé. / Il a toujours un charme fou ! *(bien que)*

....

7. Ce musicien n'a pas un grand talent. / Il a une bonne technique. *(à défaut de)*

....

8. Il réussit tout ce qu'il entreprend. / Il ne fait pas d'effort pour cela. *(sans)*

....

4. Transformez ces phrases en utilisant *avoir beau*, comme dans l'exemple.
Attention au temps.

Exemple : *Il a affirmé son innocence mais toutes les preuves l'accablaient.*
⇨ *Il a eu beau affirmer son innocence, toutes les preuves l'accablaient.*

1. Certains disent que les enfants d'immigrés réussissent peu, pourtant la réalité est très
différente.

   ....

2. Les acteurs ont fait de leur mieux. Mais cela n'a pas suffi : le film est nul !

   ....

3. Tu peux toujours faire tes yeux de velours, je ne céderai pas.

   ....

4. Le gouvernement a proposé de nouvelles mesures pour l'égalité hommes-femmes au
travail ; cependant, il reste beaucoup à faire.

   ....

5. J'ai cherché ce maudit papier partout mais je ne l'ai pas trouvé.

   ....

6. N'insistez pas, je ne peux rien faire pour vous.

   ....

5. Choisissez la suite logique.

1. Tout le monde adore Adèle bien que
   a. elle soit un peu égocentrique.
   b. elle est toujours de bonne humeur.

2. Malgré les difficultés
   a. ils ont réussi à vaincre l'Everest.
   b. ils ont échoué dans leur tentative de vaincre l'Everest.

3. Elle n'a que 17 ans et pourtant
   a. elle est encore très bébé.
   b. elle va déjà à l'université.

4. Ils ont décidé de se marier même si
   a. leurs amis le leur déconseillent.
   b. elle voudrait une cérémonie ultra-chic.

5. Ils ont eu beau sonner, taper, appeler
   a. personne n'a répondu.
   b. Jeanne a ouvert la porte un peu plus tard.

6. Il a refusé cette invitation au risque de
   a. paraître impoli.
   b. revenir plus tard chez ses amis.

7. Je leur ai interdit de sortir mais
   a. ils sont sortis quand même.
   b. ils m'ont écouté, pour une fois.

8. Il a plus de 30 ans et néanmoins
   a. il habite encore chez ses parents
   b. il travaille comme informaticien chez Info.Cap.

6. Reliez.

1. Quoi que	a. puissent être tes difficultés, nous t'aiderons.
2. Quoique	b. vous soyez, vous ne m'impressionnez pas.
3. Quel que	c. tu ailles, je te suivrai.
4. Quelles que	d. nous fassions, elle se montrait très indulgente avec nous.
5. Quoi que	e. nous fassions des bêtises, elle nous pardonne toujours.
6. Qui que	f. soit le temps, la vieille dame sortait faire un tour de jardin.
7. Où que	g. il dise, tout le monde l'écoute.
8. Quoique	h. elle ait commis des erreurs, elle n'a pas perdu confiance en elle.

7. Reliez.

1. Il avait juré de l'aimer toujours	a. impossible de retrouver ce dossier !
2. Bien qu'il soit très intelligent,	b. elle nage deux heures chaque matin.
3. J'ai eu beau fouiller partout	c. je ne pourrais pas te répéter ce qu'il a dit.
4. Si je t'ai fait de la peine,	d. je te propose ma modeste maison en Provence.
5. Même si tu me suppliais	e. il ne sait pas exprimer ses idées clairement.
6. Un jour elle a tout quitté	f. sans rien dire à personne.
7. À défaut d'un château en Écosse,	g. et pourtant, il l'a quittée au bout d'un mois.
8. Malgré ses 89 ans,	h. c'était vraiment sans le vouloir.

8. Complétez les phrases suivantes avec l'un des verbes suivants (que vous conjuguerez au temps voulu) : *s'insurger (contre), concéder, s'opposer (à), reconnaître, désapprouver, accuser, dénoncer, aller à l'encontre (de)*.

1. Dans leurs déclarations d'hier, les syndicats .... fermement aux mesures de licenciement envisagées par les entreprises.

2. Quand elle lui a dit ce qu'elle avait fait, il .... son attitude et lui a expliqué ce que lui aurait fait à sa place.

3. Cette décision est stupide et .... du bon sens !

4. En mai 1968, les étudiants .... contre la fermeture des universités.

5. Lorsque le gouvernement a décidé de modifier le système électoral, les petits partis .... ce qu'ils ont appelé « un abus de pouvoir ».

6. On .... cet homme d'avoir commis un crime affreux alors que ce jour-là, il était hospitalisé.

7. Après bien des discussions, la direction a fini par .... quelques petits avantages aux employés en grève.

8. Tu verras, tu finiras un jour par .... que c'est moi qui avais raison.

• BILAN •

1. Cochez les bonnes cases.

	+ nom	+ infinitif	+ verbe indicatif	+ verbe subjonctif
malgré				
même si				
avoir beau				
bien que				
au lieu de				
quitte à				
à défaut de				
sans				
sans que				

2. Complétez le texte en utilisant l'une des conjonctions suivantes : *avoir beau, même si (2), quand bien même, quel que, quelles que.*

.... soit le régime, ... soient les institutions, jamais aucune société ne sera parfaitement égalitaire. .... on réussissait à vaincre la pauvreté, ... tous les habitants d'un pays étaient nourris et logés convenablement, il n'en reste pas moins que le monde serait encore injuste. En effet, les différences entre les plus riches et les plus pauvres .... diminuer, il y aura toujours des gens plus riches que d'autres. Et .... la médecine ferait des progrès énormes, il y aurait des malades et des gens en bonne santé. Et certains seraient aussi plus beaux ou plus intelligents. Aucune société parfaite ne pourrait créer des milliers de petits Einstein. L'essentiel est que tout le monde puisse avoir les mêmes chances, et avoir accès à tout ce qui rend la vie plus vivable.

6   L'expression de l'hypothèse et de la condition

1. Choisissez la phrase dont le sens est le plus proche de la phrase de départ.

1. Si tu m'accompagnes au Portugal, je t'offre le voyage.
   - a. Je t'offre le voyage à condition que tu m'accompagnes au Portugal.
   - b. Puisque tu m'accompagnes au Portugal, je t'offre le voyage.

2. Si je me lève trop tard, je suis de mauvaise humeur toute la journée.
   - a. Imaginons que je me lève trop tard demain... Alors, c'est sûr, je serai de mauvaise humeur toute la journée.
   - b. Quand je me lève trop tard, je suis de mauvaise humeur toute la journée.

3. Si par hasard tu vois Paul ou Léo, dis-leur de me passer un coup de fil.
   - a. Au cas où tu verrais Paul ou Léo, dis-leur de me passer un coup de fil.
   - b. Quand tu verras Paul ou Léo, dis-leur de me passer un coup de fil.

4. Si tu n'obéis pas tout de suite, gare à toi !
   - a. Tu n'obéis pas. Attention, gare à toi !
   - b. Obéis sinon gare à toi !

5. Si j'étais toi, je ne ferais pas ce voyage en plein hiver.
   - a. Si j'étais avec toi, je ne ferais pas ce voyage en plein hiver.
   - b. Moi, à ta place, je ne ferais pas ce voyage en plein hiver.

6. Il pourra réussir dans la vie s'il montre un peu plus de patience dans ce qu'il entreprend.
   - a. Il pourra réussir dans la vie à condition d'être plus patient dans ce qu'il entreprend.
   - b. Il ne pourra pas réussir dans la vie parce qu'il manque de patience dans ce qu'il entreprend.

7. Vérifiez que tous vos papiers sont en règle, faute de quoi vous ne pourrez pas embarquer.
   - a. Vous avez fait une faute en oubliant de vérifier tous vos papiers.
   - b. Si vos papiers ne sont pas en règle, impossible d'embarquer.

8. Pourriez-vous m'indiquer le prix de ce studio pour la première quinzaine d'août, à supposer qu'il soit libre à cette date.
   - a. Comme ce studio est encore disponible à cette date, je voudrais savoir son prix.
   - b. Au cas où ce studio serait libre à cette date, je voudrais savoir son prix.

2. Reliez.

1. Si tu ne mentais pas tout le temps,	a. j'aurais reporté le rendez-vous.
2. Si j'avais su que vous étiez absent demain,	b. elle pourrait être mannequin.
3. Si par hasard j'étais un peu en retard,	c. on te croirait.
4. Si elle mesurait vingt centimètres de plus,	d. nous nous occupons de votre réservation immédiatement.
5. Si vous nous envoyez un fax ce soir,	e. nous pourrions faire un tour en bateau dimanche.
6. Si le temps s'améliorait un peu,	f. soyez gentil de m'attendre un peu.

3. Même consigne.

1. Sans son aide	a. je n'aurais jamais accepté !
2. Sans carte de séjour,	b. il ne serait jamais parti vivre à Chicago.
3. Sans ta carte d'étudiant,	c. je n'aurais jamais pu réussir.
4. Avec les cheveux coupés,	d. on aurait pu faire du ski.
5. S'il avait été un peu plus aimable,	e. il aurait des ennuis avec la police.
6. Si j'avais su ça avant,	f. elle serait plus jolie.
7. S'il n'avait pas rencontré Kate,	g. il aurait eu moins de problèmes avec ses collègues de travail.
8. S'il avait neigé un peu plus,	h. tu n'aurais pas pu obtenir de réduction.

4. Transformez les phrases suivantes en utilisant :

– *à condition de ;*

– *à condition que.*

Exemples : *Tu peux gagner le match si tu apprends à doser tes efforts.*
  ⇨ *Tu peux gagner le match à condition d'apprendre à doser tes efforts.*
  Si vous insistez, il ira au vernissage, à mon avis.
  ⇨ *À mon avis, il ira au vernissage à condition que vous insistiez.*

1. Je viendrai samedi si j'ai le temps.

  ....

2. On pourra aller se promener en forêt s'il ne pleut pas.

  ....

3. Si tu es d'accord, on pourrait terminer ce travail le week-end prochain.

  ....

4. S'ils acceptent notre proposition, nous pourrons commencer les travaux dès jeudi.

  ....

5. Je veux bien t'aider pour les maths si tu m'aides pour la chimie.

  ....

6. Je veux bien faire un petit effort sur le prix si vous en faites un de votre côté.

   ....

7. Je pars demain, si je retrouve mon passeport ! Je l'ai encore égaré. Impossible de remettre la main dessus !

   ....

8. Moi, je garde ton chat en juillet si toi, tu arroses mes plantes en août. Ça va comme ça ?

   ....

5. L'hypothèse négative. Transformez les phrases suivantes en utilisant :

– *à moins de* ;

– *à moins que.*

Exemples : *<u>Je</u> viendrai à six heures sauf si <u>je</u> suis retenu.*
   ⇨ *Je viendrai à six heures **à moins d'être retenu**.*
   <u>On</u> ira pique-niquer sauf s'<u>il</u> pleut.
   ⇨ *On ira pique-niquer **à moins qu'il ne pleuve**.*

1. On peut se voir samedi sauf, bien sûr, si tu veux aller voir tes parents à Nantes.

   ....

2. Son fils aimerait partir étudier au Canada sauf si finalement il trouve un bon travail ici.

   ....

3. Je pense revenir dimanche sauf si on me propose de rester quelques jours de plus.

   ....

4. On se retrouve demain à dix heures sauf si la grève des bus continue, naturellement.

   ....

5. Mangeons un sandwich dans un café sauf, naturellement, si tu veux faire un vrai repas.

   ....

6. Il ne viendra pas sauf si, au dernier moment, il parvient à se libérer.

   ....

7. Elle ira promener son bébé après le déjeuner sauf s'il fait trop froid.

   ....

8. Il va être obligé de payer une amende sauf s'il peut persuader la police de sa bonne foi.

   ....

6. Mettez le verbe entre parenthèses au temps et au mode qui conviennent. Attention à la phrase 6, il y a deux solutions possibles.

1. Si par hasard l'avion *(avoir)* .... du retard, comment pourrais-je vous prévenir ?

2. Si mon amie Diana *(téléphoner)* ...., rappelle-lui qu'on se retrouve ce soir à huit heures devant le théâtre comme prévu.

3. Si vous *(venir)* .... hier soir dîner au restaurant avec nous, vous auriez pu rencontrer Paolo Ferrandi, le célèbre acteur. Il était juste à la table à côté.

4. Si j'avais eu le temps de terminer mon travail hier soir, je *(ne pas être obligé)* .... de me lever tôt ce matin et je *(être)* .... moins fatigué maintenant.

5. Si cet élève continue à avoir une telle attitude en classe, nous ne *(pouvoir)* .... pas le garder au collège.

6. Si vous étiez un homme, Lisa, vous *(voir)* .... les choses autrement.

7. Si nous avions assez d'argent plus tard, nous *(aimer)* .... acheter une maison dans le Midi.

8. Si elle *(continuer)* .... à travailler comme ça, elle réussira sans doute ses examens.

7. Qu'est-ce qui est exprimé dans les phrases suivantes : le souhait, le regret, le reproche, l'excuse, la gratitude, la menace ?

1. Si tu n'avais pas été si désagréable, elle ne serait pas partie en claquant la porte. Mais voilà, tu es toujours odieux avec mes amies.

   ....

2. Si vous continuez à faire un tapage pareil, je vous préviens, j'appelle la police.

   ....

3. Si tu avais bien lu l'énoncé de ton exercice, tu aurais su le faire et tu n'aurais pas eu besoin d'appeler à l'aide, comme d'habitude.

   ....

4. Si j'étais riche, j'achèterais un bateau à voile et je ferais le tour de la Méditerranée.

   ....

5. Si on avait su, on n'aurait jamais été voir ce film, c'est un vrai navet*.

   ....

6. Si tu n'étais pas là, qu'est-ce que je deviendrais ! ? Tu es vraiment l'homme providentiel !

   ....

7. Si tu venais avec nous, tu nous ferais vraiment plaisir.

   ....

8. Si je vous dérange, surtout, dites-le-moi, je m'en vais, pas de problèmes !

   ....

   *navet = un mauvais film.

8. Voici d'autres façons d'exprimer l'hypothèse. Remplacez ces phrases par des énoncés commençant par *Si*... Attention à la concordance.

Exemple : *Avec une ceinture, cet imper serait mieux.*

⇨ *S'il avait une ceinture, cet imper serait mieux.*

1. Sans votre aide, il n'aurait jamais pu réussir.

....

2. En lisant les petites annonces, elle trouverait probablement une chambre.

....

3. Pour peu qu'il travaille un peu, il réussira, c'est sûr.

....

4. Au cas où tu partirais le dernier, tu seras gentil de bien fermer la porte.

....

5. Sans cette grève du métro, j'aurais pu attraper mon train.

....

6. En cas de mauvais temps, est-ce qu'on pique-niquerait quand même dimanche ?

....

7. Plus aimable avec les employés, elle n'aurait pas eu tous ces problèmes.

....

8. J'irai à condition que tu y ailles aussi.

....

9. Dépêchez-vous sinon on sera en retard.

....

10. Seul ? Besoin d'amour ? Alors, plus d'hésitation, connectez-vous sur 3615 LOVE.

....

• BILAN •

Choisissez l'expression ou le mode qui convient.

Chers amis,

Nous espérons que vous avez passé un excellent Noël en famille. Nous nous réjouissons de vous retrouver à Paris pour la Saint-Sylvestre. Nous arriverons à la gare de Lyon à 21 h 07 *à moins que / à moins de* il y ait du retard, comme souvent.

Nous avons prévu de rester trois jours *à condition que / à condition de* vous soyez d'accord. Nous sommes partants pour visiter un ou deux musées *sauf si / même si* vous avez organisé autre chose. Nous prenons aussi nos chaussures de marche au cas où vous *avez envisagé / auriez envisagé* de nous faire faire une randonnée dans la capitale. Merci encore ! *Sans / Avec* votre invitation, nous *resterions / serions restés* seuls pour fêter la nouvelle année.

Alors, un grand merci, je me réjouis de vous revoir. À charge de revanche !

7 L'expression de l'intensité et de la comparaison

1. Complétez ce dialogue avec les termes d'intensité qui conviennent le mieux à chaque phrase : *beaucoup, énormément, nettement moins, plutôt, super, tellement, très, vraiment.*

– Alors, ce concours ? Tu es contente de ce que tu as fait ?

– Oui, (1) .... contente. J'ai répondu à toutes les questions mais mes réponses ne sont pas forcément toutes bonnes.

– C'était difficile ?

– J'ai trouvé que certaines questions étaient (2) .... compliquées mais d'autres (3) ....

– Quand aurez-vous les résultats ?

– Dans trois semaines, je pense, ou peut-être avant, ce qui serait (4) .... , je pourrais partir en vacances plus tôt.

– Je suis sûr que tu seras reçue parce que tu as (5) .... travaillé.

– Merci, c'est gentil. En effet, j'ai (6) .... travaillé mais il y a

(7) .... de candidats que la concurrence est rude !

Et (8) .... peu de places !

– Allez, aie confiance ! Ça va marcher. Je te rappelle plus tard.

2. Classez les phrases 1 à 4 par ordre croissant d'intensité, les phrases 5 à 8 par ordre décroissant.

A.

1. Je t'aime passionnément.

2. Je t'aime beaucoup.

3. Je t'aime un peu.

4. Je t'aime à la folie.

B.

5. Ce film est vraiment nul.

6. Ce film est génial.

7. Ce film est pas mal du tout.

8. Ce film est très bon.

....

3. Dans quelle phrase peut-on ajouter l'adverbe *très* devant l'adjectif ?

1. Cette maison est <u>originale</u> avec son toit vitré.

2. Il fait un temps <u>horrible</u> pour la saison.

3. Ce gâteau est <u>délicieux</u> avec une crème anglaise.

4. J'ai eu une peur <u>terrible</u> en ne le voyant plus.

5. C'est une histoire <u>incroyable</u> que tu me racontes là.

6. Ce dernier film est <u>meilleur</u> que tous les précédents.

7. Ces deux jeunes couples sont de <u>merveilleux</u> voisins ?

8. Admirez ces <u>magnifiques</u> vitraux.

4. Reliez les deux parties de la phrase.

1. Paris est une ville	a. aussi casse-cou que son frère.
2. Marc est un homme	b. moins fort que le bourgogne.
3. La tour Eiffel est	c. plus dangereux que prendre le train.
4. Les films de René Vautier sont	d. moins connus que ceux de Godard.
5. La peinture à l'eau	e. moins âgé que mon père.
6. Cette fille est	f. plus haute que la tour Montparnasse.
7. Le vin de Bordeaux est	g. plus peuplée que Marseille.
8. Voyager en voiture est	h. c'est aussi beau que la peinture à l'huile.

5. Barrez la mauvaise forme. Attention, deux réponses sont possibles dans deux des phrases.

1. La fourmi de La Fontaine a une petite particularité : elle n'est pas prêteuse. C'est là son | *plus petit* | | *moindre* | défaut.

2. Mon frère est plus jeune que moi, c'est donc normal qu'il soit petit, | *plus petit* | | *moindre* | que moi en tout cas.

3. À la | *plus petite* | | *moindre* | difficulté, elle abandonne.

4. Ça va bien, ça va même beaucoup | *mieux* | | *meilleur* | depuis l'opération.

5. Ce poulet au citron est très bon, vraiment délicieux, bien | *mieux* | | *meilleur* | que ce que nous avons mangé hier.

6. La situation est mauvaise, bien | *pire* | | *plus mauvaise* | que ce que nous avions envisagé.

7. Il a acheté une nouvelle maison, toute petite, encore | *plus petite* | | *moindre* | que celle qu'il occupait avant.

8. Les deux sœurs sont très sympathiques mais la plus jeune a une imagination, un talent de conteuse et une vivacité moins développés, bref des qualités | *plus petites* | | *moindres* | que celles de son aînée.

6. Remettez les phrases dans le bon ordre.

Exemple : *que dans le sud / soleil / moins de / Il y a / dans le nord / . / de la France*
⇨ ***Il y a moins de soleil dans le nord que dans le sud de la France.***

1. que les chiens / ont / plus de / . / Les chats / patience

....

2. Elle / autant de / connaît / monde / que moi / . / dans cette fête

....

3. plus d' / que d'autres Européens / . / enfants/ Les Français / font

....

4. neige / Il est tombé / cette année / moins de / .

....

5. Pour avoir une bonne santé / autant de / . / il faut manger / que de fruits / légumes

....

6. beaucoup moins de / depuis septembre / J'ai / travail / . / grâce à l'informatique

....

7. Dans son jardin / . / autant d' / il y a / que de fleurs / herbes folles

....

8. moins d' / avec ses voisins / depuis qu'il a coupé son immense cerisier / . / ennuis / Il a

....

7 . Répondez aux questions en utilisant un superlatif : *le plus, la plus, le moins, la moins, etc.* **Plusieurs réponses possibles.**

Exemple : *Qui était Ayrton Sena ? C'était le coureur automobile* **le plus rapide** *du monde dans les années 90.*

1. Quelle est la particularité du Mont-Blanc ?

....

2. Pourquoi prendre le métro à Paris ?

....

3. Toutes les polices recherchent cet homme. Pourquoi ?

....

4. Pourquoi les Parisiens aiment-ils la trottinette électrique ?

....

5. Quelle est la caractéristique du Pont-Neuf à Paris ?

....

6. La ligne droite, c'est quoi ?

....

7. Quelle est la caractéristique de l'Amazone ?

....

8. Qui est Victor Hugo ?

....

8. Complétez les phrases. Attention aux superlatifs irréguliers.

1. – Pourquoi utilisez-vous de l'eau de Javel ? – Parce que c'est .... désinfectant.

2. – Pourquoi allez-vous toujours dans ce restaurant ? – Parce que c'est ....
cher pour les étudiants.

3. – Tout le monde adore cet enfant. Pourquoi ? – C'est l'enfant .... gai que je
connaisse. Il rend tout le monde heureux.

4. – Est-ce que le mois d'août est une bonne période pour visiter le Sahara ?
– Non, c'est le mois .... chaud de l'année.

5. – Il a un drôle de caractère, il se vexe facilement. C'est vrai ? – Hélas oui, c'est .... de ses défauts.

6. – Pourquoi avez-vous crié cette nuit ? – J'ai fait .... cauchemar de ma vie !

7. – Comment fait-on une mayonnaise ? – Je n'en ai pas .... idée.

8. – Quels enfants vont pouvoir passer sous cette clôture ? – Seulement .... petits, les autres devront faire le tour.

9. Faites le bon choix. Barrez le terme erroné. Attention à la phrase 8.

1. Avec la carte Z, vous aurez le | *meilleur* | *mieux* | service bancaire !

2. Lire de bons livres c'est | *meilleur* | *mieux* | que de regarder de mauvais films.

3. L'eau est | *meilleure* | *mieux* | pour la santé que l'alcool.

4. C'est la | *meilleure* | *mieux* | chose que je puisse faire pour vous aider.

5. Voici le | *meilleur* | *mieux* | fromager de Paris.

6. Il a | *meilleur* | *mieux* | caractère que son cousin.

7. Il vaut | *meilleur* | *mieux* | en rire que se mettre en colère.

8. Un bon petit plat mijoté, c'est | *meilleur* | *mieux* | qu'un sandwich.

10. Complétez ces phrases par *que, de* ou *à*.

1. C'est un vin bien supérieur .... tous ceux des années passées.

2. Vous avez la même cravate .... moi.

3. Il n'a pas autant de patience .... toi.

4. Tes notes sont-elles inférieures .... celles du premier semestre ?

5. Sa tarte est meilleure .... la mienne.

6. Les avantages de cette méthode sont supérieurs .... ses inconvénients.

7. C'est le plus beau château .... la région.

8. C'est le pire .... mes souvenirs.

11. Choisissez l'adjectif ou l'adverbe qui convient et exprimez une idée de comparaison progressive : *de plus en plus, de moins en moins... chaud, difficile, favorable, lointain, long, mal, timide, rare.*

1. Au fur et à mesure qu'on se rapprochait du feu, il faisait ....

2. À partir du mois d'août, les jours sont ....

3. À cause des rhumatismes, il marche ....

4. Il devient .... en grandissant, il ne rougit plus à tout propos.

5. Les gens partent pour des destinations ....

6. Je suis .... à ce projet de rue piétonne. Cela améliorera la vie des riverains.

7. Cela devient .... d'obtenir son permis de conduire.

8. Il est .... d'habiter dans une ville et de travailler dans une autre.

12. Complétez les phrases suivantes avec *plus, moins, autant, mieux*.

1. Attention ! .... vous mangerez, ... vous grossirez.

2. Elle est très entêtée : .... tu la sermonnes, ... elle t'écoute.

3. .... cette coiffure te va bien, ... elle lui va mal.

4. .... on fait d'exercices physiques, ... on se porte.

5. N'ayez pas peur du chien : .... vous avancerez, ... il reculera.

6. Sois discret. .... tu en raconteras sur cette triste affaire et .... ce sera.

7. .... j'apprends le français, ... j'apprécie cette langue.

8. On ne dirait pas des jumeaux : .... il est désagréable, ... elle est adorable.

• BILAN •

Anne et *Suzanne* sont amies. Faites cinq phrases dans lesquelles vous mettrez en évidence leurs ressemblances et leurs différences.

Anne : 19 ans, 1,76 m, 65 kg – Blonde, cheveux courts, yeux bleus – Timide, sérieuse, travailleuse – Vit à Paris, chez ses parents, rue des Moines dans le 17ᵉ arrondissement – Actuellement en deuxième année à la faculté de médecine de Paris.

Suzanne : 20 ans, 1,64 m, 65 kg – Cheveux châtains mi-longs, yeux marron – Expansive, gaie, travailleuse – Habite à Paris dans un petit studio dans le 3ᵉ arrondissement – Actuellement en deuxième année à la faculté de médecine de Paris.

Exemple : *Anne et Suzanne n'ont pas le même âge ; Anne est plus jeune que Suzanne…*

....

....

....

....

....

CORRIGÉS

I. GÉNÉRALITÉS

1. GÉNÉRALITÉS

Les liaisons à l'oral
----

1. les‿opéras – **2.** des‿iris, des‿anémones, des‿azalées, quelques‿arbres, des‿orangers, des‿ abricotiers – **3.** les vieillards/affirment, les‿hivers/étaient, froids/et, les‿étés – **4.** adressez-vous/à vos‿élus – **5.** cet‿arbre, très/haut, trop/haut – **6.** beaux‿yeux, dit-‿il – **7.** nord/est, sud‿est, plus‿accidenté – **8.** dix‿euros, dix‿euros/et/onze.

2. 1. trop émue – **2.** les‿uns, les‿autres, quelques-‿uns/ont, des‿idées, les‿autres, moins‿affirmatifs – **3.** ils‿ont‿acheté, ils‿y ont, rapidement~emménagé – **4.** les/Halles, devenues/un, grand~espace – **5.** les/héros, les‿héroïnes, sont~extraordinaires – **6.** sommes~allés/aux États-‿Unis/et, les‿avons, de part/en/part – **7.** un‿endroit, très‿agréable, et/assez/ombragé (jamais de liaison après « et ») – **8.** dix‿heures, trois‿hommes, dans‿une, ils‿ont, tout ‿un, sud-‿américain, mais~ils.

3. 1. si l'on veut – **2.** Vas-y – **3.** que l'on puisse – **4.** a-t-on raison – **5.** Ø – **6.** Écoute-t-il, Ø – **7.** Manges-en – **8.** quoi que l'on fasse.

L'élision
----

1. 1. qu'il était, qu'elle n'avait, d'écouter, l'orateur – **2.** l'arbitre, l'équipe – **3.** l'ami, l'université – **4.** Ø – **5.** parce qu'on t'a offert – **6.** s'entend, s'il dit – **7.** s'ouvre, qu'avec, J'ai envie, m'en débarrasser – **8.** Ø.

2. 1. L'être, n'est, l'univers – **2.** Ø – **3.** bien qu'il – **4.** Ø – **5.** s'est jeté, s'il n'avait – **6.** Ø – **7.** L'histoire, C'est – **8.** l'air, tu t'épuises, est-ce qu'il n'est pas l'heure d'aller.

La ponctuation
----

1. C'est la rentrée. Une année de plus qui commence, durant laquelle des milliers de lycéens vont entendre, dès qu'il leur prendra l'envie de paresser, ces quelques mots d'une cruauté toute parentale : « Et ton bac ? » ou le fameux : « Passe ton bac d'abord » Alors, en guise de soutien, nous avons décidé d'apporter chaque semaine, dans notre petit journal, un peu de réconfort aux élèves stressés en leur parlant de ce qu'ils aiment : le cinéma, le sport, la musique, les copains, les voyages…

2. 1. Dans la première phrase, ils arrivent de quatre villes précises ; dans la seconde, les quatre villes ne sont que des exemples. – **2.** Dans la première phrase, il s'agit d'un ordre ; dans la seconde, il s'agit d'une insertion. – **3.** Dans la première phrase, le correspondant a été assassiné ; dans la seconde, il rend compte de l'enquête sur l'assassinat. – **4.** Dans la première phrase, Monsieur Perrin est mordu ; dans la seconde, il est mis en garde, il est prévenu que le chien peut mordre.

3. Les guillemets : dans la première phrase, il s'agit d'une citation ; dans la seconde, les guillemets mettent en évidence un mot. – **Les points de suspension** : dans la première phrase, les points de suspension montrent que la liste est inachevée ; dans la seconde, ils indiquent une hésitation. – **La parenthèse** : dans la première phrase, la parenthèse apporte une précision ; dans la seconde, elle permet de donner une traduction.

Les accents et marques orthographiques
----

1. Hélène va de succès en succès : elle crée des vêtements, en particulier des vestes aux couleurs chaudes et des bracelets de perles multicolores. Elle achète ses tissus et ses matériaux partout où elle se promène sur la planète. Tous les premiers dimanches du mois, de mai à septembre, elle est présente au marché de l'art, boulevard Quinet, où nous lui achetons régulièrement ses créations.

2. … sur le **mur**… **du** jardin… abricot bien **mûr**… Il est **sûr**… C'est une **tâche**… **où** il trouve… **Là**, dans ce jardin… **sûr** de lui ; rien ne lui est **dû**…

3. 1. le maïs – **2.** Loïc, Noël – **3.** ambiguë, ambiguïté – **4.** aiguë – **5.** naïve – **6.** héroïne – **7.** coïncidence – **8.** haïr – **9.** stoïque – **10.** laïcité.

II. LA SPHÈRE DU NOM

1. LE NOM

Le genre
---

1. 1a et d – 2c et e – 3h – 4g – 5b – 6f.

2. Masculin : le socialisme, l'oranger, le silence, le lycée, l'élément, le boucher, le document, l'appartement, le bâtiment, le capitalisme, le pommier, le gouvernement, le musée – **Féminin :** la solution, la maison, la nation, la patience, l'élégance, la définition, la réflexion, la bonté, l'écriture, la beauté, la philosophie, la passion, l'ouverture, la méfiance, la sociologie, l'arrivée, la destinée, la tolérance, la décision, la raison, l'économie, la saleté, l'émotion, l'intelligence

– Les mots *silence, lycée et musée* sont des exceptions.

– Tous les noms terminés par : *-er, -isme, -ment*, sont masculins. Tous les noms terminés par : *-aison, -ance, -ence, -ée, -ie, -sion, -tion, -xion, -té, -ure* sont féminins, sauf : *silence, lycée, musée.*

Le nombre
---

1. 1. des amis japonais et des collègues finlandaises – 2. des clous – 3. des noix – 4. les journaux – 5. des yeux – 6. des gâteaux – 7. vos pneus – 8. Des bijoux ? Des vêtements ?

2. 1. la foule – 2. un banc – 3. la clientèle – 4. la classe – 5. un vol – 6. le public – 7. le linge – 8. un tas.

3. 1. Pablo Fuentes – 2. les Alpes, les Pyrénées – 3. *Les chasses du comte Zaroff* – 5. l'Alsace, la Lorraine, les Vosges – 6. *Madame Bovary*, Flaubert – 7. Irlandais, Allemands, Italiens, Danois – 8. Renault, Peugeot, une Japonaise.

2. LES DÉTERMINANTS ET LES SUBSTITUTS DU NOM

Les articles

L'article indéfini

1. 1. un cahier – 2. des crayons – 3. une gomme – 4. un livre – 5. d'une règle – 6. des traits – 7. des dictées – 8. des récitations.

2. 1. pas de cartable – 2. pas de machine à calculer – 3. pas d'ordinateur – 4. pas de livre de lecture – 5. pas de dictées – 6. pas d'additions – 7. pas de multiplications – 8. pas de devoirs.

3. 1. des manifestants, des slogans – 2. une émission, une nouvelle journaliste – 3. pas de défauts, des qualités – 4. des appartements, un quartier – 5. pas de tulipes – 6. une rue – 7. des gratte-ciel, des rues – 8. pas de quotidiens, des magazines.

4. 1. des chaussures – 2. de belles chaussures – 3. d'autres – 4. des jeunes – 5. des vieux – 6. des enfants – 7. des grands-parents – 8. De nombreuses vendeuses – 9. Des amis – 10. des achats – 11. d'excellentes occasions – 12. des économies – 13. de grosses économies.

L'article défini

1. 1. Le – 2. L'– 3. Les – 4. La – 5. Le – 6. L' – 7. Les – 8. La.

2. 1. à la fenêtre, le passage des coureurs. – 2. le pianiste, l'intégrale des sonates – 3. jusqu'au sommet du Mont-Blanc – 4. du matin au soir – 5. la vitesse de la lumière – 6. les pouvoirs de l'État – 7. aux peintres français du XVIIe siècle – 8. aux grandes œuvres de la même époque.

3. 1. les, les – 2. Les – 3. la Colombie, l'Équateur – 4. emploi du temps, le mardi au conservatoire, le week-end – 5. au marché, le kilo, les deux bottes – 6. dans les soixante-dix ans – 7. au Japon, aux Puces – 8. du Premier ministre, des journaux.

4. 1. un livre, le livre – 2. un film, la télévision – 3. le roman – 4. le jeune homme, un acteur – 5. des gens, les témoins, – 6. des romans, des autobiographies, des œuvres – 7. les enfants, des questions – 8. la lune, un ciel.

5. 1. la mi-journée – 2. Une tempête – 3. la soirée – 4. la Normandie – 5. le vent – 6. l'heure – 7. les côtes – 8. La tempête – 9. les autres régions – 10. le temps – 11. le vent – 12. des nuages – 13. des averses – 14. le temps – 15. à l'exception – 16. des éclaircies.

6. Article indéfini pluriel : phrases 2, 4, 8. **Article défini contracté :** phrases 1, 3, 5, 6, 7.

7. Article indéfini pluriel : 1. des vérités profondes – 2. des stars – 3. des erreurs – 4. des primevères – 5. des élèves – 6. des parkings – 7. des chaussures – 8. des gants.

Article défini contracté : 1. au cœur des romans – 4. le long des chemins – 6. à côté des supermarchés.

L'article partitif

1. 1. du – 2. du – 3. de l' – 4. du, du – 5. du, de l', de la, d' – 6. d' – 7. de la – 8. d'.

2. 1. b, g, h – 2. d – 3. j – 4. c, e, f, i.

3. 1. une, de la, du, du, des – 2. de, un – 3. du, de – 4. un, du, une – 5. de la, une – 6. un, de la, de la, de la, de l', une – 7. du, des, un, du, une – 8. des, des, des, de.

L'absence d'article

1. a. *Ils veulent tous* une caméra GoPro, des jeux vidéo, un Ipad dernière version, des baskets dorées ou argentées, du changement, de l'indépendance, des copains et copines. – **b.** *Ils ont tous envie* d'une caméra GoPro, de jeux vidéo, d'un Ipad dernière version, de baskets dorées ou argentées, de changement, d'indépendance, de copains et copines.

2. 1. en colère – **2.** le médecin –**3.** avec aisance – **4.** le plus grand des hasards – **5.** une telle rapidité – **6.** médecin – **7.** par hasard – **8.** une colère noire.

3. 1. le monsieur – **2.** la dame – **3.** septembre, juin – **4.** mardi – **5.** le mardi – **6.** la Grande-Bretagne et Cuba – **7.** Madame Daodezi – **8.** La fille.

4. *Dans la cuisine :* 1f – 2e – 3d – 4b – 5c – 6.a ; *Dans le garage :* 1d – 2c – 3e – 4b – 5a – 6f.

Bilan

----

1. 1a – 4d.

2. 1. de la salade – **2.** du thon – **3.** des pommes de terre – **4.** des œufs – **5.** des haricots verts – **6.** des tomates – **7.** les légumes – **8.** les œufs – **9.** la salade – **10.** des anchois – **11.** une jolie décoration – **12.** un bol – **13.** du sel – **14.** du poivre – **15.** de la moutarde – **16.** du vinaigre – **17.** la quantité – **18.** le tout – **19.** de l'huile – **20.** le triple – **21.** la quantité – **22.** l'ensemble – **23.** le mélange – **24.** la salade.

3. 1h – 2f – 3e – 4i – 5g – 6a – 7c – 8d – 9b.

4. L'article *des* devient *de* ou *d'* dans toutes les phrases de la colonne de gauche, parce que l'adjectif est placé avant le nom.

5. 1. un sac à dos – **2.** des chaussures de marche – **3.** un cinéma de quartier – **4.** un paquet de cigarettes – **5.** une boîte d'allumettes – **6.** une tasse à thé – **7.** un verre de vin – **8.** une bouteille de lait.

6. 1. sans crainte – **2.** une peur bleue – **3.** le dernier de mes soucis – **4.** une faim de loup – **5.** le dernier film – **6.** une histoire – **7.** une incroyable surprise, la plus grande surprise de ma vie – **8.** la meilleure nouvelle de l'année.

Les pronoms personnels

Les pronoms personnels sujet

1. 1. vrai (cf. « heureuse ») – **2.** vrai – **3.** vrai – **4.** vrai – **5.** vrai – **6.** faux – **7.** vrai – **8.** vrai.

2. 1. Le « on » (ligne 9) = nous, (ligne 13) = quelqu'un, (ligne 15) = la direction du théâtre. – **2.** Le « nous » (ligne 4) = ma sœur et moi, (ligne 7) = ma sœur,

Philippe et moi, (ligne 19) = vous et moi. – **3.** Le « vous » (lignes 2 et 5) = Patrice, (ligne 20) = Patrice et ses parents.

3. 1. vous, je, on, vous, nous – **2.** tu, je, tu, nous, je, vous – **3.** tu, ils, tu, elle, ils, tu, j', j'.

4. Laisse-le – Je te le passerai – je les prends – ne les prends pas – tu ne les mettras pas – je l'apporte ? – tu ne le mettras pas – ne l'oublie pas – mets-le dans ton sac – je les ai –Je ne les ai pas prises – Je l'ai vue hier.

5. 1. C'est toujours elle qui jardine. – **2.** ...Chris qui sort... – **3.** ...eux qui font la vaisselle – **4.** ...nous qui rangeons – **5.** ...ma grand-mère qui s'occupe... – **6.** ...moi qui sors le chien – **7.** toi qui vas aider...

Les pronoms personnels compléments directs (l', le, la, les)

1. 1. la regarde – **2.** l'écoutent – **3.** le prenez – **4.** l'emmène – **5.** les achète – **6.** la connais – **7.** l'aimons – **8.** la connaissez.

2. 1. Je les ai rencontrés – **2.** Il les a pris – **3.** Nous l'avons achetée – **4.** Je l'ai bien connue – **5.** Nous l'avons vu – **6.** Je l'ai aperçu – **7.** Je l'ai écouté – **8.** Nous les avons accueillis.

Le pronom personnel complément direct (un, une, des ⇨ en)

1. 1. je n'en veux pas – **2.** il en a – **3.** je n'en ai pas – **4.** je n'en utilise pas – **5.** elle n'en met pas – **6.** ils en écoutent – **7.** j'en ai une – **8.** je vous en mets combien ?

2. 1. je n'en ai pas mis – **2.** j'en ai lu un ou deux – **3.** elle en a fait trois ou quatre – **4.** je n'en achète pas cette année – **5.** je n'en ai jamais fait – **6.** ma fille en a fait.

Le pronom personnel complément direct partitif (du, de la, de l' ⇨ en)

1. de la farine – vous en versez – des œufs – vous en choisissez 4 – du lait – en chauffer – de la levure – vous en mettez – du sucre – des pruneaux – du rhum – vous en mettez – pas de beurre – vous n'en avez pas besoin – il vous en faudra.

L'opposition l', le, la, les / en

1. 1. la clé – **2.** mes clés – **3.** du pâté – **4.** du whisky – **5.** ce livre – **6.** cette histoire – **7.** ton stylo – **8.** un fils.

2. la – elle en avait beaucoup – la – la – le – j'en voudrais six – tu en vois – tu les vois – j'en vois – j'en vois – j'en voudrais une – je la préfèrerais – tu la vois – je ne la vois pas.

2. 1. Oui, j'en veux. – **2.** Oui, je veux bien (Oui, je le veux : forme plus solennelle dans le contexte de la phrase). – **3.** Non, je ne l'ai pas essayé. – **4.** Non, je n'ai pas essayé. – **5.** Non, je ne peux pas. – **6.** Oui, j'aimerais bien. – **7.** Oui, j'oserais. – **8.** Oui, je sais.

Bilan
---

1. 1a – 2b – 3b – 4d – 5a – 6c

2. 1e – 2f – 3a – 4d – 5c – 6b

3. *Exemples :* **1.** J'aurais bien aimé voir ses photos de vacances mais rien à faire ! – **2.** L'an dernier, je leur ai demandé de me prêter des vidéos et ils ont fait toute une histoire ! – **3.** Je n'ai pas vos dossiers, désolé ! – **4.** Je pensais que tu étais au courant de cette histoire depuis longtemps ! – **5.** Cette insulte, je ne suis pas près de l'oublier !

5. y – le – en – l' – le – lui – lui – lui – le – le – en – le – lui – vous – le – l' – le – lui – le – lui – lui – lui – lui – en – l' – y – lui – le – lui – lui – y – en – d'eux.

Les adjectifs et pronoms démonstratifs
---

1. cette femme – cet homme – ce ministre – cet appartement – cette maison – cet immeuble – cette assiette – ce médecin – cet / cette artiste – cet acteur – cette actrice – ces rues – ce / ces pays – cet / cette enfant – cette porte – cette lampe – cet étudiant – cette étudiante – cette fleur – ces fleurs – cet arbre – ces arbres – ce parc – ces jardins.

2. 1. Cette arme est dangereuse. – **2.** Est-ce que ce pull-over est en laine ? – **3.** Regarde cette image ! Elle est très belle. – **4.** Cet énorme bateau est un transatlantique. – **5.** À quoi sert cet objet bizarre ? – **6.** Attention ! Cette assiette est en porcelaine. – **7.** Admirez ce héros, il a accompli des actions extraordinaires. – **8.** Connaissez-vous cet écrivain américain ?

3. 1. celui-ci, celui-là – **2.** celui – **3.** celle – **4.** ceux – **5.** celles – **6.** celle-ci, celle-là – **7.** celui, celui – **8.** ceux.

4. 1. celles de l'été – **2.** ceux qui préfèrent – **3.** ceux qui vont – **4.** celle-ci est – **5.** celles des ouvriers – **6.** celle des jeunes – **7.** ceux qui ont – **8.** ceux-ci vivent.

5. 1. Cette carte – **2.** celui que tu préfères – **3.** ce qui est – **4.** cette – **5.** celui – **6.** celui à 29 euros – **7.** ce plat – **8.** celui-ci (ou celui-là) – **9.** cela – cela/ça te convient.

6. 1. c'est – **2.** ce – **3.** ça – **4.** ça – **5.** ça – **6.** ce, ça – **7.** ce – **8.** ce, ça.

7. *Bonnes réponses :* **1.** ceux – **2.** ce – **3.** ce – **4.** ce – **5.** ceux – **6.** ceux – **7.** ceux – **8.** ce.

Les adjectifs et pronoms possessifs
---

1. 1. Mon fils, ma fille, mes jumeaux – **2.** tes copains, ta mob, ton argent de poche, tes études, Ton avenir – **3.** mon tour – **4.** ses affaires – **5.** son grand chapeau, sa canne – **6.** votre courrier, vos journaux.

2. 1. Tous les matins, tu conduis tes enfants à l'école avant de te rendre à ton travail. – **2.** Tous les matins, nous conduisons nos enfants à l'école avant de nous rendre à notre travail. – **3.** Tous les matins, vous conduisez vos enfants à l'école avant de vous rendre à votre travail. – **4.** Tous les matins, elle conduit ses enfants à l'école avant de se rendre à son travail. – **5.** Tous les matins, ils conduisent leurs enfants à l'école avant de se rendre à leur travail.

3. *Bonnes réponses :* **1.** mon auto – **2.** ton autre chemise – **3.** sa douzième – **4.** son opinion – **5.** ton amie – **6.** sa chère amie – **7.** ma petite maison – **8.** Ton immense maison.

4. 1. la tête – **2.** les mains – **3.** le bras – **4.** la main gauche, sa main préférée – **5.** les pieds – **6.** les oreilles – **7.** sa main – **8.** la femme.

5. 1. la tienne – **2.** les miens – **3.** la sienne – **4.** les leurs – **5.** le vôtre – **6.** le mien, le vôtre, le sien – **7.** la mienne – **8.** le vôtre.

6. 1c – 2f – 3e – 4b – 5h – 6d – 7g – 8a.

7. 1. leurs histoires – **2.** leurs conversations – **3.** ils le leur ont – **4.** elle leur a gentiment – **5.** leur famille – **6.** leur demander – **7.** qui leur laisseront – **8.** leurs bêtises.

Les adjectifs et pronoms indéfinis

Les adjectifs indéfinis

1. 1. toute – **2.** Tous – **3.** toutes – **4.** toute, tous, toutes – **5.** Tout – **6.** Tout.

2. 1. tous, toutes – **2.** tout – **3.** chaque – **4.** tous – **5.** Chaque – **6.** toute – **7.** Tout / Chaque – **8.** chaque.

3. 1. Tout / Chaque véhicule, tous les deux ans – **2.** chaque épreuve, tout son corps, tous ses muscles – **3.** toutes les certitudes – **4.** Toute vérité – **5.** Tous les Français – **6.** chaque Français, chaque repas – **7.** Tous les journalistes – **8.** chaque année, tous les trois ou quatre ans.

4. 1. quelques – **2.** plusieurs – **3.** quelques – **4.** quelques – **5.** plusieurs – **6.** quelques.

5. 1. toutes, aucun – **2.** chaque – **3.** chaque – **4.** aucune – **5.** Aucune, toutes – **6.** Aucun – **7.** aucun, tout, plusieurs – **8.** tous, plusieurs, quelques.

6. 1. des qualités – **2.** des qualités évidentes – **3.** des opinions opposées – **4.** plusieurs solutions

– 5. aucune plante – 6. mauvais en mathématiques – 7. n'importe quel restaurant– 8. vraiment médiocre

7. 1. n'importe quel – **2.** telle – **3.** mêmes, même, même, même – **4.** autre – **5.** n'importe quelle – **6.** telle, autre – **7.** même, même, même – **8.** d'autres.

Les pronoms indéfinis

1. 1. Non, ils ne sont pas tous de Victor Hugo. / Non, tous ne sont pas de V.H. – **2.** Oui, j'ai tout pris. – **3.** Oui, je les ai tous faits. – **4.** Non, je ne les connais pas toutes. – **5.** Tout est bleu. – **6.** Non, je ne les ai pas tous visités. – **7.** Oui, j'ai tout mangé. – **8.** Elles sont toutes bien fermées.

2. tous – Tous – Chacun – Tous - tous (ou toutes, selon ce à quoi on se réfère) – tous – Chacune – chacune.

3. 1. Personne. / Personne n'a pris le livre. – **2.** Non, je ne veux rien d'autre. – **3.** Aucun, n'a échappé. / Aucun. – **4.** Non, je n'ai rien vu. – **5.** Non, je n'ai rien lu d'intéressant. – **6.** Non, personne. / Non, personne n'est passé. – **7.** Aucun. – **8.** Non, personne. / Non, personne (d'autre) n'a rien à dire.

4. 1. n'importe qui – **2.** n'importe quoi – **3.** n'importe lequel – **4.** n'importe quoi – **5.** n'importe laquelle – **6.** n'importe lesquels – **7.** – n'importe qui – **8.** n'importe qui / n'importe laquelle.

5. 1. quelques-uns – **2.** plusieurs – **3.** l'un – l'autre – **4.** les uns, les autres, quelques-uns – **5.** plusieurs – **6.** quelques-uns – **7.** les uns, les autres, certains, quelques-uns – **8.** l'une, l'autre.

6. 1. un autre – **2.** autre chose – **3.** autrui – **4.** le même – **5.** le même – **6.** les mêmes, d'autres – **7.** je ne sais qui – **8.** un je-ne-sais-quoi.

Les adjectifs et pronoms interrogatifs et exclamatifs

1. 1. Que disent-ils ? – **2.** Que prendrez-vous comme dessert ? – **3.** Qu'as-tu fait le week-end dernier ? – **4.** Que pensez-vous de ma proposition ? Êtes-vous d'accord ? – **5.** Avec qui t'en vas-tu en vacances ? – **6.** Chez qui avez-vous passé la soirée ? – **7.** Où as-tu acheté ton manteau ? – **8.** Par où es-tu passé ?

2. 1. Quelle idée – **2.** quelle raison – **3.** Quel type – **4.** quelles obligations – **5.** De quel droit – **6.** quel culot – **7.** quel est son prénom – **8.** quelles sont vos relations.

3. 1. Regarde comme les trottoirs sont sales ! Quelle ville ! – **2.** Il y a une ville que j'adore au Mexique. – Quelle ville ? – **3.** Il peut jouer tous les rôles ! Quel acteur ! – **4.** J'ai vu un film avec un acteur extraordinaire ! – Quel acteur ? – **5.** Nous sommes tombées en panne en plein désert, et nous sommes rentrées à dos de chameau. Quelles aventures !

– **6.** – Elles vous ont raconté leurs aventures en plein désert. – Quelles aventures ?

4. 1. À quelle – **2.** Quelles – **3.** Avec quels – **4.** Dans quelle – **5.** Pour quel – **6.** En quelle – **7.** Quelles – **8.** De quelle.

Les pronoms relatifs

1. que – que – que – qui – qui – qui – que – que.

2. 1. … un manteau qui correspond… – **2.** … une solution qui vous conviendra… – **3.** … beaucoup d'Italiens que je trouve… – **4.** … un musée d'art africain où je ne suis… – **5.** … un enfant qu'elle a appelé… – **6.** … un excellent restaurant où on mange… – **7.** … un très vieil ami que je connais… – **8.** … quelqu'un que tu vas…

3. 1. … un livre d'art dont j'avais une envie folle. – **2.** … ce travail dont je me chargerai très volontiers. – **3.** … trois enfants très jeunes dont ils s'occupent avec une patience d'ange ! – **4.** … un studio à Nice dont tu peux profiter, si tu veux. – **5.** … beaucoup de bêtises dont je me suis souvent repenti. – **6.** … conditions de travail très pénibles dont ils se plaignent sans arrêt. – **7.** … cette histoire d'ascenseur en panne dont je t'ai parlé l'autre jour ? – **8.** … beaucoup de vieilles choses dont on aimerait bien se débarrasser.

4. 1. … son tableau dont il est satisfait. – **2.** … une vieille voiture dont on se contente. – **3.** …de son jardin dont il est extrêmement fier. – **4.** … une banque plutôt efficace dont je suis assez satisfaite. – **5.** …les dernières nouvelles dont j'ai été informé ce matin même. – **6.** … des propos insultants dont tout le monde a été scandalisé.

5. 1. … mais dont j'ai perdu la clé. – **2.** … mon cousin François dont la fille vit actuellement en Espagne. – **3.** … mais dont je n'ai pas aimé la fin. – **4.** …cette maison dont les volets sont toujours fermés. – **5.** … le premier film de Jean-Luc Godard *À bout de souffle* dont il avait d'ailleurs écrit le scénario. – **6.** … une histoire assez étrange dont on ne connaît pas tous les détails. – **7.** … un roman magnifique dont l'action se passe au Moyen Âge. – **8.** … une très jolie fille mais dont le caractère est épouvantable.

6. 1. où sont nés – **2.** qui n'a pas – **3.** qui y vivent – **4.** dont tout le monde – **5.** qui stationnent – **6.** que je connais – **7.** qui vivent – **8.** dont on parle.

7. 1. qui était – **2.** que toute la famille – **3.** où il a – **4.** que j'ai – **5.** dont on se souviendra – **6.** où il se cachait – **7.** qui l'a retrouvé – **8.** où on l'avait – **9.** où j'ai quitté.

8. 1. une pince avec laquelle on accroche le linge sur un fil. – **2.** un objet avec lequel on peut enfoncer des clous. – **3.** des objets qui aident les personnes handicapées à se déplacer. – **4.** un instrument grâce auquel on peut observer des êtres minuscules. – 5. un ballon gonflé au gaz dans lequel on peut monter pour s'envoler. – 6. une pince sans laquelle les poilu(e)s resteraient poilu(e)s. – 7. des verres correcteurs en plastique grâce auxquels on peut se passer de lunettes. – 8. un gaz présent dans l'atmosphère sans lequel on ne peut pas respirer.

9. 1. avec qui / avec lequel – **2.** pour laquelle – **3.** auquel – **4.** sur lesquels – **5.** dans lequel – **6.** contre lesquelles – **7.** chez qui / chez lesquels – **8.** parmi lesquelles.

10. 1. grâce à quoi – **2.** sans quoi – **3.** faute de quoi – **4.** Après quoi – **5.** moyennant quoi – **6.** à la suite de quoi.

11. 1. dont – **2.** au sommet de laquelle – **3.** sur les bords duquel – **4.** dont – **5.** dont – **6.** sur les balcons de laquelle – **7.** à la vue duquel – **8.** dont.

Bilan
----

1. ...qui se trouve devant la gare du Nord – pour laquelle j'ai beaucoup d'intérêt – où j'aimerais habiter – dont mes amis Green m'ont parlé.

2. ... ces multiples tâches auxquelles elle... à nous qui étions... La plage de sable fin où nous... le paradis que nous... Le premier qui se jetait... une eau que nous... Ces moments que rien... et dont le souvenir...

3. LA QUANTIFICATION

1. 1. quarante et un – **2.** soixante-dix – **3.** soixante et onze – **4.** soixante-dix-neuf – **5.** quatre-vingt-douze – **6.** cent – **7.** quatre cents – **8.** huit cent un.

2. 1. quatre-vingt-un euros – **2.** deux cents euros – **3.** deux cent trente-cinq euros – **4.** deux mille trois cent quatre-vingt-treize euros et trente centimes – **5.** trois mille vingt et un euros et cinquante centimes – **6.** des années trente – **7.** En soixante-huit – **8.** des années quatre-vingt-dix.

3. 1. première, trois buts à zéro, deuxième, douzième, premier – **2.** soixante et onze, troisième – **3.** deuxième, douzième, dixième.

4. 1. deux cent cinquante grammes, un tiers, cent grammes – **2.** une demi-journée – **3.** quatre-vingt-trois pour cent – **4.** à quatre heures et demie – **5.** les trois quarts de l'année – **6.** trente et un pour cent.

5. 1. Une douzaine, une demi-douzaine – **2.** d'une vingtaine – **3.** une douzaine d'années – **4.** plusieurs centaines – **5.** une centaine – **6.** des milliers – **7.** d'une cinquantaine – **8.** une huitaine.

6. 1. Tous les candidats – **2.** Aucun retard – **3.** aucune excuse – **4.** quelques retardataires – **5.** Chacun des candidats – **6.** Aucun dictionnaire – **7.** ni aucune grammaire – **8.** La plupart d'entre eux – **9.** certains

très brillamment – **10.** quelques candidats – **11.** la quasi-totalité des étudiants – **12.** plusieurs qui étaient – **13.** certaines étaient.

7. deux cent cinquante grammes de riz – deux œufs – une douzaine de crevettes – quelques grosses moules d'Espagne – une cuillère à soupe d'huile – une petite cuillère de moutarde – une pincée de sel.

8. 1. f – **2.** g – **3.** e – **4.** a – **5.** b – **6.** h – **7.** c – **8.** d.

4. LA QUALIFICATION

Le complément du nom
----

1. 1. un immeuble en pierre de taille – **2.** les soldes d'hiver – **3.** beaucoup d'hommes d'affaires – **4.** Notre machine à laver – **5.** Son sac à main – **6.** Sa robe est en soie. – **7.** une cuillère à soupe – **8.** Une bonne tasse de thé.

2. 1. avec, avec – **2.** de – **3.** à la mode – **4.** pour, de – **5.** de – **6.** en, en – **7.** d' – **8.** de, en, en, à.

3. Le complément de nom peut entraîner une ambiguïté. Dans cette phrase, de quoi parle-t-on : de la crainte éprouvée par les ennemis ou bien de la crainte suscitée par les ennemis ? On ne sait pas.

L'adjectif
----

1. 1e – 2c – 3a – 4g – 5j – 6l – 7f – 8h – 9k – 10b – 11i – 12d.

2. Léa est française. Elle est jeune, assez belle, grande, mince et rousse. Elle a bon caractère, elle est gentille et drôle mais elle a deux défauts : elle est un peu curieuse et très bavarde. Quand elle est amoureuse, tout va bien, elle est heureuse. Mais quand c'est fini, elle devient ennuyeuse comme la pluie.

3. 1. fatiguées – **2.** dernières – **3.** active, vive, seule – **4.** jaloux, malheureux – **5.** bruns, noisette – **6.** blanches, bleu marine – **7.** vieil – **8.** nouveau, nouvelle, nouvel, vieilles.

4. 1. petits, drôles – **2.** bonne, bonne – **3.** vieil, neuve – **4.** portables, publiques – **5.** nationaux, internationales – **6.** rurale, conservatrice, nette – **7.** superbe – **8.** fatigué(s).

5. 1. fort – **2.** chaud – **3.** bon – **4.** cher – **5.** dur – **6.** haut / fort – **7.** froid – **8.** rouge.

6. 1. désagréable – **2.** désordonnés et désorganisés – **3.** malheureuse – **4.** illimités – **5.** maladroit, inutiles – **6.** incroyable – **7.** illisible – **8.** illogique.

7. 1. archiconnue – **2.** hyperpuissant – **3.** surprotectrice – **4.** hypersensible – **5.** archifaux – **6.** surdoué – **7.** super-soniques – **8.** archipleins.

8. 1. manuel – **2.** démocratique – **3.** habituel – **4.** interrogative – **5.** inadmissible – **6.** accessible – **7.** admirable – **8.** buvable.

9. 1. Un homme âgé – **2.** Une vieille femme – **3.** Un gros dictionnaire – **4.** Une feuille verte – **5.** Des étudiants espagnols – **6.** Des robes longues – **7.** Une petite table – **8.** Un tapis rond – **9.** Un beau tableau

10. 1. une belle voiture allemande – **2.** une visite médicale – **3.** d'épais rideaux rouges – **4.** une grande table ancienne – **5.** son ancien petit ami – **6.** les deux premiers vers – **7.** un vieil homme ... et une femme âgée – **8.** de gros dictionnaires de langue.

11. 1. de jeunes lycéens, des étudiants allemands et français, des professeurs célèbres / de célèbres professeurs. – **2.** une grande pièce rectangulaire – **3.** à votre bonne santé – **4.** de vêtements très chers – **5.** Quel beau ciel bleu ! – **6.** un nouvel élève – **7.** L'année dernière – **8.** l'année prochaine.

12. 1. un homme célèbre / de grande taille – **2.** une abbaye qui n'en est plus une / dans la partie la plus vieille – **3.** directement à la personne concernée / c'est le contraire de : as-tu les mains sales ? – **4.** un voyou / n'était pas propre – **5.** étrange, bizarre / indiscret – **6.** un gentil garçon un peu naïf / courageux – **7.** des projets / ils n'étaient pas les mêmes – **8.** certains, des bruits / variés.

13. 1. de sa voiture neuve – **2.** une très belle action – **3.** des goûts différents – **4.** d'une jeune femme – **5.** mauvais temps – **6.** l'ancienne ministre – **7.** l'histoire ancienne. – **9.** la dernière année.

14. 1. de – **2.** d' – **3.** à – **4.** de – **5.** de – **6.** de – **7.** à – **8.** de.

15. 1. dans – **2.** à – **3.** de – **4.** pour/envers – **5.** au, en – **6.** contre, par / de – **7.** pour – **8.** en, en, en.

16. 5 – 1 – 6 – 4 – 2 – 8 – 7 – 3.

17. 1. Je suis la personne la plus désordonnée du monde. – **2.** C'est le plus beau film de l'année.

L'adjectif verbal et le participe présent
---

1. a. vrai – **b.** vrai – **c.** faux – **d.** faux – **e.** vrai – **f.** faux – **g.** vrai – **h.** vrai.

2. 1. convergeant – **2.** convergents – **3.** précédent – **4.** précédant – **5.** somnolant – **6.** somnolents – **7.** excellant – **8.** excellents.

3. 1. fatigant, encombrant, exigeante, excellentes – **2.** provocant, résidant, excellant, excellent, négligeant.

4. 1. un trottoir sur lequel on risque de glisser – **2.** une couleur peu discrète, vulgaire – **3.** une table avec des roulettes – **4.** une place qui n'est pas gratuite – **5.** une rue où passent beaucoup de gens – **6.** en bonne santé.

III. LA SPHÈRE DU VERBE

1. LA SYNTAXE DES VERBES

Les verbes intransitifs
---

1. 1. naît – **2.** il y reste – **3.** il entre – **4.** il part – **5.** il arrive – **6.** il monte – **7.** il sort – **8.** il descend – **9.** il tombe – **10.** il meurt.

Les verbes parfois transitifs, parfois intransitifs
---

1. *Sont transitifs les verbes des phrases* : 1, 2, 3, 6, 9. – *Sont intransitifs les verbes des phrases* : 4, 5, 7, 8, 10.

2. 1. Il a sorti les poubelles – **2.** Il a monté les valises – **3.** Ils ont passé de très bonnes vacances – **4.** Elle est sortie de chez elle – **5.** Il est monté – **6.** Il a descendu – **7.** Il a / est passé – **8.** Il est descendu – **9.** Elle a rentré – **10.** Il est rentré.

3. *Il s'agit d'un état dans les phrases* : 1, 3, 5, 7, 9. – *Il s'agit d'une action dans les phrases* : 2, 4, 6, 8, 10.

Les différents compléments d'objet du verbe
---

1. 1. *Vouloir* : Il veut toujours la lune ! – Il veut partir au loin. – Il veut qu'on fasse attention à lui. – **2.** *Aimer* : Il aime la bonne cuisine. – Il aime cuisiner. – Il aime qu'on lui prépare de bons petits plats. – **3.** *Souhaiter* : Je souhaite ton bonheur. – Je souhaite te voir heureux. – Je souhaite que tu sois heureux. – **4.** *Dire* : Il dit la vérité. – Il dit être innocent. – Il dit qu'il n'est pas coupable.

2. 1. *S'habituer* : Elle ne s'habitue pas à sa nouvelle maison. – Elle s'habitue à vivre seule. – Je ne peux pas m'habituer à ce qu'on ne dise pas « vous ». – **2.** *Renoncer* : Renonce à ton projet. – Tu as renoncé à finir ce livre ? – Je ne renonce jamais à ce que j'ai entrepris. – **3.** *Se décider* : Il ne peut se décider au départ. – Il ne peut se décider à partir – Il ne peut se décider à ce que tout se termine déjà. – **4.** *S'attendre* : Elle s'attend au pire. – Elle s'attend à être élue dès le premier tour. – Elle s'attend à ce qu'on conteste son élection.

3. 1. *S'excuser* : Excuse-toi de cette impolitesse. – Excuse-toi d'avoir dit ça. – Excuse-toi de ce que tu viens de dire. – **2.** *Avoir envie* : J'ai envie d'un café. – J'ai envie de sortir. – J'ai envie de ce que je ne pourrai jamais obtenir. – **3.** *Se moquer* : Il se moque de moi. – Il se moque d'être ridicule. – Il se moque de ce qu'on pense de lui. – **4.** Elle rêve d'horizons lointains. – Elle rêve d'être célèbre. – Elle rêve de ce qu'elle n'aura jamais.

Les verbes à double construction

1. 1. de sa réussite / d'avoir réussi – **2.** une augmentation / de les augmenter – **3.** son arrivée en retard / d'arriver en retard – **4.** l'aide de son père / d'être aidé par son père – **5.** le froid / avoir froid – **6.** la natation / à nager

2. *On peut supprimer les mots en italiques dans les phrases* : 1, 2, 5, 7.

3. *Sont intransitifs* : 2, 3, 4, 6 – Les autres sont transitifs mais le COD n'est pas exprimé.

4. *Par exemple* : **1.** Il faut saluer ses supérieurs. – **2.** Elles ont refusé toutes nos offres. – **3.** Je devine ton inquiétude. – **4.** Attends le médecin.

Les verbes suivis d'un attribut

1. C'est Liza ? – Non, c'est pas elle ! –C'est Mona ! – c'est ma grande amie – **5.** Elle est installée – c'est une Parisienne – elle est œnologue – c'est rare.

2. 1. formidable – **2.** un artiste – **3.** anglophone ou francophone – **4.** électricien – **5.** remboursé – **6.** un spécialiste – **7.** moi – **8.** sportive, une championne.

2. LES FORMES ACTIVE, PASSIVE, PRONOMINALE, ET IMPERSONNELLE

Les auxiliaires *être* et *avoir*

1. 1. Nous sommes partis… vous êtes arrivés… Par où êtes-vous passés ? – **2.** Je suis monté(e) – **3.** Elle n'est pas rentrée – **4.** Je suis venu(e) – **5.** Ils sont parvenus… Ils sont arrivés – **6.** Les touristes sont descendus – **7.** Je suis allé(e) – **8.** votre fille est devenue.

2. 1. Les années ont passé… des gens sont nés, d'autres sont morts… vous n'avez pas changé… vous êtes restée – **2.** Il a monté les premières marches et il s'est arrêté – **3.** elle a descendu l'escalier – **4.** elle s'est sentie… elle s'est mise… elle y est restée – **5.** après avoir passé… sont descendus… – **6.** il s'est levé, s'est douché, s'est habillé, est allé, s'est préparé un petit déjeuner, s'est brossé les dents, est sorti – **7.** qu'on a vendue… a été écrite… – **8.** Elle a sorti… elle l'a étendu.

3. 1. Elle a acheté… qu'elle a mangée – **2.** Elle a oublié… elle les avait apprises – **3.** j'ai passées – **4.** Je l'ai faite – **5.** vous avez vus – **6.** a diffusé… que je n'ai pas aimée – **7.** Pourquoi tu les as fait couper ? – **8.** nous avons traversées.

4. 1. J'en ai visité… ceux que j'ai visités… je les ai visités – **2.** qu'il y a eu… a brisé – **3.** qu'elle a pesé – **4.** qu'il a pu – **5.** Elle a ramassé… qu'elle a fait tomber – **6.** il a fallu – **7.** Elle s'est lavé les cheveux… les a séchés – **8.** que vous m'avez réclamées.

La forme passive

1. 1. Le vrai camembert est fabriqué par les fermiers normands et par eux seuls. – **2.** Tous les voyages sont organisés par le comité d'entreprise. – **3.** Tous les rendez-vous sont pris par la secrétaire. – **4.** Les travaux de ravalement… sont faits par l'entreprise Gertec. – **5.** Mme Raffin est demandée à l'accueil. – **6.** La porcelaine est fabriquée à Limoges. – **7.** Je suis intéressé(e) par votre offre d'emploi. – **8.** La séance est ouverte par le président de l'Assemblée.

2. 1. Un incendie a été provoqué par un court-circuit. – **2.** L'incendie a été éteint par les pompiers en quelques minutes. – **3.** Cette maison a été achetée par mon oncle vers 1990. – **4.** Une prime de 150 euros a été accordée aux policiers par le gouvernement. – **5.** Ces deux livres n'ont pas été rendus à la bibliothèque. – **6.** Le verdict a été rendu le 21 mai dernier par le tribunal. – **7.** L'accusé a été condamné par les jurés à trois ans d'emprisonnement. – **8.** En 2017, Emmanuel Macron a été élu Président de la République (par les Français).

3. 1. Un jeune cycliste a été renversé par un automobiliste. – **2.** Les pompiers ont été aussitôt prévenus par un voisin. – **3.** Les premiers soins lui ont été prodigués sur place par les pompiers. – **4.** Le blessé a été transporté à Dijon. – **5.** Il a été hospitalisé aussitôt… – **6.** Il a été opéré par le docteur Finaly lui-même. – **7.** (transformation impossible). – **8.** Ce matin, le jeune homme a été déclaré hors de danger par les médecins.

4. 1. Le célèbre couturier Yves Saint Laurent a longtemps habillé Catherine Deneuve. – **2.** On a construit de nombreuses maisons dans ce village… – **3.** … ma patronne m'a retenue au bureau. – **4.** On a accordé le droit d'asile à 22 personnes. – **5.** On fermera la piscine définitivement le 30 juin prochain. – **6.** Un chauffard… a provoqué l'accident. – **7.** On a dérobé deux tableaux de Van Gogh… – **8.** Les gardiens ont découvert le vol tôt ce matin…

5. 1. Non, mais responsables possibles : les Français. – **2.** Oui (le président de la République), oui (la foule) – **3.** Oui (les Parisiens) – **4.** Oui (le Premier ministre) – **5.** Non et non, mais responsables possibles : les orateurs – **6.** Non – **7.** Non, mais responsables possible : les artificiers, non, mais responsable possible : la Mairie de Paris – **8.** Oui (les Pompiers de Paris).

6. Phrases 1 et 7 : préposition « de » = expression d'un sentiment. – Phrases 4 et 8 : préposition « de » = information spatiotemporelle. – Phrase 5 : préposition « de » = opération intellectuelle. – Phrases 2, 3 et 6 : la préposition « par » = action réelle.

7. 1. par – **2.** d' – **3.** de – **4.** de – **5.** de – **6.** de – **7.** par **8.** par.

La forme pronominale

1. 1. je m'en irai... qui se chante – **2.** Vous ne vous êtes jamais occupée d'enfants ? – **3.** elle ne se rappelait plus – **4.** après m'être reposé(e) – **5.** Vous vous imaginez !... Elle ne s'est pas réveillée – **6.** Comment t'appelles-tu ? – **7.** Vous vous absentez... que se passe-t-il ? – **8.** tu ne te serais pas trompé(e).

2. 1. NP – **2.** P – **3.** NP, NP – **4.** P – **5.** P, NP – **6.** P, NP – **7.** P, NP – **8.** P, NP.

3. *Phrases où le verbe est uniquement pronominal* : 1, 3, 4, 7 et 8.

4. 1. je me passe de – **2.** il s'est échappé de... – **3.** échapper à... – **4.** Ils plaignent... – **5.** Elle s'est aperçue... elle s'est mise à... – **6.** Tout le monde s'attend à... – **7.** ils se sont décidés à... – **8.** Il s'est rendu à...

5. 1. elle s'est allongée – **2.** Elles se sont aperçues – **3.** Nous nous sommes préparé un bon petit déjeuner. – **4.** Elles se sont préparées – **5.** Elle s'est blessée – **6.** Elle s'est fait une coupure – **7.** tu t'es habillée – **8.** Pourquoi vous êtes-vous moqués...

6. 1. Ils ne se sont pas adressés – **2.** Nous nous sommes disputés et nous nous sommes lancé... des insultes – **3.** Elle s'est souvenue – **4.** qui se sont beaucoup ressemblé – **5.** Nous nous sommes parlé – **6.** Ils se sont envolés – **7.** Elle s'est brossé les dents, puis elle s'est douchée. – **8.** Ils se sont suicidés.

7. 1. Elle s'est regardée... dans la glace. – **2.** Elle s'est regardé les pieds... – **3.** ... elle se les est lavées et brossées... – **4.** Ils se sont mal vendus. – **5.** Ils se sont aperçus... – **6.** Elle s'est plainte de tout... – **7.** Nous nous sommes plu... – **8.** Elle s'est portée...

8. 1. Ce passage se joue... – **2.** Le château se visite... – **3.** Ce poème s'apprend... – **4.** Le prix Goncourt se vend... – **5.** La tarte Tatin se mange... – **6.** Ce champignon se cueille... – **7.** La mode se fait... – **8.** Cette langue se lit...

Remarque : il n'y a pas de complément d'agent et le sujet n'est pas animé.

9. 1. Ils se sont laissé / fait surprendre... – **2.** Il s'est entendu / s'est fait siffler... – **3.** Elle se fait obéir... – **4.** Ils ne se sont pas laissé convaincre... – **5.** Elle s'est fait opérer... – **6.** Il s'est fait mordre... – **7.** Elle s'est vu / entendu refuser – **8.** Ils se sont vu obliger de changer...

Bilan

Verbes uniquement pronominaux : 1, 2, 3, 4, 5, 11, 12, 13, 14 et 15 – *Verbes réfléchis* : 8, 9 et 10 – *Verbes à sens passif* : 6 et 7.

La forme impersonnelle

1. *On peut mettre au pluriel les phrases* : **1.** Ils semblent fatigués, ils devraient prendre... – **5.** Ils sont certains d'avoir réussi leurs examens. – **9.** Ils existent vraiment, je les ai rencontrés. – **10.** Ils se passent facilement de manger... ça, ils ne peuvent pas !

2. Sont à la forme impersonnelle tous les verbes sauf 4 (Il se serait déjà trouvé), 8 (il convient bien...) et 9 (il paraît honnête).

3. 1. à la gare – **2.** dans un cabinet médical, dans un hôpital – **3.** dans un bâtiment officiel – **4.** dans une usine, dans un laboratoire – **5.** dans la rue – **6.** dans un hôtel – **7.** dans un avion – **8.** dans le métro.

3. LE MODE INDICATIF ET SES TEMPS

Les conjugaisons
---

1. 1. fait – **2.** va – **3.** vaut – **4.** sont – **5.** savent – **6.** peut – **7.** est – **8.** accepte.

2. 1. faisait – **2.** allait – **3.** valait – **4.** étaient – **5.** savaient – **6.** pouvait – **7.** était – **8.** acceptait.

3. 1. on ira – **2.** on travaillera – **3.** on ne paiera – **4.** aura, vivra – **5.** nous habiterons – **6.** implanteront – **7.** saura – **8.** ne verra – **9.** on pourra.

4. 1. Nous sommes rentrés – **2.** Il est arrivé – **3.** Il a raccompagné – **4.** Ils ont rentré – **5.** Il est arrivé – **6.** Ils sont passés – **7.** elle a amélioré – **8.** Elle a passé.

5. 1. naître – **2.** faire preuve – **3.** obtenir – **4.** devenir – **5.** se dégrader – **6.** reconnaître – **7.** enfermer – **8.** mourir – **9.** enterrer – **10.** recevoir

6. 1. naquit – **2.** fit preuve – **3.** obtint – **4.** devint – **5.** se dégradèrent – **6.** reconnut – **7.** fut enfermée – **8.** mourut – **9.** fut enterrée – **10.** ne reçut jamais.

7. 1. je les apprendrai – **2.** je l'ai vue – **3.** nous dînerons – **4.** elle nous remerciera – **5.** je la trouverai – **6.** j'en ai pris / j'en prendrai – **7.** je ne le croirai plus – **8.** je l'ai visitée.

8. 1. Dès qu'il aura terminé – **2.** tant qu'il n'avait pas téléphoné – **3.** aussitôt qu'ils se sont couchés – **4.** Une fois qu'ils étaient arrivés – **5.** lorsque l'orage a éclaté – **6.** Quand elle aura signé – **7.** Aussitôt qu'ils ont franchi – **8.** À partir du moment où il avait gagné.

Bilan
---

1. 1. j'ai pris – **2.** on en aura – **3.** nous étions – **4.** je fais – **5.** nous irons – **6.** j'ai eu – **7.** nous le savions – **8.** nous voulions

2. 1. Le soleil se lève – **2.** se couche – **3.** c'est –

4. nous partons – **5.** il fait bon – **6.** il n'y a pas – **7.** il n'y avait personne – **8.** Nous étions – **9.** nous y venions – **10.** ils ont décidé – **11.** a disparu – **12.** Il a fallu – **13.** ils projettent – **14.** on ne verra plus – **15.** il y aura – **16.** ouvrira – **17.** je partirai.

L'expression du présent

Le présent

1. 1. D – **2.** H – **3.** B – **4.** F – **5.** A – **6.** G – **7.** C – **8.** E – **9.** K – **10.** J – **11.** I.

2. 1. action en cours d'accomplissement – **2.** habitude – **3.** hypothèse (contrefactuelle) – **4.** ordre – **5.** présent historique – **6.** futur proche – **7.** hypothèse – **8.** passé immédiat.

Le passé composé, accompli du présent

---

1. A. 1. résultat dans le présent – **2.** antériorité – **3.** futur antérieur – **4.** résultat dans le présent.

B. 5. action dans le passé – **6.** résultat dans le présent – **7.** résultat dans le présent – **8.** action dans le passé.

2. Oui : 1, 2, 4, 8. – **Non :** 3, 5, 6, 7.

L'expression du futur

---

1. 1. E – **2.** A – **3.** C – **4.** H – **5.** G – **6.** B – **7.** F – **8.** E.

2. 1. tu vas tomber – **2.** il tombera – **3.** je vais raconter – **4.** je vous raconterai – **5.** il va arriver – **6.** tu la reverras – **7.** tu ne tueras point – **8.** on va être en retard.

3. 1c – 2e – 3f – 4a – 5b – 6d.

4. Valeur d'antériorité : 3, 4, 7, 8. – **Valeur de probabilité :** 1, 2, 5, 6.

5. 1. Il lui a promis qu'il l'emmènerait… – **2.** Elle a affirmé que le gouvernement prendrait… – **3.** Ils ont pensé que des réformes allaient être faites… – **4.** Ils lui ont dit qu'ils l'aideraient… – **5.** Il nous a assurés qu'il aurait fini… – **6.** On nous a prévenus qu'il n'y aurait pas… – **7.** Le train était bondé, il pensait qu'il allait être difficile… – **8.** Ils se demandaient si la bibliothèque resterait ouverte…

Bilan

Future simple : il s'autodétruira, elle vous contactera, elle vous identifiera, vous serez, elle vous conduira, elle vous tuera, il n'y aura, elle disparaîtra, vous serez – *Futur antérieur =* vous aurez écouté, vous aurez mémorisé, vous lui aurez donné – *Futur proche :* vous allez avoir besoin, elle va l'être

---

L'expression du passé (1)

L'imparfait

1. 1. nous prenions… – **2.** vous étudiiez… – **3.** nous payions… – **4.** il peignait… – **5.** nous riions… quand nous nous retrouvions – **6.** tu ne disais jamais… et je ne te croyais pas – **7.** ils conduisaient… – **8.** c'était toujours… que vous accueilliez.

2. Exemples : 1. il circulait à bicyclette – **2.** vous étudiiez le japonais, n'est-ce pas ? – **3.** nous payions en liquide ou en chèque – **4.** il peignait des nus – **5.** nous nous vouvoyions – **6.** je ne te croyais absolument pas – **7.** il conduisait comme un fou ! – **8.** on accueillait toute la famille !

3. j'étais – **2.** nous habitions – **3.** mes parents travaillaient – **4.** ma grand-mère s'occupait – **5.** nous passions – **6.** qu'elle adorait – **7.** nous nous asseyions – **8.** je jouais – **9.** elle lisait – **10.** écrivait – **11.** j'aimais – **12.** les feuilles jaunissaient – **13.** rougissaient – **14.** tombaient – **15.** je ramassais – **16.** je mettais – **17.** le gardien sifflait – **18.** il fallait – **19.** nous faisions – **20.** je prenais – **21.** elle buvait.

4. Par exemple : Johanna Haddad est née en Tunisie où elle a passé toute son enfance et sa jeunesse. À dix-huit ans, elle est partie à Marseille pour s'inscrire dans une école d'art. Elle y est restée quatre ans et elle a poursuivi ses études d'art à Lausanne. En 1955, docteure en histoire de l'art, elle a été engagée comme chargée de cours à l'université. Deux ans plus tard, elle publiait son premier ouvrage sur l'art et l'abstraction. Invitée par l'université de Kyoto cette même année, elle s'est prise de passion pour le Japon et y est finalement restée dix ans, consacrant divers essais aux artistes japonais, peintres et écrivains. Des problèmes de santé l'ont contrainte au retour en 1967 mais elle n'a pas cessé d'écrire. Son chef d'œuvre *Le silence dans l'œuvre de Zao Wou-Ki* est paru fin décembre 1970, exactement deux mois avant sa mort.

5. Vrai : 2, 3, 5, 6, 8. – **Faux :** 1, 4, 7.

Le plus-que-parfait

1. 1. ma petite-fille avait mis la table – **2.** il n'avait pas entendu – **3.** la météo l'avait annoncé – **4.** personne ne m'avait prévenu(e) – **5.** il avait promis – **6.** j'avais achetée – **7.** je vous avais dit / vous aviez oublié ? – **8.** ils ne s'étaient jamais disputés.

2. 1e – 2h – 3d – 4a – 5b – 6f – 7c – 8g.

3. 1. Elle a dit qu'elle avait reçu ta lettre avant-hier. – **2.** Avant, les enfants allaient se coucher dès qu'ils avaient fini de dîner. – **3.** Il rangeait toutes ses affaires après qu'il avait terminé son travail – **4.** Je pensais que vous aviez terminé votre exercice depuis longtemps.

4. 1. … je lui ai / avais promis… je les ai achetés – **2.** … j'ai rencontré… elle faisait – **3.** … c'était la catastrophe… les enfants n'avaient pas dîné, n'étaient pas couchés, la maison était sens dessus dessous. – **4.** … qu'ils avaient passé leurs vacances… et qu'ils avaient adoré… ils voulaient… – **5.** … j'ai ouvert… je me suis aperçu(e) que je l'avais lu. – **6.** Quand nous étions enfants, nous n'avions… tant que le repas n'était pas fini. – **7.** … elle est entré … j'ai compris … il lui était arrivé. – **8.** … il nous a expliqué qu'il n'avait pas pu venir … avait dû être hospitalisée.

Le passé simple

1. 1. entra (entrer) – **2.** se tournèrent (se tourner) – **3.** se dirigea (se diriger) – **4.** salua (saluer) – **5.** resta (rester) – **6.** invitèrent (inviter) – **7.** déclina (décliner) – **8.** insistèrent (insister) – **9.** pénétra (pénétrer) – **10.** brillèrent (briller).
il/elle …-a ; ils/elles …-èrent.

2. 1. reçut (recevoir) – **2.** parut (paraître) – **3.** but (boire) – **4.** mourut (mourir) – **5.** accoururent (accourir) – **6.** purent (pouvoir) – **7.** fut (être) – **8.** fallut (falloir) – **9.** résolurent (résoudre) – **10.** survécurent (survivre).
il/elle …-ut ; ils/elles …-urent.

3. 1. ouvrit (ouvrir) – **2.** faillit (faillir) – **3.** blêmit (blêmir) – **4.** se mit (se mettre) – **5.** finit (finir) – **6.** firent (faire) – **7.** prit (prendre) – **8.** écrivit (écrire) – **9.** poursuivit (poursuivre) – **10.** répondit (répondre).
il/elle …-it ; ils/elles …-irent.

4. 1. convoqua (convoquer) – **2.** vinrent (venir) – **3.** choisit (choisir) – **4.** fit (faire) – **5.** jurèrent (jurer) – **6.** repartirent (repartir) – **7.** tinrent (tenir) – **8.** vécurent (vivre) – **9.** vit (voir) – **10.** s'empara (s'emparer).
Exceptions : vinrent (venir), tinrent (tenir).

5. 1. elle est entrée – **2.** les regards se sont tournés – **3.** elle s'est dirigée – **4.** elle l'a saluée – **5.** elle est restée – **6.** ils l'ont invitée – **7.** elle a décliné – **8.** ils n'ont pas insisté – **9.** il a pénétré – **10.** ses yeux ont brillé.

6. 1. faux – **2.** vrai – **3.** vrai – **4.** vrai.

7. 1. dès que les deux parties eurent signé – **2.** dès qu'il eut reçu – **3.** aussitôt qu'ils furent convenus – **4.** après qu'ils se furent mariés – **5.** après que le premier eut reçu – **6.** dès que la paix eut été signée – **7.** à peine fut-il entré – **8.** lorsqu'ils eurent compris.

8. *On peut remplacer un passé composé par un passé simple dans la phrase* : 3.

Bilan sur les temps du passé

1. le temps s'était gâté – **2.** la pluie qui tombait – **3.** la maison semblait – **4.** la lumière reviendrait – **5.** le mauvais temps empêchait – **6.** les enfants s'efforçaient – **7.** comme le font tous les enfants

– **8.** qui s'ennuient – **9.** Ils décidèrent / ils ont décidé – **10.** ce grenier était – **11.** des caisses qui s'entassaient – **12.** il était comme une caverne – **13.** les enfants commencèrent / ont commencé – **14.** tirèrent / ont tiré – **15.** qu'est-ce que c'était – **16.** tournèrent / ont tourné – **17.** retournèrent / ont retourné – **18.** ils ne se doutaient pas – **19.** qu'ils tenaient – **20.** un de leurs ancêtres avait rapportée.

L'expression du passé (2) : les relations entre les différents temps du passé

Les relations imparfait / passé composé

1. 1b – 2b – 3b – 4a – 5a.

2. 1. quand Gabriel est arrivé… n'existaient pas… – **2.** … l'influence était forte… comme l'a montré Godard… – **3.** Quand vous avez appelé… elle n'a pas entendu… elle était dans le jardin – **4.** je suis arrivé(e)… ma voiture refusait /a refusé… j'ai dû… – **5.** pendant que je lisais… j'ai entendu… il est monté… – **6.** … tout paraissait… les gens qui voulaient … – **7.** … il l'a payé… il a pris… – **8.** … dès qu'elle rentrée… elle s'est mise… parce qu'elle avait…

3. 1. Il pleuvait… j'ai pris – **2.** ont fait… étaient – **3.** La mer brillait… les bateaux dansaient… je me suis avancé(e) vers l'eau… elle était glacée… j'ai hésité… j'ai plongé… j'en suis sorti(e) – **4.** Il a ouvert… il s'est rendu compte… qu'il n'avait rien à manger… il a remis son manteau… a pris… est allé… fermait… – **5.** Les voyageurs attendaient… le train avait… certaines personnes lisaient… d'autres faisaient… téléphonaient… le train est entré… les voyageurs se sont précipités.

Les relations imparfait / passé simple

1. 1. que l'on appelait – **2.** elle portait – **3.** sa mère lui demanda – **4.** qui était – **5.** qui habitait – **6.** elle lui donna – **7.** elle lui dit – **8.** qui vivait – **9.** l'enfant partit – **10.** elle s'arrêta – **11.** elle entendit – **12.** qui disait – **13.** lui répondit – **14.** qu'elle n'avait pas – **15.** il soupira – **16.** que les parents étaient – **17.** il n'avait – **18.** il lui raconta – **19.** il était – **20.** elle finit.

Les relations passé composé / passé simple

2. Le passé simple et le passé composé se situent dans deux moments différents du temps. Ils ne sont pas dans la même histoire.

La concordance des temps

1. 1g – 2h – 3e – 4f – 5d – 6b – 7c – 8a.

2. 1c – 2h – 3d – 4b – 5g – 6a – 7e – 8f.

3. 1. qu'il va pleuvoir – **2.** que beaucoup de gens se méfient – **3.** qu'il vous plaira – **4.** que son avion décollait

/ venait de décoller / avait décollé... et qu'il l'avait raté... qu'il attendrait / attendait – **5.** que l'automobiliste conduisait – **6.** qu'il n'importerait plus – **7.** que l'entreprise aura terminé – **8.** que j'avais reçus.

4. LES AUTRES MODES PERSONNELS

Le mode subjonctif

----

1. 1. ils prennent, que je prenne. – **2.** ils sortent, que je sorte – **3.** ils viennent, que je vienne – **4.** ils arrivent, que j'arrive – **5.** ils réussissent, que je réussisse – **6.** ils mettent, que je mette – **7.** ils lisent, que je lise – **8.** ils choisissent, que je choisisse – **9.** ils connaissent, que je connaisse – **10.** ils écrivent, que j'écrive.

2. 1. nous écrivions, que nous écrivions – **2.** nous lisions, que nous lisions – **3.** nous tenions, que nous tenions – **4.** nous dormions, que nous dormions – **5.** nous répondions, que nous répondions – **6.** nous comprenions, que nous comprenions – **7.** nous étudiions, que nous étudiions – **8.** nous payions, que nous payions – **9.** nous prévenions, que nous prévenions – **10.** nous vendions, que nous vendions.

3. 1. écrire – **2.** aller – **3.** avoir – **4.** plaire – **5.** pleuvoir – **6.** pleurer – **7.** croire – **8.** remercier.

4. 1. que je puisse, que nous puissions – **2.** que je sache, que nous sachions – **3.** que j'attende, que nous attendions – **4.** que je fasse, que nous fassions – **5.** que je paye / paie, que nous payions – **6.** que je veuille, que nous voulions – **7.** que j'aie, que nous ayons – **8.** que je sois, que nous soyons.

5. 1. Il faut que tu descendes... – **2.** Il faut que vous preniez... – **3.** Il faut que nous fassions très attention... – **4.** Il faut qu'il soit... – **5.** Il faut que tu mettes... – **6.** Il faut que nous étudiions... – **7.** Il faut que je lise... – **8.** Il faut qu'elles viennent...

6. 1. Je voudrais que vous étudiiez... – **2.** Je voudrais que tu ailles voir... – **3.** Je voudrais que tu me prennes le journal... – **4.** Je voudrais que vous veniez passer... – **5.** Je voudrais que vous sortiez... que vous preniez... – **6.** Je voudrais que tu mettes... – **7.** Je voudrais que vous m'écriviez... – **8.** Je voudrais que tu nous fasses plaisir...

7. 1. Il vaudrait mieux que nous fassions... – **2.** Je préférerais qu'elle sorte... – **3.** Il vaut mieux que vous teniez... – **4.** Il ne faudrait pas que tu conduises... – **5.** Il vaudrait mieux que vous payiez... que vous n'attendiez pas... – **6.** Il vaut mieux que vous étudiiez un peu... – **7.** Il vaudrait mieux que vous lui envoyiez ... – **8.** Je préférerais qu'il ne sache pas la vérité.

8. 1. a – **2.** b – **3.** b – **4.** a.

9. 1. Ça m'énerve qu'il soit... – **2.** J'aime mieux que tu me dises tout. – **3.** Elle sera ravie que tu puisses l'aider... – **4.** Je trouve anormal qu'on soit désagréable...

5. Je suis étonné qu'il ne sache pas... – **6.** Ça me surprend que vous refusiez... – **7.** Sa mère n'est pas très contente qu'elle parte... – **8.** Je suis désolé que tu doives déjà partir.

10. 1. Nous sommes désolés d'être encore en retard. – **2.** Elle est toute fière qu'on lui fasse beaucoup de compliments. – **3.** Je suis étonné qu'il ne soit pas là. – **4.** Elle est furieuse qu'on se moque souvent d'elle. – **5.** Tout le monde est indigné qu'il ne tienne jamais ses promesses. – **6.** Je suis désolé de ne pas pouvoir venir. – **7.** On est choqués qu'elle ne dise jamais merci. – **8.** Ça m'agace qu'il soit toujours dans la lune.

11. *Verbes suivis du subjonctif :* vouloir que, désirer que, il faut que, être heureux que, être surpris que, dire que (= ordonner), souhaiter que, regretter que, attendre que, aimer que, demander que, douter que, ordonner que, avoir peur que, se plaindre que.

12. *Formes correctes :* **1.** pourra – **2.** doives – **3.** puissions – **4.** mentez – **5.** sois – **6.** revienne – **7.** alliez – **8.** trompons.

13. 1. que tu aies pu – **2.** que tu n'aies pas entendu – **3.** que j'aie voulu – **4.** que tu aies descendu – **5.** qu'elle ait pris – **6.** que tu n'aies oublié – **7.** que nous ayons été – **8.** qu'il soit devenu.

14. 1f – 2d – 3a – 4h – 5b – 6c – 7e – 8g.

15. 1. que vous ayez décidé – **2.** que nous ayons eu besoin – **3.** qu'ils se soient mariés – **4.** que nous avons fait – **5.** que vous avez reçu – **6.** qu'il ait été obligé – **7.** qu'il ait pu commettre – **8.** que les enfants soient partis.

16. *Ne sont pas suivis du subjonctif :* tant que, aussitôt que, pendant que.

17. 1. tant que tu n'auras pas fini ton travail – **2.** avant qu'il (ne) pleuve – **3.** à condition que ton père soit d'accord – **4.** pendant que je fais à manger – **5.** à moins que vous ne fassiez une autre proposition – **6.** jusqu'à ce que tu obéisses – **7.** pour que je puisse m'organiser – **8.** sans que personne l'ait vu.

18. 1. R – **2.** R – **3.** Su – **4.** O – **5.** So – **6.** D – **7.** Su – **8.** So.

19. 1. soyez – **2.** vous vous en chargiez – **3.** arrosiez – **4.** passiez – **5.** fassent – **6.** aille – **7.** apprennes – **8.** vienne – **9.** laissions – **10.** sachiez – **11.** il s'habituera – **12.** je lui aies téléphoné – **13.** je sois allée – **14.** restiez

20. *Par exemple :* Ma chère Bérengère, je crains fort que nous soyons obligés de renoncer à venir cette année. Tu sais que Clara veut absolument préparer l'examen d'entrée à l'IAB et il faudra que nous soyons là tout l'été pour lui soutenir le moral. Simon et moi regrettons vraiment que tu te sois donné tant de mal pour nous accueillir. Mais ce n'est que partie remise, bien sûr. On remettra ça un jour prochain.

Bien à toi,

Anne

Le mode conditionnel

1. 1. croirait – **2.** aurait découvert – **3.** resterait stable – **4.** serait votée – **5.** auraient été faites – **6.** aurait été envoyé – **7.** atteindrait – **8.** serait dû.

2. 1. Vous auriez l'heure ? – **2.** Tu pourrais me laisser tranquille... – **3.** Tu ne saurais pas... – **4.** Vous ne voudriez pas... – **5.** Tu pourrais me raccompagner... – **6.** Tu serais d'accord... – **7.** Je pourrais vous interrompre... – **8.** Voudrais-tu être mon témoin ?

3. (Si j'étais toi = à ta place : les deux expressions ont le même sens).
1. Moi, à ta place, je prendrais le menu... – **2.** Si j'étais toi, j'appellerais le médecin... – **3.** Si j'étais toi, je ne viendrais pas trop tard... – **4.** À ta place, je m'adresserais au service de renseignements... – **5.** Si j'étais toi, je ne ferais pas ça... – **6.** Si j'étais vous, j'achèterais cette voiture... – **7.** Si j'étais toi, je me couperais les cheveux... – **8.** À ta place, je réfléchirais un peu avant de me décider.

4. 1b – 2d – 3a – 4c – 5e.

5. 1. Rep – **2.** Su – **3.** So – **4.** Reg – **5.** Su + C – **6.** Rep – **7.** So – **8.** Su.

6. 1f – 2d – 3h – 4b – 5e – 6a – 7c – 8g.

7. 1. Il nous a promis qu'il reviendrait. – **2.** Il avait affirmé que les travaux seraient terminés dans trois mois. – **3.** Elle s'écria qu'elle ne recommencerait jamais une pareille aventure. – **4.** Je vous avais bien dit que cet homme-là ne vous apporterait que des ennuis. – **5.** Ils m'avaient dit, à cette époque-là, qu'ils me feraient signe quand ils auraient un peu plus de temps. – **6.** Il lui avait promis qu'il lui construirait..., qu'elle serait..., qu'il serait... – **7.** Ils nous ont écrit qu'ils partiraient le 15 et qu'ils nous appelleraient dès qu'ils seraient arrivés. – **8.** Il a déclaré qu'on pourrait signer l'acte de vente dès que nous aurions obtenu le prêt de notre banque.

Le mode impératif

1. 1. Prenez – **2.** Descendez – **3.** tournez – **4.** engagez-vous – **5.** Allez – **6.** traversez – **7.** entrez – **8.** Regardez.

2. 1. fais attention... – **2.** ne sois pas – **3.** prends ton livre – **4.** ouvre-le – **5.** lis – **6.** Lis-la – **7.** Copie-la – **8.** N'écoute pas... – **9** ne lui parle pas – **10.** ne le regarde pas – **11.** essaie.

3. 1. Reprenons – **2.** ne protestez pas – **3.** commençons – **4.** examinons – **5.** essayez – **6.** N'oubliez pas – **7.** Faites attention – **8.** évitez – **9.** Procédons – **10.** Ne vous inquiétez pas.

4. 1. prière – **2.** condition – **3.** opposition – **4.** souhait – **5.** politesse – **6.** ordre – **7.** maxime – **8.** souhait.

Les semi-auxiliaires modaux

devoir, pouvoir, vouloir, savoir

1. 1. Il faut que vous preniez... – **2.** ... que je paie... – **3.** ... que tu aies... – **4.** ... qu'elle soit... – **5.** ... qu'on tienne... – **6.** ... que nous étudiions... – **7.** ... qu'on fasse... – **8.** ... qu'ils aillent.

2. 3, 2, 1, 4.

3. 1. Il a dû rater... – **2.** Tu dois avoir... – **3.** J'ai dû l'oublier... – **4.** Il devrait l'avoir... – **5.** Il devait être... – **6.** Tu dois avoir raison. – **7.** Il devait être superbe... – **8.** Elle doit être...

4. 1. O – **2.** O – **3.** P – **4.** O – **5.** P – **6.** P – **7.** P – **8.** O.

5. 1. capacité – **2.** permission – **3.** capacité – **4.** capacité – **5.** permission – **6.** possibilité – **7.** politesse – **8.** approximation.

6. 1a – 2b – 3b – 4b – 5b – 6a

7. 1. vous connaissez – **2.** vous connaissez – **3.** vous savez – **4.** tu sais – **5.** vous savez – **6.** je connais – **7.** je connaîtrai / je vais connaître – **8.** personne ne sait.

8. 1. je voudrais – **2.** je voudrais bien – **3.** je veux bien – **4.** je veux – **5.** je voudrais – **6.** je voudrais bien – **7.** je veux bien – **8.** je veux.

9. Dans les phrases suivantes : 2, 3, 6, 7, le verbe peut être remplacé par « avoir l'impression que ».

5. LES MODES IMPERSONNELS

Le mode infinitif

1. 1. sans nous avoir salués – **2.** en être informé / en avoir été informé – **3.** les avoir rendus – **4.** les prendre – **5.** sans être invitée – **6.** avoir du travail / être pris par son travail.

2. 1. Il pense ne pas pouvoir reprendre... – **2.** Il certifie ne pas avoir changé / n'avoir pas changé. – **3.** Je souhaiterais ne pas répéter... – **4.** Je suis sûre de ne pas lui avoir donné... – **5.** Il conviendrait... de ne pas se laisser aller... – **6.** Il dit ne pas avoir reçu d'argent / n'avoir pas reçu d'argent... – **7.** ... il semble ne pas apprécier... – **8.** On m'a conseillé de ne pas me faire couper les cheveux.

3. 1. Je vois le métro arriver / arriver le métro. – **2.** ... j'ai entendu le vent souffler / souffler le vent. – **3.** Je regarde les acteurs répéter / répéter les acteurs. – **4.** J'écoute... jouer des musiciens / des musiciens jouer. – **5.** Je sens les premières gouttes de pluie tomber / tomber les premières gouttes de pluie. – **6.** Je vois... la date de l'examen approcher / approcher la date de l'examen. – **7.** ... j'ai entendu cet historien présenter... – **8.** Nous voyons le monde changer / changer le monde.

4. 1. J'ai vu le vent soulever la poussière. – **2.** … j'ai entendu un violoniste jouer… – **3.** … on voit la mer recouvrir le sable… – **4.** … j'ai entendu cet écrivain faire une conférence… – **5.** J'ai senti quelqu'un me toucher l'épaule. – **6.** Vous avez vu le public applaudir… – **7.** Ils ont entendu leur fils ouvrir… – **8.** Je l'ai entendu remercier son public.

(Remarque : lorsque le verbe de la 2ᵉ proposition est suivi d'un COD, il n'y a qu'une possibilité.)

5. a. 1. découvrir d'autres îles… – **2.** pour améliorer… – **3.** après avoir dîné – **4.** Mentir – **5.** être heureux – **6.** à rédiger – **7.** lire – **8.** jouer.
b. 1. son enfant pleurer – **2.** nos amis s'éloigner – **3.** tomber la pluie – **4.** travailler – **5.** courir – **6.** sa popularité faiblir – **7.** le ciel se couvrir de nuages – **8.** glisser, s'étaler, se transformer.

Le mode participe

Le participe présent

1. 1. sachant, étant – **2.** négligeant – **3.** peignant, souffrant – **4.** réfléchissant – **5.** avançant – **6.** courant, criant, se cachant, se poursuivant – **7.** s'asseyant – **8.** constituant.

2. 1. Ne voyant pas bien la scène – **2.** N'aimant pas les jeux et ne comprenant rien aux règles – **3.** n'allant nulle part, lisant, écoutant – **4.** Ne disant jamais – **5.** Ne s'entendant plus – **6.** n'ayant plus d'autres affaires – **7.** ne concluant pas – **8.** Ne connaissant pas.

Le gérondif

1. 1. en marchant – **2.** en oubliant – **3.** en bricolant – **4.** en faisant – **5.** en écoutant – **6.** en descendant – **7.** en t'appliquant mieux – **8.** en voyant.

2. 1. En lisant les journaux, en écoutant la radio, en regardant la télé. – **2.** En me mettant au lit. – **3.** En apprenant la bonne nouvelle. – **4.** En mangeant moins. – **5.** En vérifiant les comptes. – **6.** En sortant faire ses courses. – **7.** En enquêtant, en interrogeant les voisins, les témoins. – **8.** En constatant que sa fille avait de la fièvre.

3. A. 1. … sans regarder ni à droite ni à gauche. – **2.** sans hésiter. – **3.** sans sortir de chez lui. – **4.** sans se cacher. – **5.** sans nous presser. – **6.** sans travailler dur. –**7.** sans laisser sa veilleuse allumée. – **8.** sans ralentir.

B. 1. … en ne te voyant pas arriver. – **2.** … en ne venant pas demain. – **3.** … en ne déplaçant pas tes poins comme ça. – **4.** … en ne répondant pas à sa lettre. – **5.** … en ne partant pas tout de suite. – **6.** …en n'obtenant pas le rôle. – **7.** …en ne racontant pas cette histoire. – **8.** …en ne portant pas ces chaussures.

4. 1. en pratiquant – **2.** se poursuivant – **3.** en répétant

– **4.** Jugeant – **5.** Sentant – **6.** en prenant – **7.** En réfléchissant – **8.** en hurlant.

5. 1. en revenant – **2.** semblant – **3.** ne sachant pas quoi faire – **4.** sautillant – **5.** me rendant compte – **6.** en souriant (souriant) – **7.** en découvrant – **8.** tout en me poussant – **9.** En sortant – **10.** en réfléchissant.

La proposition participe

1. 1. cause – **2.** hypothèse – **3.** temps – **4.** cause – **5.** temps – **6.** opposition – **7.** cause – **8.** condition.

2. 1. L'hymne national retentissant… – **2.** Ce dossier complété… – **3.** S'apercevant de son erreur… – **4.** Cette machine étant indisponible… – **5.** La situation redevenue normale… – **6.** Les derniers résultats parvenus… – **7.** Le prévenu refusant… et se murant… – **8.** Le marché conclu…

IV. LES MOTS INVARIABLES

1. LES PRÉPOSITIONS

1. 1d – 2h – 3e – 4g – 5b – 6c – 7a – 8f.

2. 1. à – **2.** de, de – **3.** à – **4.** à – **5.** de – **6.** à – **7.** à – **8.** de, à.

3. 1. de – **2.** à – **3.** de – **4.** de – **5.** de – **6.** à – **7.** à – **8.** de.

4. 1. à – **2.** à – **3.** à – **4.** de – **5.** à – **6.** de – **7.** à – **8.** à.

5. 1. en Italie – **2.** au Brésil – **3.** en été – **4.** en hiver – **5.** en automne – **6.** au Portugal – **7.** au printemps – **8.** en mai.

6. *Réponses correctes :* **1.** chez le boulanger – **2.** chez le médecin – **3.** à la gare – **4.** chez qui ? – **5.** chez moi – **6.** au restaurant, chez Jean-Guy – **7.** à la poste, chez le teinturier, au pressing – **8.** chez la directrice.

7. 1. en voiture ou en train – **2.** à bicyclette – **3.** en avion, dans un pays lointain – **4.** dans le centre, en banlieue – **5.** En France, à cheval, dans les pays anglo-saxons – **6.** en Irlande, dans ce pays – **7.** À Paris, dans le quartier Montparnasse – **8.** dans ma voiture, à pied.

8. 1. dans une minute – **2.** dans cinq minutes – **3.** en un quart d'heure – **4.** Dans un mois – **5.** en trois heures – **6.** dans les mois à venir – **7.** dans une heure – **8.** En combien de temps, En 10 secondes.

9. 1. pour trois jours – **2.** en deux heures et demie – **3.** en peu de temps – **4.** dans un mois – **5.** pour combien de jours – **6.** en un week-end – **7.** pour une semaine complète – **8.** dans trois mois.

10. 1g – 2d – 3b – 4h – 5a – 6c – 7e – 8f.

11. Il est parti de Pékin le 15 mai, il est passé par Moscou, a traversé la Pologne. Il a séjourné à Berlin deux semaines, s'est arrêté à Strasbourg et est arrivé à Paris le 20 juin. Il est allé ensuite à Chartres, puis est descendu vers Saint-Sébastien en Espagne, où il est arrivé le 30 juin.

12. 1. sur la plage – **2.** sous la table – **3.** sur la table – **4.** sous la grille – **5.** au-dessus de nous – **6.** sous l'eau – **7.** l'un sur l'autre – **8.** au-dessus de moi.

13. 1. à cause de – **2.** vers – **3.** en faveur de – **4.** pendant – **5.** dans le but de – **6.** envers (à l'égard de) – **7.** malgré – **8.** au Chili.

14. 1. par – **2.** par – **3.** par – **4.** pour – **5.** pour, par – **6.** pour.

15. 1f – 2d – 3e – 4a – 5b – 6g – 7c – 8h.

16. 1. envers, envers – **2.** vers – **3.** vers – **4.** envers – **5.** vers – **6.** vers – **7.** envers – **8.** vers.

17. 1. Entre – **2.** entre – **3.** parmi – **4.** Parmi – **5.** entre – **6.** Entre – **7.** parmi / d'entre – **8.** Parmi.

18. 1. dès – **2.** depuis – **3.** dès – **4.** depuis – **5.** depuis – **6.** depuis – **7.** dès – **8.** dès.

19. 1c – 2e – 3h – 4f – 5a – 6b – 7d – 8g.

20. 1. à l'égard de – **2.** en raison de – **3.** étant donné – **4.** parmi tous... – **5.** entre nous – **6.** en dépit de ton drôle de...

Bilan
----

1. 1. avec le TGV – **2.** de Paris – **3.** à Grenoble – **4.** en trois heures – **5.** par Lyon – **6.** sans arrêt – **7.** jusqu'à Grenoble – **8.** sur les bords – **9.** dans les rues – **10.** à vélo – **11.** avec une moyenne d'âge – **12.** avec ses trois universités – **13.** grâce à sa situation – **14.** dans un bel environnement – **15.** sur les pistes – **16.** en une heure – **17.** dès le mois de novembre – **18.** jusqu'à Pâques – **19.** pour le week-end – **20.** avec – **21.** sans neige – **22.** à Grenoble.

2. 1. l'un de l'autre – **2.** qu'au sport – **3.** qu'à la musique – **4.** et au théâtre – **5.** pour un champion – **6.** pour l'opéra – **7.** à toutes les revues – **8.** à son piano – **9.** dans un avion – **10.** pour la Chine – **11.** Dès le premier regard – **12.** de la jeune fille – **13.** dès ce moment – **14.** à la suivre – **15.** de son père – **16.** Quant à elle – **17.** envers lui – **18.** par cette présence – **19.** de son amoureux – **20.** de constater – **21.** à reprendre contact – **22.** avec lui – **23.** entre eux – **24.** pour jour – **25.** de fêter – **26.** dans un petit village – **27.** de la forêt – **28.** de se retrouver – **29.** Sauf l'ami – **30.** de ce départ – **31.** depuis une heure – **32.** dans la forêt – **33.** avant leur départ – **34.** contre un arbre – **35.** sur la chaussée – **36.** à ce qui serait arrivé – **37.** au bout de quelques minutes – **38.** en marche – **39.** vers le village – **40.** parmi les arbres.

3. 1. Il est arrivé à deux heures précises. – **2.** J'ai travaillé pendant deux heures sans m'arrêter. – **3.** Je m'en vais, j'en ai pour deux heures environ. – **4.** Je reviendrai vers deux heures, pas plus tard. – **5.** Il dort depuis deux heures. – **6.** Il a fait le trajet en deux heures. – **7.** Je reviendrai le plus tôt possible, avant deux heures. – **8.** Tu peux m'attendre jusqu'à deux heures ?

4. 1. Il a obtenu 38 sur 40 à son examen. – **2.** Il habite au 40 rue de Courcelles. – **3.** La Deuxième Guerre mondiale a commencé un peu avant 40. – **4.** Nous sommes partis en car à 40. – **5.** Il est né en 40. – **6.** Vous avez ce modèle en 40 ? – **7.** L'enfant sait compter jusqu'à 40. – **8.** Vous pouvez nous préparer un buffet pour 40 ?

2. LES ADVERBES

1. 1. énormément, spécialement – **2.** gravement – **3.** en vain, toujours – **4.** évidemment, tout à l'heure – **5.** tellement, vite, mal – **6.** très, souvent, assez, régulièrement, quelquefois – **7.** merveilleusement bien, remarquablement, à merveille, bref – **8.** très, assez, très, peu.
a. Vrai : aimer énormément, nuire gravement.
b. Vrai : toujours absent, très intelligente, assez jolie.
c. Vrai : tellement vite, pas très souvent, assez régulièrement.

2. 1. Elle se comporte très gentiment... – **2.** Il a agi grossièrement... – **3.** Il les écoute très patiemment. – **4.** Réponds poliment à ta grand-mère. – **5.** Il travaille un peu lentement. – **6.** Elle agit un peu bizarrement, non ? – **7.** Il s'est toujours conduit très courtoisement. – **8.** Il suit les cours assidûment.

3. 1. intelligemment – **2.** intensément – **3.** rapidement – **4.** gentiment – **5.** très patiemment – **6.** gaiement – **7.** silencieusement – **8.** négativement.

4. *Adjectifs à valeur d'adverbes dans les phrases* : 1, 3, 4, 5, 6, 8.

5. 1. Il a souvent pris l'avion. – **2.** Vous avez toujours habité à Lyon ? – **3.** Il a beaucoup plu dans l'ouest de la France. – **4.** Il a trop mangé... – **5.** J'ai bien compris... – **6.** Elle a trop dansé... – **7.** Tu n'as guère travaillé... – **8.** Je n'ai rien compris...

6. 1. Hier, j'ai rencontré Alexandra dans le métro. / J'ai rencontré Alexandra dans le métro hier. / J'ai rencontré Alexandra hier dans le métro. – **2.** Il a presque fini son exercice. – **3.** Nous nous sommes vite rendu compte de notre erreur. – **4.** ... mais j'ai longtemps vécu ailleurs. / j'ai vécu longtemps ailleurs. – **5.** Vous avez déjà fini de dîner ? – **6.** Autrefois, je l'ai connue au Canada. / Je l'ai connue autrefois au Canada. / Je l'ai connue au Canada autrefois. – **7.** ... ils ont répondu n'importe comment. – **8.** J'ai tout compris...

7. *Mots corrects* : **1.** bientôt – **2.** plutôt – **3.** très – **4.** aussi – **5.** si – **6.** trop – **7.** même – **8.** aussi.

8. 1. aussitôt – **2.** bien – **3.** énormément – **4.** très – **5.** ensemble – **6.** de temps en temps – **7.** récemment – **8.** toujours – **9.** en vain – **10.** plutôt.

V. SE SITUER DANS L'ESPACE ET LE TEMPS

1. SE SITUER DANS L'ESPACE

1. En sortant du métro Convention, suivez la rue de Vaugirard dans le sens des voitures jusqu'à la rue Cambronne que vous trouverez sur votre gauche. Vous la descendez jusqu'à la place Cambronne. Là, vous prendrez la rue du Laos jusqu'à l'École militaire.

2. 1. au milieu de la photo – **2.** sur la tête – **3.** autour de son cou – **4.** Dans ses bras – **5.** À – **6.** sur la tête – **7.** sur le nez – **8.** vers– **9.** Devant eux – **10.** dans.

3. *Erreur 1* : Le salon est à gauche, la salle à manger à droite.

Erreur 2 : la salle à manger ne communique pas avec la salle de bains.

Erreurs 3 et 4 : la chambre des parents est à gauche et elle communique avec la chambre de Mélanie.
Erreur 5 : la chambre de Pauline est au fond à droite.

4. 1. en Sardaigne, à Marseille, en Équateur, au Portugal, dans les Alpes, en Auvergne – **2.** d'Irlande, en Argentine / pour l'Argentine, au Chili/ pour le Chili, en France, à Paris, en Bourgogne – **3.** de la Havane, de Medellin, en Colombie, de Cuba, de Medellin, de Cuba.

5. *Réponses correctes :* **1.** tu viennes – **2.** je suis arrivée – **3.** Je me trouve – **4.** je reviens – **5.** Tu vas – **6.** Tu n'es jamais venu – **7.** à revenir – **8.** sont retournés.

6. *Par exemple :* **a.** Paris n'est pas au centre de la France. – Marseille se situe au sud-est, au bord de la Méditerranée. – Lyon est plus au nord que Marseille, elle est située au bord du Rhône. – Toulouse et Bordeaux sont toutes les deux dans le sud-ouest mais Toulouse est plus au sud – Lille est la ville la plus au nord de la France, près de la Belgique.
b. La région PACA (Provence-Alpes-Côte-d'Azur), la Bretagne, les Pays de la Loire et l'Île-de-France ont gardé leur nom.

2. SE SITUER DANS LE TEMPS

1. 1. Aujourd'hui – **2.** Il est – **3.** du matin – **4.** dans – **5.** en – **6.** il y a – **7.** Hier encore.

2. ce jour-là – auparavant / plus tôt / avant – précédent – Cette année-là – à venir / suivants.

3. 1. dans, pour, pendant, en. – **2.** Dans, dans, pendant, pour / pendant, en.

4. 1. marchait – **2.** enseigne – **3.** n'avait pas dormi – **4.** joue – **5.** a rajeuni – **6.** s'était posé – **7.** travaille – **8.** s'est enfermé... n'a parlé à / ne parle à.

5. *Action continue dans le présent :* phrases 1b, 2a, 3b, 4a.

Action terminée : phrases 1a, 2b, 3a, 4b.

6. 1. à partir du 21 / dès le 21 – **2.** dès ce soir / à partir de ce soir – **3.** depuis – **4.** dès / à partir de – **5.** depuis – **6.** à partir du 20 / dès le 20 – **7.** dès – **8.** depuis.

7. *Réponses correctes :* **1.** toute la matinée – **2** chaque année – **3.** tous les soirs – **4.** jour et nuit – **5.** une bonne année – **6.** une année magnifique – **7.** ce matin – **8.** tous les jours... toute la journée.

8. 1.c – **2.**d – **3.**a – **4.**e – **5.**b.

VI. LES DIFFÉRENTS TYPES DE PHRASES

1. LA PHRASE INTERROGATIVE

1. *Les réponses proposées n'excluent pas d'autres réponses possibles :*
1. (F) Quel est le métier de Fabrice, exactement. – **2.** (F) Comment je fais pour aller chez toi ? – **3.** (S) – **4.** (C) – **5.** (S) – **6.** (C) – **7.** (F) Quels sont les auteurs français que vous aimez ? – **8.** (S) – **9.** (C) – **10.** (C) – **11.** (F) Où peut-on s'adresser pour avoir des renseignements ? – **12.** (F) D'où vient ton pull ? – **13.** (C) – **14.** (C) – **15.** (C).

2. 1. Qui avez-vous rencontré ? – **2.** Que s'est-il passé ? – **3.** Que ferez-vous plus tard ? – **4.** Pouvez-vous passer à mon bureau demain ? – **5.** Pourrais-je vous aider ?(Puis-je vous aider) ? – **6.** Où peut-on s'adresser... ? – **7.** À quelle heure se sont-ils levés ? – **8.** Que faut-il faire... ?

3. 1. oui – **2.** non – **3.** si – **4.** non – **5.** si – **6.** oui **7.** non – **8.** si.

4. 1. Comment vous appelez-vous ? / Quel est votre nom ? – **2.** Quel âge avez-vous ? – **3.** Où habitez-vous ? – **4.** Vous avez un numéro de téléphone ? – **5.** Quels diplômes avez-vous ? – **6.** Vous avez une expérience professionnelle ? – **7.** Vous parlez quelles langues ? – **8.** Quand pourriez-vous commencer ?

5. 1i – **2**h – **3**j – **4**a – **5**g – **6**b – **7**f – **8**d – **9**e – **10**c.

6. 1. Où est le chat ? – **2.** Quel livre as-tu pris ? – **3.** Qu'est-ce que tu fais ? – **4.** Comment viendrez-vous ? – **5.** Tu l'as payé combien ? – **6.** Qui a téléphoné ? – **7.** Tu pars avec quelle compagnie ? – **8.** Où va-t-elle en vacances ?

7. 1. qui est-ce qui – **2.** qu'est-ce que – **3.** qu'est-ce que – **4.** qu'est-ce qui – **5.** qu'est-ce qui – **6.** qui est-ce que – **7.** qui est-ce qui – **8.** qui est-ce que.

2. LA PHRASE NÉGATIVE

1. 1. Je n'ai pas trouvé d'erreur dans les comptes. – **2.** Personne n'a applaudi. – **3.** Personne n'est venu vous voir. – **4.** Cette robe ne vaut pas plus de 200 euros. – **5.** Ses trois enfants ne vivent plus avec elle. – **6.** Je n'ai pas encore déjeuné. – **7.** Il ne connaît pas tout le monde. / Il ne connaît personne. – **8.** Il n'a pas toujours habité ici. / Il n'a jamais habité ici.

2. 1. Il n'y a pas de lettres pour moi ? / Il n'y a aucune lettre pour moi ? – **2.** Il ne veut rien dire. – **3.** À 90 ans, il ne conduit plus sa voiture. – **4.** Je n'ai pas mangé de viande ni de légumes. / Je n'ai mangé ni viande ni légumes. – **5.** Je n'aime pas le vert ni le bleu. / Je n'aime ni le vert ni le bleu. – **6.** Je n'ai pas vu tous les films... / Je n'ai vu aucun film... – **7.** Il ne dit jamais bonjour à personne. / Il ne dit pas toujours bonjour à tout le monde. – **8.** C'est un livre qu'on ne trouve pas partout. / Ce n'est pas un livre qu'on trouve partout. / C'est un livre qu'on ne trouve nulle part.

3. 1c – 2e – 3a – 4g – 5f – 6h – 7b – 8d.

4. 1. Non, je ne vois rien. – **2.** Non, je ne me souviens de rien. – **3.** Non, il n'y travaille plus. – **4.** Non, il n'y en a pas. – **5.** Non, je ne l'ai pas encore fini. – **6.** Non, personne (n'a appelé pour toi ce matin). – **7.** Non, personne n'a compris. / Non, tout le monde n'a pas compris. – **8.** Non, je n'ai plus faim. – **9.** Non, je n'ai pas encore faim. – **10.** Non, je n'ai plus faim.

5. 1. J'ai rencontré quelqu'un... – **2.** Tout le monde a bu quelque chose. / Quelqu'un a bu quelque chose. – **3.** Quelque chose de grave est arrivé. – **4.** ... il y a fromage et dessert. – **5.** La nouvelle a suscité un certain étonnement. – **6.** J'ai tout entendu. / J'ai entendu quelque chose. – **7.** Il prend parfois / toujours sa voiture... – **8.** Il travaille encore...

6. 1. J'ai bien peur de ne pas connaître son adresse. – **2.** J'ai bien envie de ne pas donner suite... – **3.** Je souhaite vivement ne plus recevoir de publicité... – **4.** ... ce serait mieux de ne pas fumer. – **5.** Les voisins nous ont demandé de ne pas faire de bruit... – **6.** Nous nous excusons de ne pas pouvoir répondre favorablement... – **7.** Essayons de ne pas rire... – **8.** Tu pourrais essayer de ne pas être aussi méchant...

7. 1. Je n'ai rien bu ni rien mangé depuis ce matin. – **2.** Personne n'a plus jamais rien dit à ce sujet. – **3.** Ils ne vont plus jamais nulle part ensemble. – **4.** Rien ne sera plus jamais comme avant. / Rien ne sera jamais plus comme avant.

8. Dans les phrases 1, 3, 4 « jamais » est réellement négatif. – Dans les phrases 2 et 5 « jamais » a le sens de « un jour », « par hasard ».

9. Sont réellement négatives les phrases : 1, 5, 7 et 8.

10. Le « ne » est explétif dans les phrases : 1, 2, 5, 6, 7.

11. Dans les phrases suivantes : le « ne » a une valeur réellement négative : 1, 3, 4, 5, 7, 8.

12. 1. il ignorait qui... – **2.** il manque de savoir-vivre...

– **3.** il refuse que... – **4.** je doute de sa sincérité – **5.** il contestait... – **6.** il a nié que... – **7.** il a démenti la nouvelle de son retrait... – **8.** je désapprouve.

13. 1. indiscutable – **2.** irréalistes – **3.** désagréable – **4.** mécontents – **5.** malheureux – **6.** anticonformiste – **7.** dissemblables / différentes (plus fréquent) – **8.** anormale.

Bilan
---

1. ... malheureux, insatisfait, mécontent... il n'étais plus jeune... il ne travaillait pas, il n'avait pas d'amis, il n'avait aucun ami – il n'avait jamais personne à voir – il ne sortait jamais de chez lui – il n'allait nulle part – ni dans une boîte, ni dans un bar, ni dans un cinéma. Il n'aimait ni les lumières ni l'agitation des lieux... Nulle part... il ne se sentait chez lui. Il n'appréciait ni ne recherchait la compagnie... Lui-même n'avait jamais rien à dire, rien d'intéressant, rien de profond, rien qui puisse (qui pourrait, *ou* qui pouvait)... Les gens le quittaient sans regret.

2. Il faut un « ne » explétif dans les phrases 1 (« que je ne l'aurais cru »), 4, 5, 7, 8.

3. Dans les phrases 1, (si tu n'avais pas été là) 2, 5, 6 (pas vu), 7 « pas » est obligatoire.

3. LA PHRASE EXCLAMATIVE

1. 1. La réponse à quelqu'un qui demanderait, par exemple, si on aimerait faire un voyage sur Mars. – **2.** En sentant une odeur de brûlé à la cuisine. – **3.** Une mère qui s'adresserait à son enfant en train de jouer avec un canif. – **4.** Un grand frère qui encouragerait son petit frère à entrer dans une pièce obscure. – **5.** Quelqu'un à un ami qu'il voit faire le clown pour attirer l'attention d'une personne. – **6.** Des voyageurs de retour d'une croisière au cours de laquelle se sont produits de nombreux incidents.

2. 1. dégoût – **2.** surprise – **3.** incrédulité – **4.** approbation – **5.** appel – **6.** arrêt – **7.** douleur – **8.** soulagement.

3. image 1 = phrase 5 – image 2 = phrase 1 – image 3 = phrase 7 – image 4 = phrase 3.

4. MISE EN RELIEF

1. 1. C'est à Limoges que Pierre habite et non à Périgueux. / Ce n'est pas à Périgueux que Pierre habite mais à Limoges. – **2.** C'est Pierre qui habite à Limoges et non François. / Ce n'est pas François qui habite à Limoges, c'est Pierre. – **3.** C'est pour le docteur Véry que vous venez ? – **4.** C'est pour ton bien que nous avons pris... – **5.** Attention ! C'est mardi qu'ils arrivent et non mercredi. – **6.** Ce n'est pas pour moi que je fais ça mais pour vous. / C'est pour vous que je fais ça, pas pour moi. – **7.** C'est bien de Vanessa Higer que vous parlez, n'est-ce pas ? – **8.** C'est moi qui vais chez toi ou c'est toi qui viens chez moi ?

2. 1. Elle nous a prévenus de son arrivée avant-hier seulement. – **2.** Il avait raison pour une fois – **3.** Il s'agit bien de votre fils aîné, n'est-ce pas ? – **4.** Je n'ai pas besoin de sermons ou de conseils, mais d'une aide immédiate / j'ai besoin d'une aide immédiate, non de sermons ou de conseils. – **5.** Je vous parle. – **6.** Je n'ai pas invité Martine, elle s'est invitée toute seule. – **7.** Nous avons compris qu'il plaisantait quand il a éclaté de rire. – **8.** Ils pensent aller passer leurs prochaines vacances vers Dijon.

3. 1. Tes amis sont toujours en retard. – **2.** Tu détestes le lundi, moi le vendredi. – **3.** Vous aimez la bière ? En voulez-vous ? – **4.** Il y a longtemps que nous n'avons pas vu les Vernant. – **5.** Sais-tu où va ton amie Louise cet été ? – **6.** Quand mon frère a-t-il appelé ? / Quand est-ce que mon frère a appelé ? – **7.** J'adore ma sœur, surtout quand elle s'occupe du ménage. – **8.** Il me semble que le frère de Marion joue dans un groupe de rock à Bordeaux.

VII. DE LA PHRASE SIMPLE À LA PHRASE COMPLEXE

1. LA PROPOSITION SUBORDONNÉE RELATIVE

1. 1 qui, dont, qui, qui, qui, qui, qui. – **2.** où, que, que, qui, dont, qui. – **3.** qu', qui, dont, où, qui.

2. 1. … ce film dont tout le monde parle ? – **2.** … des secrets de famille dont personne ne lui avait jamais… – **3.** … l'appartement idéal que je cherchais… – **4.** … une nouvelle voiture qui leur a coûté une fortune. – **5.** … au café Voltaire qui se trouve rue de Berlin. – **6.** … le dernier livre de Houellebecq qu'on m'a offert… – **7.** … cette maison de Bretagne où ils ont passé… – **8.** … ces documents dont j'ai vraiment besoin.

3. *Les propositions relatives sont à insérer dans le texte suivant cet ordre* : 8, 4, 1, 7, 2, 6, 3, 5.

4. 1. qu'il – **2.** qui l'as – **3.** qui il – **4.** qui il – **5.** qui le… qu'il – **6.** qu'il – **7.** qu'il… qu'il – **8.** qui le… qu'il.

5. *Réponse correcte* : phrase B.

6. *Les propositions relatives explicatives sont dans les phrases* : 2, 3, 6. – *Les propositions relatives déterminatives sont dans les phrases* : 1, 4, 5.

7. 1. peux – **2.** va – **3.** laisserait – **4.** a disparu – **5.** va / aille – **6.** connais – **7.** j'aie jamais vu – **8.** n'ai jamais vu.

8. 1. aille, est, est. – **2.** soit, ait, serez, conviendra, est, est. – **3.** veuille, soit, ait, soit, est, est, est, s'est.

9. 1. illisible – **2.** incorrigible – **3.** inadmissible – **4.** irrésistible – **5.** indescriptible – **6.** intolérable – **7.** insoluble – **8.** incontrôlable.

10. 1. une réponse ambiguë – **2.** sa promenade quotidienne – **3.** quelqu'un de lunatique – **4.** les gens insomniaques – **5.** un pays hexagonal – **6.** la visite hebdomadaire – **7.** aux résultats expérimentaux – **8.** quelque chose d'illégal.

2. LA PROPOSITION SUBORDONNÉE COMPLÉTIVE

Le mode du verbe dans la complétive
----

1. a. êtes, n'étiez pas, aviez l'air, me suis trompé/ m'étais trompé, qu'il a eu, ont soutenu, est, a été/ était. – **b.** est, réussira, pourra, se fait, gardera.

2. 1. On vient de nous informer – **2.** Les employés ont appris – **3.** Le jeune ingénieur affirmait – **4.** Une femme criait – **5.** Le professeur a dit – **6.** Je prétends – **7.** Le délégué syndical a promis – **8.** Mon ami a juré.

3. 1. avait / a influencé – **2.** n'avait pas commis – **3.** a tout vu – **4.** rejoindrait – **5.** s'obscurcissait / s'était obscurci – **6.** avez acquis – **7.** changeait / avait changé – **8.** avions déjeuné.

4. 1. ne dors pas assez – **2.** soit / est – **3.** puisse / peut – **4.** étudiiez – **5.** gagnerait – **6.** soient – **7.** puissions… voulions / pouvons… voulons – **8.** qu'il ait menti.

5. a. avaient / avaient eu, n'en faisait jamais assez, comprenait, souhaitait, puisse, ne suffisait pas, fallait. – **b.** sera faite, s'était suicidé, a raison, est, apprenne, avait, ait décidé.

6. 1. comprenez / avez compris – **2.** ayez – **3.** as – **4.** veuilles / aies voulu – **5.** avait échoué – **6.** veuille – **7.** pleut… prenne – **8.** jouerait.

7. « reconnaît », verbe de constatation + indicatif, ici présent. – « il paraît », verbe impersonnel qui exprime une réalité + indicatif, ici présent. – « on dit », verbe de déclaration + indicatif, ici présent – « annonce », verbe déclaratif + indicatif, ici futur – « pensent », verbe d'opinion + indicatif, ici présent – « il semble », verbe impersonnel qui exprime un doute + subjonctif, ici présent – « ne croient pas », verbe d'opinion à la forme négative + subjonctif, ici présent – « découvre », verbe de constatation + indicatif, ici présent – « trouver inquiétant ou amusant », verbe qui marque une appréciation, un sentiment + subjonctif, ici 2 subjonctifs passés – « il est normal », verbe impersonnel qui marque l'appréciation + subjonctif, ici présent – « il est nécessaire », verbe impersonnel qui marque l'obligation + subjonctif, ici présent.

8. 1. Je doute que vous ayez compris. – **2.** Je m'étais aperçu qu'il avait fait une grossière erreur. – **3.** J'ai su hier que mon ami venait de rentrer de voyage. – **4.** Je ne sais pas s'il est rentré de voyage. – **5.** C'est le moment où jamais que vous fassiez des efforts et que vous travailliez. – **6.** Je me doute bien qu'une femme comme elle pourra être mère de famille et ministre. – **7.** Il est évident que ce chanteur a perdu sa voix en vieillissant. – **8.** La majorité des députés s'oppose à ce que le gouvernement modifie la loi de 1905.

9. 1. Je regrette que vous nous quittiez déjà. – **2.** Cette jeune fille mérite que nous fassions quelque chose pour elle. – **3.** J'aimerais que tu prennes au sérieux ce que tu fais. – **4.** J'exige que tu me répondes. – **5.** Le professeur tient à ce que nous travaillions avec un dictionnaire. – **6.** Il est préférable que tu n'interviennes pas dans la discussion. – **7.** J'attends que vous vous asseyiez. – **8.** Il est dommage que nous ne voyions ni la scène ni les acteurs.

10. a. il paraît, il semble, c'est absurde – **b.** il est désolant, c'est important – **c.** c'est vrai, c'est génial, c'est important.

11. 1e – 2c – 3b – 4g – 5h – 6a – 7f – 8d.

12. 1b – 2e – 3f – 4h – 5d – 6g – 7c – 8a.

La transformation : complétive ⇨ infinitif
---

1. 1. Je crois vous avoir donné toutes les informations. – **2.** … espérait s'acquitter de sa tâche… – **3.** … s'imaginait pouvoir réussir sans travailler. – **4.** Je me souviens avoir passé mon bac… – **5.** Elle a reconnu avoir menti. – **6.** Il s'est soudain rappelé avoir déjà lu ce roman policier. – **7.** Il me semble ne pas avoir saisi l'essentiel de ce texte. – **8.** …prétend vous avoir payé et ne plus rien vous devoir.

2. 1. … pense avoir enfin compris. – **2.** … affirmait ne pas avoir triché. – **3.** … jurait ne rien avoir bu (n'avoir rien bu). – **4.** … a juré de ne plus boire. – **5.** disait avoir besoin d'aide… – **6.** … a promis de l'aider. – **7.** … ont demandé à être reçus par le ministre (ont demandé au ministre de les recevoir) – **8.** … s'attendent à être tous licenciés.

3. 1. … sentait sa mémoire lui faire défaut. – **2.** J'ai vu la voiture prendre le virage trop vite. – **3.** J'entends frapper à la porte. – **4.** Il semble s'être trompé. – **5.** … voulait être remboursé. – **6.** Elle se plaignait d'avoir été mal informée. – **7.** Je désire être écouté(e) en silence. – **8.** Elle avait peur d'être licenciée.

4. 1. Il te suffit d'être là… – **2.** Je vous souhaite d'être heureux. – **3.** Il m'est impossible de répondre immédiatement… – **4.** Il serait utile de vérifier l'information. – **5.** Il te faut repartir tout de suite. – **6.** Je leur ai proposé de faire le trajet… – **7.** … elle ne leur permet pas de sortir le soir. – **8.** Je te conseille

de réfléchir un peu…

5. 1. Je suis ravie que mon amie parte… – **2.** Je suis heureuse aussi de partir. – **3.** J'admets qu'il ait fait une erreur… – **4.** Ma cousine m'a promis de s'occuper de mon bébé… / Ma cousine a promis qu'elle s'occuperait de mon bébé… – **5.** Je regrette que vous n'ayez pas voulu m'écouter. – **6.** Maintenant, vous regrettez de ne pas m'avoir écouté. – **7.** Les policiers ont déclaré…qu'ils n'avaient rien vu de suspect / Les policiers ont déclaré n'avoir rien vu de suspect. – **8.** Je crains qu'à ….elle ne puisse supporter…

La transformation : complétive ⇨ participe passé ou adjectif
---

1. 1. Elle se croyait responsable de l'accident. – **2.** Vous vous estimez trahis dans cette affaire. – **3.** Je le crois innocent. – **4.** Nous nous sentions très fatigués après… – **5.** … elle se trouve laide. – **6.** Nous savions ma grand-mère très malade. – **7.** Il nous jugeait incapables de le comprendre. – **8.** Elle s'est montrée digne de la confiance qu'on…

2. 1. …trouve sa patronne insupportable – **2.** …a estimé le plat proposé immangeable. – **3.** …a jugé le prévenu irresponsable. – **4.** …trouve mon aventure inimaginable – **5.** …estime cette histoire incroyable. – **6.** …croient la rénovation du bâtiment impossible à faire… – **7.** …j'estime ton intervention incompréhensible en anglais.

La transformation : complétive ⇨ nom
---

1. 1. de sa fidélité – **2.** le départ de mes amis – **3.** de son échec – **4.** de la défaite de leur équipe – **5.** de la victoire de la leur – **6.** de la cruauté de certaines personnes envers les animaux – **7.** de votre réussite / de votre succès – **8.** l'arrestation de l'automobiliste responsable de l'accident.

2. 1. … une étude sérieuse des projets est indispensable. – **2.** Une révision attentive des verbes serait utile. – **3.** La pollution des mers est déplorable. – **4.** L'entrée de l'immeuble est interdite aux démarcheurs. – **5.** Toute décision est impossible en ce moment. – **6.** Ton retour est vraiment nécessaire. – **7.** Sa culpabilité est certaine. – **8.** Son pessimisme est évident.

Bilan
---

1. 1. Je pense – **2.** Je doute – **3.** Je souhaite – **4.** J'espère – **5.** Je me réjouis – **6.** Je ne comprends pas – **7.** J'aimerais – **8.** On dirait.

2. *L'infinitif est impossible dans les phrases* : 1, 3, 4, 6, 7. – *Dans les autres phrases on peut dire aussi* : **2.** Il croit avoir tous les droits – **5.** Nous espérons trouver un coin… – **8.** Elle affirme ne pas avoir aimé (n'avoir pas aimé) ce roman (« elle » représente la même personne).

3. A. 1. au voyageur de montrer son billet – **2.** à mes amis d'abattre une cloison – **3.** Je vous conseille de prendre vos vacances – **4.** Je t'ordonne de finir. – **B. 5.** Je voudrais être déchargé(e) de cette affaire. – **6.** Qui ne désire pas être aimé ? – **7.** J'aimerais emprunter ta bicyclette… **8.** Je souhaite acheter votre voiture.

4. 1c – **2**d – **3**e – **4**b – **5**f – **6**h – **7**a – **8**g.

5. 1. …à ce que les températures augmentent – **2.** …que la maternité ait été définitivement fermée. – **3.** …que la couche d'ozone s'était reconstituée. – **4.** …que leur équipe avait été vaincue. **5.** …que cette nouvelle taxe soit immédiatement supprimée / qu'on supprime immédiatement cette nouvelle taxe. – **6.** …que la commode Louis XV était authentique.

6. A. 1. f – **2.** (à) g – **3.** (à) e – **4.** a – **5.** d – **6.** (de) h – **7.** c – **8.** (de) b.
B. 1. f – **2.** g – **3.** (à) e – **4.** a – **5.** d – **6.** (de) h – **7.** c – **8.** b.

3. LE DISCOURS RAPPORTÉ

1. 1. … annonce qu'il y aura du vent et de la pluie… – **2.** …elle crie que je lui ai menti. – **3.** … me dit que j'aurai plus de chance la prochaine fois. – **4.** Tout le monde pense que les joueurs brésiliens ont bien joué et qu'ils ont mérité leur victoire. – **5.** … le préviennent que la traversée sera très dure, qu'il devait faire attention à lui. – **6.** On répète toujours aux enfants qu'ils doivent être polis. – **7.** … déclare aux ouvriers qu'il est obligé de fermer l'usine. – **8.** … affirme qu'il va très bien et qu'il ne manque de rien.

2. 1. Il a précisé qu'il serait là dans deux heures. – **2.** … nous a dit que nous pouvions faire de la voile, qu'il allait faire beau… – **3.** … expliquait qu'il avait fermé le magasin et qu'il était parti. Il a ajouté qu'il n'avait rien vu. – **4.** … a annoncé qu'il venait de terminer… – **5.** … il a ajouté qu'il commençait bientôt… – **6.** … a déclaré que sa fille lui ressemblait. – **7.** … a répond qu'elle en avait assez de toutes ces soirées où tout le monde buvait, fumait et s'ennuyait.

3. 1. ce jour-là – **2.** le lendemain – **3.** la semaine prochaine – **4.** ce soir-là – **5.** la semaine suivante – **6.** ce matin-là – **7.** à ce moment-là – **8.** cette année-là.

4. 1. Le médecin m'a demandé depuis quand je souffrais. – **2.** Si j'avais de la fièvre. – **3.** ce que j'avais mangé la veille. – **4.** si j'avais mal à l'estomac. – **5.** si j'étais contrarié(e) en ce moment. – **6.** quelles maladies j'avais eues dans mon enfance. – **7.** si je supportais les antibiotiques. – **8.** combien je pesais.

5. 1. Elle nous a demandé de ne pas fumer dans la maison. – **2.** Elle m'a rappelé (de ne pas oublier) d'appeler Jimmy pour son anniversaire. – **3.** Le pompier nous a crié de sortir tout de suite. – **4.** Elle nous a proposé d'aller dîner chez Marion et sa sœur, samedi soir. – **5.** Il m'a conseillé d'aller voir ce film qui est super. – **6.** Elle a murmuré de ne pas parler trop fort parce que le bébé dormait. – **7.** Le commandant de bord a recommandé aux voyageurs de garder leur ceinture attachée, pendant toute la durée du vol. – **8.** On nous a dissuadé de prendre l'autoroute A1, parce qu'elle est toujours embouteillée.

6. *Le père* : Ton attitude nous surprend beaucoup et nous inquiète ta mère et moi.
Joël : Ah bon, pourquoi ?
Le père : On sait que tu passes un examen dans trois semaines et on s'étonne que tu sortes presque tous les soirs avec tes amis.
Joël : Vous faites des histoires pour rien ; j'ai besoin de me détendre après une journée de travail.
Le père : Et en plus tu pars pour l'Angleterre la semaine prochaine.
Joël : Mais, cela ne te regarde pas !
Le père : D'accord, d'accord, tu n'es plus un enfant, mais quand même, on est inquiets pour ton avenir.
Joël : Je serai raisonnable, je te le promets.
Le père : Au moins, ne pars voir ton amie Jenny qu'après l'examen.
Joël : Bon, bon, d'accord, mais alors, invitez-la à passer quelques jours à la maison.
Le père : C'est une idée, j'en parlerai à ta mère.

VIII. LES RELATIONS LOGICO-TEMPORELLES

1. GRAMMAIRE DU TEXTE

Les termes de reprise

1. 1. ce choix… – **2.** ses explications… – **3.** …cette explosion. – **4.** …résistance. – **5.** cette hausse / cette augmentation. – **6.** cette arrestation. – **7.** les entretiens. – **8.** le départ. – **9.** le retour… – **10.** cette chute.

2. *Phrases ambiguës* : la 3 et la 4. On supprime l'ambiguïté de la manière suivante : **3.** … Ceux-ci / Ces derniers ne les avaient pas reconnus. / Elsa et Sébastien ont rencontré dans le métro de très vieux amis qu'ils n'avaient pas reconnus / qui ne les avaient pas reconnus. – **4.** Jenny est allée aux Galeries Lafayette avec Florence qui voulait acheter… / Jenny qui voulait acheter… est allée aux Galeries Lafayette avec… / Jenny est allée aux Galeries Lafayette avec Florence. Celle-ci / Cette dernière voulait acheter…

3. 1. tous ces ouvrages – **2.** ce moyen de locomotion

– **3.** ces meubles – **4.** le bâtiment – **5.** les vêtements – **6.** un outil – **7.** cette œuvre – **8.** quelques ustensiles de cuisine.

4. 1. si tu n'écris pas – **2.** plus que je ne parlais – **3.** tu sais bien que je t'aurais accompagné(e) – **4.** comme tu viens de l'insulter – **5.** qu'on le lui propose.

5. 1. désaveu – **2.** qualités – **3.** épidémie.

6. 1. cet échec – **2.** cet accident (ce choc) – **3.** ce refus (son entêtement, son obstination) – **4.** cet abandon (cette décision) – **5.** secousses (répliques) – **6.** cette hausse – **7.** cette condamnation (ce verdict) – **8.** cette victoire – **9.** la maladie (l'épidémie) – **10.** catastrophes (drames, fléaux).

Les connecteurs temporels

---

1. 1. Un jour – **2.** il y a une trentaine d'années – **3.** à l'époque – **4.** le 1er juin – **5.** ce matin-là – **6.** à six heures précises – **7.** la veille au soir – **8.** quelques minutes plus tard – **9.** À midi – **10.** le soir à 20 h – **11.** Dans les jours qui ont suivi – **12.** vers la mi-juin.

2. 1b – 2d – 3f – 4a – 5c – 6e.

3. a. En 1822 – vingt ans plus tôt – en 1831 – désormais – en 1843 – pendant huit ans – en 1851 – dix-neuf ans plus tard, après l'abdication... – c'est à cette époque que... – en 1862 – en 1885.
b. 1822 : Consécration de Victor Hugo, proclamé prince des poètes.
1843 : Mort de sa fille Léopoldine.
1843-1851 : Huit années de deuil et de silence.
1851 : Départ en exil à la suite du coup d'État de Louis-Napoléon Bonaparte.
1851-1870 : Années d'exil.
1862 : Publication des *Misérables*.
1870 : Retour en France après l'abdication de Napoléon III.
1885 : Mort de Victor Hugo et funérailles nationales.

4. C'est en 1643, à l'âge de 21 ans, que le jeune Jean-Baptiste Poquelin fait une rencontre décisive, celle de la famille Béjart avec laquelle il fonde l'Illustre Théâtre. C'est alors qu'il adopte le pseudonyme de Molière. À la suite de ses ennuis financiers, toute la troupe quitte Paris et restera pendant douze ans en province. Ce n'est qu'en 1658 que la troupe, de retour à Paris, devient la Troupe de Monsieur. L'année suivante voit le triomphe des *Précieuses ridicules*. La troupe s'installe au Palais-Royal.
Entre 1662 et 1665, malgré la protection du roi, il doit affronter la censure pour avoir écrit et représenté *L'École des femmes*, *Tartuffe* et *Dom Juan*.
Dans les six années qui suivent, la troupe joue les pièces les plus connues comme *Le Misanthrope*, *L'Avare*, *Le Bourgeois gentilhomme*, *Les Femmes savantes*. En 1673, un an après avoir perdu la faveur du roi, Molière meurt en jouant *Le Malade imaginaire.*

Les connecteurs logiques

---

1. 1. Tout d'abord – **2.** Or – **3.** D'autre part – **4.** Certes – **5.** Néanmoins – **6.** En outre – **7.** Enfin – **8.** Bref.

2. 1. d'ailleurs – **2.** ailleurs – **3.** d'ailleurs – **4.** par ailleurs – **5.** d'ailleurs – **6.** par ailleurs.

3. 1. au fait – **2.** en fait – **3.** au fait – **4.** de ce fait – **5.** en fait – **6.** de ce fait.

4. Tout d'abord – ensuite – enfin – par ailleurs – d'ailleurs – par exemple – cependant – en effet – au fait.

Bilan – Logique du texte

---

1. *Ordre* : 1b – 2d – 3a – 4e – 5c.

2. *Ordre* : 1c – 2f – 3d – 4a – 5b – 6e.

2. L'EXPRESSION DU TEMPS

La proposition subordonnée : valeurs et emplois des conjonctions de temps

---

1. 1. Quand / dès que / aussitôt que / lorsque – **2.** Chaque fois que / toutes les fois que / quand / lorsque – **3.** Quand / lorsque – **4.** Quand / lorsque – **5.** Dès qu' / aussitôt qu' – **6.** chaque fois qu' / toutes les fois qu' / lorsqu' – **7.** Quand / lorsque – **8.** Quand.

2. 1. au fur et à mesure que / à mesure que – **2.** pendant que / tandis que / alors que – **3.** tant que / aussi longtemps que – **4.** au moment où... – **5.** pendant que / alors que / tandis que / au moment où – **6.** depuis que – **7.** tant que / aussi longtemps que – **8.** au fur et à mesure que.

3. 1. est – **2.** avait mis au monde – **3.** j'ai quitté – **4.** se sentait, était – **5.** recevions – **6.** vivons – **7.** a entendu – **8.** avait maigri.

4. 1. fumeras – **2.** gagne – **3.** a fait beau – **4.** restait – **5.** n'avait pas résolu – **6.** n'auras pas dit – **7.** n'ai pas lu – **8.** n'est pas rentré.

5. 1. auras rempli – **2.** as assemblé – **3.** s'était douchée – **4.** seront passés – **5.** avait terminé – **6.** aura achevé – **7.** a eu rassemblé – **8.** eut traversé.

6. 1. À peine le métro est-il arrivé que les portes s'ouvrent et que les passagers... / Le métro n'est pas plus tôt arrivé que les portes s'ouvrent et que les passagers... – **2.** À peine eut-il heurté le rocher que le bateau se brisa et qu'une tache... / Le bateau n'eut pas plus tôt heurté le rocher qu'il se brisa et qu'une tache noire... – **3.** À peine la vague a-t-elle touché le sable que le pétrole se dépose... / La vague n'a pas plus tôt touché le sable que le pétrole se dépose...

– **4.** À peine l'avion avait-il reçu… qu'il allait se ranger… / L'avion n'avait pas plus tôt reçu l'autorisation… qu'il allait se ranger…

7. A. 1. reprenne – **2.** finisse / soit finie – **3.** trouve – **4.** apparaisse.
B. 5. d'ici (à ce) qu' / le temps qu' – **6.** en attendant qu' – **7.** d'ci qu' – **8.** avant que.

8. 1c – 2d – 3e – 4g – 5h – 6a – 7f – 8b.

9. 1e – 2d – 3f – 4c – 5g – 6h – 7b – 8a.

10. A. (tant que = aussi longtemps que)
1. tant que les contrôleurs ne lui auront pas donné… – **2.** tant qu'il n'a pas sommeil – **3.** tant qu'ils n'avaient pas compris – **4.** tant que le feu ne sera pas passé au rouge.
B. 5. jusqu'à ce qu'il se sente fatigué – **6.** jusqu'à ce que vous ayez atteint votre but – **7.** jusqu'à ce que le ministre les reçoive – **8.** jusqu'à ce qu'il ait trouvé un internaute…

Autres manières d'exprimer l'idée du temps

----

1. 1. après avoir fait le plein – **2.** Au moment d'entrer – **3.** après avoir déjeuné – **4.** Au moment de fermer… – **5.** Après avoir fini le montage… – **6.** avant d'être prise en photo – **7.** en attendant d'être appelés – **8.** avant d'y être obligé(e).

2. A. 1. Découvrant – **2.** Jugeant le moment venu – **3.** Tout en marchant – **4.** en voyant…
B. 1. Une fois assis… – **2.** Enfant… – **3.** À peine / une fois rentrée chez elle… – **4.** Ayant enfin compris…

3. 1. La circulation reprenant – **2.** Une fois la tornade passée – **3.** Les rosiers et les tulipes plantés – **4.** Sa déclaration d'impôts remplie – **5.** Les premières notes de la symphonie s'élevant de l'orchestre – **6.** Une fois le prêt remboursé – **7.** Les pneus gonflés – **8.** neuf heures sonnant.

4. 1. À la vue du défilé – **2.** Après son élection – **3.** Depuis son opération – **4.** Pendant son anesthésie – **5.** Au fur et à mesure de sa lecture – **6.** Par beau temps – **7.** À/ Dès l'apparition des premières feuilles – **8.** Avant le décollage.

5. 1. À leur descente d'avion – **2.** Avant sa découverte du vaccin contre la rage, Pasteur… – **3.** Lors de l'attaque du fourgon postal – **4.** En attendant l'arrivée du professeur – **5.** Depuis son arrestation et son inculpation – **6.** jusqu'au passage du train – **7.** d'ici leur mariage – **8.** À table.

6. 1. dorénavant – **2.** à plusieurs reprises – **3.** parfois – **4.** d'ores et déjà – **5.** jadis – **6.** longtemps – **7.** maintenant / actuellement / aujourd'hui – **8.** à l'avenir.

Bilan

----

1. 1. Quand il est tombé, il s'est fait mal. / Il s'est fait mal en tombant. – **2.** Avant que tu (ne) t'asseyes, je vais… – **3.** Au moment où il traversait… / Au moment de traverser… – **4.** Quand tu auras terminé…tu auras… / Tu auras ton dessert après avoir terminé… – **5.** Je chercherai jusqu'à ce que je trouve. – **6.** Au fur et à mesure qu'il vieillissait, il devenait plus sage. / En vieillissant il devenait plus sage. – **7.** Elle a enregistré la chanson après l'avoir écrite. – **8.** En attendant que tu trouves…

2. *Il faut souligner :* quand, tandis que, encore une fois, avant que, aussi longtemps que, en attendant que, d'ici à ce que, des jours et des jours, un jour, chaque fois que, toutes les fois que, alors, jusqu'à ce que, de nouveau, tant que, ce jour-là, en revenant, le lendemain, avant la fin du jour, alors, pas plus tôt que, tout en marchant, avant d'arriver, pendant la nuit, jusqu'à ce moment, une fois rentré, puis, après avoir embrassé, comme, lorsque, au moment où, dès que, une fois l'émotion passée.

3. L'EXPRESSION DE LA CAUSE

1. 1. puisque – **2.** puisque – **3.** parce que – **4.** puisqu' – **5.** parce que – **6.** parce qu' – **7.** parce que – **8.** Puisque.

2. 1. Étant donné qu' – **2.** parce que – **3.** d'autant moins… que – **4.** puisque – **5.** puisque – **6.** Comme – **7.** sous prétexte que – **8.** parce que.

3. A. 1. ayons – **2.** soit – **3.** ait égaré, fonctionnent mal / aient mal fonctionné.
B. 1. ce n'est pas qu'il soit petit, mais… – **2.** …soit qu'il ait veillé…. ou qu'il ait passé ses nuits… ou qu'il ait regardé…

4. *Réponses correctes :* **1.** Étant donné – **2.** sous prétexte que – **3.** Sous prétexte qu' – **4.** vu qu' – **5.** Du fait de – **6.** Étant donné que – **7.** Vu – **8.** Étant donné qu'.

5. 1e – 2f – 3d – 4a – 5g – 6h – 7b – 8c.

6. 1. grâce à son aide / grâce à lui – **2.** en raison d'un incident technique – **3.** à cause de son mauvais caractère. – **4.** faute d'argent – **5.** étant donné / vu vos résultats médicaux – **6.** à force de travail.

7. *Réponses correctes :* **1.** grâce à – **2.** grâce à – **3.** En raison d' – **4.** à cause de – **5.** sous prétexte d' – **6.** Étant donné – **7.** en raison de – **8.** à la suite d'.

8. *Réponses correctes :* **1.** à force de – **2.** à force de – **3.** grâce à – **4.** pour – **5.** pour – **6.** en raison de – **7.** faute de – **8.** faute de.

9. 1. a. par méchanceté, **b.** pour sa méchanceté – **2. a.** par amour, **b.** pour son immense fortune – **3. a.**

pour mauvais traitements, **b.** par négligence – **4. a.** par intérêt, **b.** pour bonne conduite.

10. 1. par sa sincérité, son éloquence et sa combativité. – **2.** pour son avarice. – **3.** par désœuvrement. – **4.** par sa grande froideur. – **5.** pour sa bonté et sa générosité. – **6.** pour fraude fiscale. – **7.** par manque de moyens financiers – **8.** pour leur chaleureux accueil.

11. 1. car – **2.** Puisqu' – **3.** Comme – **4.** d'autant plus que – **5.** en effet – **6.** parce qu'.

12. parce que – puisque – car – étant donné que – le voyant désœuvré – à cause de – sous prétexte de – non pas que.

4. L'EXPRESSION DE LA CONSÉQUENCE ET DU BUT

La proposition subordonnée : valeurs et emplois des conjonctions de conséquence et de but

---

1. 1. si bien que nous ne sortirons pas – **2.** de sorte qu'elle s'est rendue malade – **3.** de manière que le chômage est maintenant stabilisé – **4.** tant et tant que le gouvernement a fini – **5.** de telle sorte que les écologistes commencent – **6.** si bien que les cabines ont disparu – **7.** de telle sorte que la moindre infraction est sanctionnée – **8.** si bien qu'il ne peut plus / ne pourra plus.

2. 1. si bien qu'on fait – **2.** que je te dise – **3.** de telle sorte qu'on a vendu – **4.** de peur qu'un obstacle (ne) survienne – **5.** afin que l'enfant s'endorme – **6.** pour que ceux-ci fassent connaissance – **7.** faire en sorte qu'une personne se sente mieux – **8.** de telle façon qu'il faut parfois arriver.

3. 1. … si bien qu'elle voyait… – **2.** … pour qu'elle voie… – **3.** … de telle sorte qu'il a pu conduire… – **4.** … de sorte qu'il puisse / afin qu'il puisse conduire… – **5.** … de façon que / si bien que les lecteurs savent tout… – **6.** … de sorte que les lecteurs sachent tout… – **7.** … de telle façon qu'on l'entend… – **8.** … pour qu'on l'entende du fond…

4. 1. pour qu'elles – **2.** de peur qu'elles – **3.** afin qu'il – **4.** de peur qu'il (ne) – **5.** de crainte qu'une avalanche – **6.** pour qu'aucune avalanche – **7.** pour que la guerre – **8.** de peur que la guerre (n')ait lieu.

5. 1. … si épais que… – **2.** … tant / tellement de succès que… – **3.** … si / tellement célèbre que… – **4.** … une telle pauvreté… de telles difficultés… qu'on a créé… – **5.** … si pressés que… / … pressés au point que… – **6.** … tellement / tant de sucreries que… – **7.** … une telle impolitesse que / une grande impolitesse au point que… – **8.** Il aime tellement / tant la musique qu'il en écoute…

6. 1. Il est trop sensible pour qu'on lui dise… – **2.** Il fait assez beau pour que les touristes fassent… – **3.** Les plages sont trop polluées pour qu'on s'y baigne… – **4.** Il a montré suffisamment de compétences pour que vous lui confiiez… – **5.** Ce texte est assez clair pour que nous le publiions… – **6.** … sont trop horribles pour que je le lise. – **7.** … suffisamment de neige pour que nous puissions skier. – **8.** … trop peu d'émissions intéressantes à la télévision pour qu'elle m'attire.

7. *Pour* n'est pas obligatoire dans les phrases : 1, 3, 4, 5, 6.

Autres manières d'exprimer l'idée de conséquence et de but

---

1. 1. … au point d'avoir… – **2.** … jusqu'à faire trembler… – **3.** … pour être résolue… – **4.** … au point d'en oublier / jusqu'à en oublier… – **5.** … au point de connaître… – **6.** … pour obtenir… – **7.** … au point nous faire fuir. – **8.** … pour être cru.

1. 1. en vue d'une meilleure connaissance du monde – **2.** de peur de licenciements – **3.** pour la rénovation d'un bâtiment public – **4.** pour la protection de nos côtes – **5.** pour le soutien de nos camarades – **6.** de peur des embouteillages – **7.** en vue d'un règlement rapide du conflit social – **8.** de peur des critiques.

1. 1. donc – **2.** C'est pourquoi – **3.** aussi – **4.** Alors – **5.** par conséquent – **6.** ainsi.

Bilan

---

1. Elle a hurlé parce qu'elle a eu très peur. / Elle a eu si peur qu'elle a hurlé. – **2.** Comme elle travaille beaucoup, elle est tombée malade. / Elle travaille tant qu'elle est tombée malade. – **3.** Comme il a lu et relu le poème, il le connaît par cœur. / Il a tellement lu et relu le poème qu'il le connaît par cœur. – **4.** Je n'ai pas pu retrouver la maison de mon amie parce que j'avais perdu l'adresse. / J'avais perdu l'adresse de mon amie si bien que je n'ai pas pu retrouver sa maison. – **5.** Étant donné qu'il a beaucoup parlé pendant le cours, le professeur a une extinction de voix. / Il a beaucoup parlé… à tel point qu'il a… – **6.** Comme elle est très timide, elle rougit… / Elle est si timide qu'elle rougit… – **7.** Tout le monde l'admire parce qu'elle s'habille… / Elle s'habille avec tant d'élégance que tout le monde l'admire. – **8.** Étant donné que l'eau est montée et qu'elle a envahi la chaussée, les routes sont coupées jusqu'à nouvel ordre. / L'eau est montée et a envahi la chaussée si bien que les routes sont coupées, jusqu'à nouvel ordre.

5. L'EXPRESSION DE L'OPPOSITION ET DE LA CONCESSION

1. 1a – 2a – 3a – 4b – 5a – 6b.

2. 1. même si cela te déplaît – **2.** bien qu'il prétende le contraire – **3.** au lieu de rester là – **4.** Même si vous insistez – **5.** Quoi qu'on fasse – **6.** Il a eu beau faire – **7.** sans se retourner – **8.** sans que personne s'en aperçoive.

3. 1. Il a beau faire régime sur régime, il n'arrive pas à maigrir. – **2.** Même s'il n'a pas fait beau, le voyage a été très agréable. – **3.** Je t'avais prévenu, tu as quand même fait cette sottise / tu as fait cette sottise quand même. – **4.** En dépit de ses bonnes résolutions, il n'arrive jamais à se lever tôt. – **5.** Tu es fatigué, tu devrais laisser ce travail quitte à le reprendre plus tard. – **6.** Il a toujours un charme fou bien qu'il soit déjà assez âgé. – **7.** À défaut d'avoir un grand talent, il a une bonne technique. – **8.** Il réussit tout ce qu'il entreprend sans faire d'effort pour cela.

4. 1. Certains ont beau dire que les enfants… – **2.** Les acteurs ont eu beau faire… – **3.** Tu as beau faire tes yeux… – **4.** Le gouvernement a eu beau proposer… – **5.** J'ai eu beau chercher… – **6.** Vous avez / aurez beau insister…

5. 1a – 2a – 3b – 4a – 5a – 6a – 7a – 8a.

6. 1d/g – 2e/h – 3f – 4a – 5d/g – 6b – 7c – 8e/h.

7. 1g – 2e – 3a – 4h – 5c – 6f – 7d – 8b.

8. 1. les syndicats se sont opposés – **2.** il a désapprouvé son attitude – **3.** va à l'encontre du bon sens – **4.** les étudiants se sont insurgés contre – **5.** les petits partis ont dénoncé – **6.** On accuse – **7.** concéder – **8.** reconnaître.

                  Bilan

1.

	+ nom	+ infinitif	+ verbe indicatif	+ verbe subjontif
malgré	☑			
même si			☑	
avoir beau		☑		
bien que				☑
au lieu de	☑	☑		
quitte à		☑		
à défaut de	☑	☑		
sans	☑	☑		
sans que				☑

2. quel que – quelles que – même si – même si – auront beau – quand bien même.

6. L'EXPRESSION DE L'HYPOTHÈSE ET DE LA CONDITION

1. 1a – 2b – 3a – 4b – 5b – 6a – **7.** b – **8.** b.

2. 1c – 2a – 3f – 4b – 5d – 6e.

3. 1c – 2e – 3h – 4f – 5g – 6a – 7b – 8d.

4. 1. à condition d'avoir le temps – **2.** à condition qu'il ne pleuve pas – **3.** À condition que tu sois d'accord – **4.** À condition qu'ils acceptent – **5.** à condition que tu m'aides – **6.** à condition que vous en fassiez un de votre côté – **7.** à condition de retrouver mon passeport – **8.** à condition que tu arroses mes plantes.

5. 1. à moins que tu (ne) veuilles aller voir – **2.** à moins qu'il ne trouve un bon travail ici – **3.** à moins qu'on (ne) me propose de rester – **4.** à moins que la grève (ne) continue – **5.** à moins que tu (ne) veuilles – **6.** à moins de parvenir – **7.** à moins qu'il (ne) fasse trop – **8.** à moins de pouvoir persuader.

6. 1. avait – **2.** téléphone – **3.** si vous étiez venu(e)(s) – **4.** je n'aurais pas été obligé et je serais – **5.** nous ne pourrons pas – **6.** vous verriez les choses / vous auriez vu... (en cette circonstance) – **7.** nous aimerions – **8.** elle continue.

7. 1. reproche – **2.** menace – **3.** reproche – **4.** souhait – **5.** regret – **6.** gratitude – **7.** souhait – **8.** excuse.

8. Si vous ne l'aviez pas aidé,... – **2.** Si elle lisait les petites annonces... – **3.** S'il travaille un peu... – **4.** Si tu pars... – **5.** S'il n'y avait pas eu cette grève... – **6.** S'il faisait mauvais temps... – **7.** Si elle avait été plus aimable... – **8.** J'irai si tu y vas aussi. – **9.** Si vous ne vous dépêchez pas, on sera en retard – **10.** Si vous êtes seul, si vous avez besoin d'amour, n'hésitez plus, tapez 3615 LOVE.

Bilan

à moins que – à condition que – sauf si – auriez envisagé – sans – nous serions restés.

7. L'EXPRESSION DE L'INTENSITÉ ET DE LA COMPARAISON

1. 1. plutôt – **2.** vraiment / très – **3.** nettement moins – **4.** super – **5.** énormément – **6.** beaucoup – **7.** tellement – **8.** très / vraiment.

2. A. 3, 2, 1, 4 – **B.** 6, 8, 7, 5.

3. On peut ajouter l'adverbe *très* devant l'adjectif dans la phrase 1. Dans les autres phrases, c'est inutile et incorrect puisque l'adjectif exprime lui-même l'intensité.

4. 1g – 2e – 3f – 4d – 5h – 6a – 7b – 8c.

5. *Réponses correctes :* **1.** son moindre défaut – **2.** plus petit que moi – **3.** à la plus petite difficulté / à la moindre difficulté – **4.** beaucoup mieux – **5.** bien meilleur – **6.** bien pire / bien plus mauvaise – **7.** plus petite – **8.** qualités moindres.

6. 1. Les chats ont plus de patience que les chiens. – **2.** Elle connaît autant de monde que moi dans cette fête. – **3.** Les Français font plus d'enfants que d'autres Européens. – **4.** Il est tombé moins de neige cette année. – **5.** Pour avoir une bonne santé, il faut manger autant de légumes que de fruits. – **6.** J'ai beaucoup moins de travail depuis septembre grâce à l'informatique. – **7.** Dans son jardin, il y a autant d'herbes folles que de fleurs. – **8.** Il a moins d'ennuis avec ses voisins depuis qu'il a coupé son immense cerisier.

7. 1. C'est le plus haut sommet d'Europe. – **2.** C'est le moyen de transport le plus rapide et le moins cher. – **3.** C'est le gangster le plus dangereux. – **4.** C'est le moyen de transport actuellement le plus rapide et le moins encombrant. – **5.** C'est le plus vieux pont de Paris. – **6.** C'est le plus court chemin d'un point à un autre. – **7.** C'est le plus long fleuve au monde. – **8.** C'est l'écrivain français le plus célèbre.

8. 1. c'est le meilleur désinfectant – **2.** c'est le moins cher – **3.** c'est l'enfant le plus gai que je connaisse – **4.** c'est le mois le plus chaud de l'année – **5.** c'est le moindre / le pire de ses défauts – **6.** le pire cauchemar – **7.** je n'en ai pas la moindre idée – **8.** les plus petits.

9. *Réponses correctes :* **1.** le meilleur – **2.** c'est mieux – **3.** est meilleure – **4.** la meilleure – **5.** le meilleur – **6.** meilleur – **7.** il vaut mieux – **8.** c'est meilleur / mieux.

10. 1. supérieur à – **2.** la même cravate que – **3.** autant de patience que – **4.** inférieures à – **5.** meilleure que – **6.** supérieurs à – **7.** le plus beau château de – **8.** le pire de.

11. 1. de plus en plus chaud – **2.** de moins en moins longs /de plus en plus courts – **3.** de plus en plus mal – **4.** de moins en moins timide – **5.** de plus en plus lointaines – **6.** de plus en plus favorable – **7.** de plus en plus difficile – **8.** de moins en moins rare/ de plus en plus fréquent.

12. 1. Plus vous mangerez, plus vous grossirez. – **2.** ... plus tu la sermonnes, moins elle t'écoute. – **3.** Autant cette coiffure te va bien, autant elle lui va mal. – **4.** Plus on fait d'exercices physiques, mieux on se porte. – **5.** ... plus vous avancerez, plus il reculera. – **6.** Moins tu en raconteras... et mieux ce sera. – **7.** Plus j'apprends le français, plus (moins) j'apprécie cette langue. – **8.** ... autant il est désagréable, autant elle est adorable.

Bilan

Réponses proposées : Anne est plus grande que Suzanne, mais elles ont le même poids. Anne a les cheveux plus courts que Suzanne. Autant Anne est timide et sérieuse, autant Suzanne est expansive et gaie. Elles sont aussi travailleuses l'une que l'autre. Elles vivent toutes les deux à Paris, mais Anne vit chez ses parents alors que Suzanne vit seule dans un studio. Elles font actuellement les mêmes études.

Imprimé en France par Clerc en juillet 2021
N° de projet : 10276083 - Dépôt légal : janvier 2020